Жанры. Проект Бориса Акунина

Борис Акунин

шпионский роман

роман

москва 2005

УДК 821.161.1
ББК 84 (2Рос=Рус)6
А44

Иллюстрации Татьяны Никитиной

Дизайн серии «Креативное Бюро Алексея Соловьева»

Подписано в печать 01.02.05. Формат 84×108 1/32.
Усл. печ. л. 21. Доп. тираж 50 000 экз. Заказ № 1381.

Акунин Б.
А44 Шпионский роман : [роман] / Борис Акунин. — М.: АСТ, 2005. — 399, [1] с.

ISBN 5-17-029042-X

«Шпионский роман» входит в серию «Жанры» — новый литературный проект Бориса Акунина.

УДК 821.161.1
ББК 84 (2Рос=Рус)6

ISBN 5-17-029042-X

Пролог

ГЕНИАЛЬНАЯ СВИНЬЯ

В мраморном кабинете с красными стенами у палисандрового письменного стола сидели три человека.

Двое молчали, один говорил – сначала медленно, будто через силу, то и дело устало потирая пальцами набрякшие веки, потом все громче, энергичней. Наконец вскочил, принялся расхаживать вдоль стола, стремительно разворачиваясь на каблуках и помогая себе жестами нервных рук. Голубые глаза наполнились сиянием, голос звенел и вибрировал, щека дергалась в гневном тике, но рот оставался безмятежным и таил в углах тень мечтательной улыбки.

Слушатели (один из них был в черной адмиральской форме, другой в серой генеральской) отлично знали, что чередование вялости и напора, шепота и крика, языка цифр и вдохновенного камлания не более чем прием профессионального оратора, и всё же поневоле ощущали на себе магию этой странной, известной всему миру полуулыбки.

Говорил диктатор могущественнейшего государства Европы, самый обожаемый и самый ненавидимый человек на Земле.

Слушали начальник военной разведки и его заместитель, вызванные в Рейхсканцелярию на секретное совещание, от исхода которого зависела жизнь и смерть десятков миллионов людей.

Но человек с неистовыми глазами и улыбчивым ртом говорил не о смерти, а о счастье.

– ...Счастье германского народа, его будущее поставлены на карту. Еще две недели назад казалось, что положение наше незыблемо, а перспективы грандиозны. Но югославская авантюра наших врагов заставила меня приостановить подготовку «Барбароссы». Пришлось спешно тушить пожар, возникший в тылу. Маловеры зашептались, что время упущено, что осуществление плана придется отложить на следующую весну. И что же? – Пальцы стремительно ухватились за кончик острого носа, с силой дернули за маленький колючий ус. – Я преподнес миру очередной урок, я раздавил югославскую армию за одну неделю! Военная операция началась 6 апреля, а сегодня, 12-го, ее можно считать триумфально завершенной. – Короткая пауза, подбородок мрачно опустился, на лоб упала длинная косая прядь, голос сник. – ...Но переброска тридцати дивизий с востока на запад, а потом с запада на восток заставляет терять драгоценное время. Нанести удар 15 мая, как предусматривалось планом, не удастся. Генеральный штаб докладывает, что теперь нам никак не начать раньше второй, а то и третьей декады июня. Главный вопрос – сумеем ли мы в такие жесткие сроки, до начала зимы, выполнить поставленные задачи: уничтожить основные силы Красной Армии и выйти на линию Архангельск – Волга. Мы рассчитывали на пять месяцев, а остается только четыре. Мне говорят, что именно этого украденного месяца нам не хватит для окончательной победы. Быть может, лучше в самом деле дождаться следующего года?

Подрагивающая рука сделала неуверенный жест, потерла висок. Плечи согнулись, словно под бременем тяжкой ответственности, глаза скорбно закрылись.

Теперь пауза получилась долгой – пожалуй, на полминуты.

Начальник разведки, человек еще не старый, но совершенно седой, осторожно покосился на своего помощника. Тот слегка поморщился, что означало: решение всё равно уже принято, к чему эти театральные эффекты?

Рейхсканцлер вскинул голову – в широко раскрытых глазах светилась непреклонная воля.

– Господа умники не понимают простой вещи! – Рубящее движение сжатого кулака. – Лавина, обрушившаяся с вершины, не может остановиться. Всякий, кто попытается встать на ее пути, погибнет. Движение – победа, любая остановка – крах. Да, в общей сложности мы потратим на Югославию целый месяц. Теперь «Барбаросса» становится еще более рискованным предприятием. Но я знаю, чем мы компенсируем потерю времени. До сих пор мы делали ставку на военный перевес: человеческий, технический, стратегический. Подготовка большевиков к обороне нас не пугала. Наоборот, мы хотели, чтобы они сосредоточили на границе как можно больше сил – тогда мы уничтожили бы Красную

Армию первым же натиском. Но теперь схватка с хорошо подготовившимся противником слишком рискованна: мы не можем увязнуть в приграничных боях, а потом вести долгое преследование потрепанного, но не сломленного врага. Удар должен быть не только сокрушительным, но и, – многозначительная пауза, – неожиданным.

Адмирал и его заместитель, не сговариваясь, слегка подались вперед. Лица остались непроницаемыми, но рука генерала непроизвольно коснулась правого уха – после давней контузии оно не очень хорошо слышало.

Остановившись, диктатор смотрел на них сверху вниз.

– Да-да, господа, вы не ослышались. Удар должен застать врага врасплох. В сложившейся ситуации фактор внезапности обретает первоочередное, даже решающее значение.

Кашлянув, начальник разведки тихо сказал:

– Но это совершенно исключено, мой фюрер. Мы ведем подготовку к восточной кампании уже несколько месяцев. На границы России, от Балтики до Черного моря, выдвигается пять с половиной миллионов солдат, тысячи самолетов и танков. В истории еще не бывало войсковых перемещений такого масштаба. Мы не ставили себе задачу скрыть наши приготовления от НКВД. В любом случае это было бы нереально. Какая же тут может быть внезапность?

– Не знаю! – Лицо рейхсканцлера было каменным, скрещенные на груди руки больше не дрожали. –

На этот вопрос мне ответите вы. И не позднее чем через 24 часа. Абвер для того и создан, чтобы решать невозможные задачи!

– А если задача окажется не имеющей решения?

Чем громче и жестче говорил фюрер, тем мягче и приглушенней звучал голос адмирала.

– Тогда я откажусь от «Барбароссы»... – По лицу диктатора пробежала судорога. – Я не поставлю судьбу Рейха на слишком слабую карту.

Фюрер порывисто наклонился, положил адмиралу руку на витой погон.

– Но вы решите мне эту задачу, я вас знаю. Точную дату удара я назначу лишь после того, как вы гарантируете мне внезапность. На боевое развертывание войскам понадобится десять суток. Значит, число «Зет» – это день вашего рапорта плюс десять дней... Всё, господа. Идите, думайте.

Руководители разведки медленно поднялись. Окинув взглядом их помрачневшие лица, рейхсканцлер пожал плечами, снисходительно обронил:

– Я дам вам ключ. Цельте в Азиата, прочее несущественно. И вот еще что. Без прусского чистоплюйства. Я санкционирую любые меры, любые. Лишь бы был результат. Итак, через 24 часа вы дадите мне решение. Или его будут искать другие.

И великий диктатор склонился над бумагами, давая понять, что совещание окончено.

Адмирал и генерал молча шли через анфиладу помпезных залов, облицованных порфиром – мимо белокурых охранников лейбштандарта, под растопыренными крыльями имперских орлов, венчавших гигантские бронзовые двери.

У Западного подъезда Рейхсканцелярии, на Восс-штрассе, ждал черный «опель» – не очень новый и в отличие от соседних лимузинов, не надраенный до ослепительного сияния. Адмирал не любил внешних эффектов.

Заходящее солнце окрашивало гранитные ступени ровным кармином. Руководители Абвера спустились по ним в строго иерархическом порядке: впереди начальник, за ним в почтительном полушаге заместитель, тоже седой, сухопарый, сдержанный в движениях – этакая тень своего начальника, разве что заметно выше ростом, но тени в этот предвечерний час и полагалось быть длиннее оригинала. Однако опустившись на сиденье, отгороженное от шофера звуконепроницаемой стеклянной перегородкой, генерал перестал изображать субординацию.

– Как тебе это нравится, Вилли? – зло сказал он и забарабанил пальцами по колену.

– М-да, – неопределенно ответил адмирал.

Помолчали, глядя один влево – на окна мертвого британского посольства, второй – направо, где сразу за мрачным зданием прусского министерства культуры располагалось посольство СССР.

Лимузин повернул на Унтер-ден-Линден, где вместо знаменитых, недавно вырубленных лип торчала шеренга мраморных колонн с орлами и знаменами.

– А что скажешь ты, Зепп? Машина чистая, утром проверяли, так что можешь не осторожничать.

Долго упрашивать генерала не пришлось. Он процедил:

– Свинья. Пошлая самовлюбленная свинья. Слава Богу, мне приходится любоваться на него реже, чем тебе.

– Свинья-то он, конечно, свинья, – согласился адмирал, – но гениальная. И, главное, чертовски везучая. В прошлую войну мы возились с Сербией четыре года, а он справился за одну неделю. Давай смотреть на вещи трезво. После революции Германия превратилась в навозную кучу, и без такого вот борова нам из дерьма было не вылезти.

Заместитель с этим, кажется, был согласен. Во всяком случае, тон из злобного стал брюзгливым:

– Лучше бы мы увязли в Югославии месяца на два. Тогда вопрос снялся бы сам собой, а так получается ни то, ни сё. От новой победы свинья только пуще распалилась, еще больше уверовала в свою звезду.

– А может быть, у него и в самом деле счастливая звезда? – философски заметил адмирал.

– Может быть. Но я не звездочет. Я специалист по информационным и дезинформационным стратегиям. А также хирург узкоспециального профиля.

Начальник улыбнулся, оценив метафору.

– Ну так займемся своим делом, Зепп, а движение звезд доверим Господу Богу.

«Опель» уже выехал на набережную Тирпица, где в здании Верховного командования находился кабинет начальника разведки. Четверть часа спустя старые товарищи сидели в уютных креслах друг напротив друга и пили густой восточный кофе, сваренный алжирским слугой адмирала. На коленях у шефа Абвера блаженствовала любимая такса Сабина, в плотных трикотажных трусиках малинового цвета. У нее начиналась течка, и хозяин забрал Сабину из дому, чтобы не волновать кобелька Сепpля.

Кабинет адмирала был полной противоположностью мраморного зала, в котором разведчиков принимал рейхсканцлер. Довольно тесная, скромно обставленная комната создавала ощущение покоя и домашности. Висевшие на стенах фотографии (прежние руководители разведки, а также личный друг хозяина генерал Франко) были похожи на портреты родственников. Даже географические карты на стенах не столько наводили на мысли о геополитике, сколько будили воображение, заставляя думать об экзотических морях и дальних странствиях – этому способствовала и морская форма обитателя кабинета, и модель крейсера, стоявшая на письменном столе.

Был на столе еще один необычный предмет, хорошо знакомый всему центральному аппарату – три бронзовые обезьянки: одна закрывала лапками рот, другая уши, третья глаза. Адмирал потянулся, рассеянно погладил всю троицу по головкам – была у него такая привычка в минуту особенной сосредоточенности.

– В Абвере считают, что это символ разведки: умей смотреть, умей слушать и знай, о чем надо помалкивать, – сказал генерал. – Но, по-моему, хороший разведчик должен держать глаза и уши всегда открытыми, а рот использовать, чтобы морочить противнику голову.

– Разумеется. – Адмирал почесывал Сабине длинное бархатное ухо – такса жмурилась, как кошка. – Мой обезьянник – не символ разведки. Это напоминание самому себе о заповеди буддизма, без которой нельзя достичь Просветления: не созерцай Зло, не внимай Злу, не изрекай Зла.

Заместитель хмыкнул:

– Извини, Вилли, но на праведника ты непохож. Не тот у нас с тобой род занятий.

Улыбнулся и начальник:

– Я не настолько самонадеян, чтобы считать себя воином Добра. Я давно живу на свете, но не разу не видел, чтобы Добро вступило в единоборство со Злом. Всякий раз одно Зло воюет с другим Злом. Поэтому, дружище, у меня никогда не было особенного выбора. Но я горжусь тем, что всегда был на стороне Меньшего из Зол. Во всяком случае, искренне в это верил, продолжаю верить и теперь…

Хозяин говорил не спеша, размеренно, генерал лениво ему кивал, но думали оба совсем о другом, что и стало окончательно ясно, когда адмирал безо всякого перехода, не меняя интонации, вдруг сказал:

– Каково, а? «Я откажусь от Барбароссы». Ни черта он не откажется, просто через 24 часа назначит вместо нас с тобой других исполнителей. А может быть, пускай назначит?

Генерал слушал внимательно, но пока помалкивал.

– Нет, не годится, – сам себе ответил адмирал. – И дело не в том, что такой оборот событий чреват для нас с тобой серьезными личными неприятностями. Беда в другом: никто кроме нас этот ребус не решит. Напридумывают какой-нибудь ерунды, и свинья ее заглотит, потому что отступать не может и не хочет. Тогда вместо короткой войны мы получим длинную, во стократ худшую. Как сказал мудрец: «Неприятность лучше несчастья, а несчастье лучше катастрофы». Опять я оказываюсь на стороне Меньшего Зла, в противовес Злу Большому.

Заместитель крякнул.

– Вилли, ты слишком любишь философствовать. Пора сформулировать условия задачи.

– Что ж, попробуем, – кротко развел маленькими ручками адмирал. – Мы должны добиться того, чтобы русские, как говорится в их же пословице, видели деревья, но не сообразили, что это темный лес, в котором прячутся зубастые волки.

– Пословица звучит не совсем так, но это неважно.

– А раз неважно, то не перебивай меня, – огрызнулся начальник.

Перепалка, впрочем, была не всерьез. Адмирал продолжил:

– Итак, русские видят перед собой две сотни готовых к наступлению дивизий, но при этом должны быть твердо уверены, что Германия на них не нападет.

Он красноречиво пожал плечами.

Заместитель подхватил:

– Прибавь к этому, что советская разведка наверняка уже пронюхала о существовании плана «Барбаросса», что она ежедневно получает тревожную

– Извини, Вилли, но на праведника ты непохож.

информацию из ста различных источников. Как тебе известно, НКВД активно восстанавливает свое немецкое направление и занимается этим мой старый знакомый, противник весьма и весьма опасный.

– «Чем сложнее препятствие, тем меньше позора при неудаче», – процитировал адмирал еще одну восточную мудрость. – Начнем с очевидного. Пункт один: дипломатия. Риббентроп должен активизировать тайные переговоры с Молотовым о стратегическом союзе Германии, Советского Союза и Японии. В качестве первого шага японцы подпишут с большевиками пакт о нейтралитете. Курировать дипломатов будет отдел «Аусланд». Пункт два: бумажный тигр…

– Как мне надоели твои восточные цветистости, – пожаловался генерал. – Что еще за тигр?

– Англия. В публичных речах и особенно на закрытых совещаниях Фюрер должен имитировать параноидальный страх перед непокоренным Альбионом. Эта роль у нашего парнокопытного отлично получится. Генштаб займется срочной разработкой броска через Турцию в Иран и на Ближний Восток, к Суэцкому каналу, чтобы перерезать пуповину, соединяющую Лондон с главными колониями. Работа будет проходить в обстановке строжайшей секретности, но с тщательно спланированными утечками. Курирует операцию отдел Абвер-1. Идем далее. К каждой воинской части в группах армий «Север», «Центр» и «Юг» прикомандировать английских и арабских переводчиков. Этим займутся Абверштелле приграничных округов. Далее. Мы произведем массовую заброску агентов в Иран – через советскую территорию. Прикрытие обеспечит группа «Ост». С пунктом два вроде бы всё, переходим к пункту три: «Волк! Волк!» Прости, Зепп, – вскинул ладонь адмирал. – Я забыл, ты не любишь аллегорий. Я имею в виду притчу про шутника, который кричал «Волк! Волк!», и в конце концов ему перестали верить. Будет несколько ложных тревог: сначала русские получат информацию о том, что мы, несмотря на югославскую канитель, все-таки ударим 15 мая; потом – что война начнется 20-го, потом – что 1 июня. Вброс информации мы осуществим через известных нам советских агентов влияния, чтобы дискредитировать их в глазах Москвы. Эту разработку буду вести лично я. Ну, как тебе?

– Как гарнир неплохо, – протянул генерал, глядя в сторону и быстро помаргивая. – Но что такое картофельное пюре и кислая капуста без хорошего куска мяса?

– Согласен. Для успеха нужен некий финальный штрих, точное туше́, нанесенное в правильно рассчитанный момент. И только тогда, в случае успеха этой акции, можно будет назначить точное число и час наступления. А в случае провала – всё отменить… – Адмирал прищурился, вглядываясь в лицо своего заместителя, который, казалось, его не очень-то слушал. – Ага. По усиленному морганию вижу, что твои мозги уже заработали. Ну-ка, ну-ка.

– Знаешь, Вилли, свинья, действительно, гениальна. – Генерал сосредоточенно потер подбородок. – Он в самом деле произнес ключевое слово. Слушай.

Собеседники наклонились друг к другу, и генерал быстро-быстро заговорил, едва поспевая за мыслями. Из-за спешки он проглатывал слова и целые куски фраз, но адмирал схватывал на лету, энергично кивая. Такса беспокойно завертела головой, взвизгнула, соскочила на пол.

Начальник и заместитель постоянно обрывали и перебивали один другого, но это совершенно не мешало ходу дискуссии. Они сейчас находились в своей стихии и больше всего, пожалуй, напоминали двух джазистов в самый разгар джем-сешна.

Если кто-нибудь посторонний подслушал бы этот сумбурный разговор, то вряд ли что-нибудь понял.

– Роль личности в истории, – бросал реплику один.

– «Суха теория, мой друг», – понимающе кивал второй.

– Как сделать, чтоб за деревьями не увидели леса? Да очень просто! – восклицал генерал.

– И нечего распыляться, – вторил ему адмирал. – А то разведка, контрразведка, НКВД, НКГБ, «Служба связи» – черт ногу сломит... Пустая трата времени!

С четверть часа поговорив подобным невразумительным образом, собеседники откинулись на спинки кресел и удовлетворенно задымили сигарами.

– Что ж, концепция есть, – пыхнул синеватым дымом Адмирал. – И неплохая.

Генерал был более категоричен:

– Единственно возможная.

– Вероятность успеха?

Подумав, заместитель сказал:

– Пятьдесят процентов.

– Что ж, не так мало. Наша везучая свинья, бывало, ставила и на меньшее. Надеюсь, ты понимаешь, Зепп, что в случае проигрыша расплачиваться придется собственной шкурой?

– Разве в нашей профессии когда-то было иначе? – небрежно дернул плечом генерал. – Только в прежние времена перед тобой клали револьвер с одной пулей, а теперь подвесят на мясницком крюке. В сущности, невелика разница.

Оба весело рассмеялись, настроение у старых приятелей было отменное.

Адмирал погасил сигару.

– Ну хорошо. А кто? Здесь всё зависит от исполнителя. Это должен быть агент экстра-класса, иначе пятидесяти процентов может не получиться. Твое мнение?

– «Вассер», – уверенно сказал генерал. Было видно, что этот вопрос он уже обдумал.

Начальник разведки изменился в лице. Кашлянул раз, другой. Помешкал, подбирая правильные слова.

– Зепп, дружище, ты же знаешь… Когда ловят на живца, шансы последнего, мягко говоря, невелики. Особенно если наживка благополучно проглочена. Право, это чересчур. Ты же не фанатик.

Складки на сухом лице заместителя сделались резче.

– Я не фанатик, но я уважаю свое ремесло. И я в любой момент готов расплатиться по счету всем, что имею. В том числе жизнью. Уверяю тебя, «Вассер» из того же теста. Это что касается эмоций. А теперь по делу. Я готовил агента «Вассер» к чему-то подобному много лет. «Вассер» идеально подходит для поставленной задачи по всем параметрам – и по личным качествам, и по выучке, и по легенде. Говорю это совершенно объективно. Давай поставим вопрос так: кто, если не «Вассер»?

Они долго молча смотрели друг на друга. Лицо генерала выглядело совершенно бесстрастным, адмирал же явно был взволнован.

– Ты прав, Зепп, – сказал он в конце концов и снова откашлялся. – Ты лучший из лучших. А «Вассер» – оптимальный выбор. Пожалуй, мы можем рассчитывать не на пятьдесят процентов, а на все шестьдесят.

Глава первая

ЧИСТЫЙ НОКАУТ

– По корпусу больше работай, не открывайся, и без фокусов, а то знаю я тебя, портачá, – бубнил в затылок Васильков.

А Егор его не слушал. Во-первых, заливал Васильков – не знал он Егора, потому как работал в клубе без году неделя. Во-вторых, слаб он против прежнего тренера, дяди Леши. Это ж надо, перед самым чемпионатом засадили дяде Леше строгача и отстранили от работы за политическую близорукость – брат у него оказался вредитель. В-третьих, был этот Васильков какой-то суетливый, дерганый. Ну а насчет «фокусов» и «портача», это, извините, вообще хреновина на постном масле.

Понять Василькова было можно. Коллектива толком не знает, репутации еще не заработал, а показатели – хуже некуда: всех ребят одного за другим на отборочных повысаживали, один Егор дошел до полуфинала. В прошлом году динамовцы золото взяли, бронзу, еще три места в первой десятке, а в нынешнем вон срам какой, скандал невиданный.

– Ты, Дорин, главное дело, помни: берешь чемпионат Москвы – считай, уже мастер спорта. Это я тебе гарантирую. А в июне финал Союза, сам соображай, – морально стимулировал Васильков, но характер до конца не выдержал, закончил жалобно. – Егор, ты это, ты не подведи, а?

– Не кирпичитесь, товарищ старший лейтенант, всё будет ажур-бонжур, – отмахнулся Егор и на секунду замер перед занавеской, готовясь выйти на публику.

Правильно появиться перед залом – это настрой, это заявка. Вроде эпиграфа к литературному произведению. Зрители сразу должны увидеть: этот выдерет победу зубами, сдохнет, а не уступит. Ну и начинают уважать. А настроение зала вмиг передается противнику. Короче, целая психология.

Вышел Егор красиво: в халате (красно-белом, заграничном), на шее синее полотенце. Легкой, пританцовывающей походкой поднялся на ринг, а судья-информатор бубнил в микрофон:

– Чемпион спортивного общества «Динамо» во втором среднем весе перворазрядник Егор Дорин. 35 боев, 29 побед.

«Из них 14 чистым нокаутом» – мысленно прибавил Егор, для большей веры в победу.

Скинул халат секунданту. Поиграл бицепсами, потом грудными, тряхнул чубом.

Стрижка у него была особенная: сзади и по бокам под ноль, а спереди отпущена длинная пшеничная прядь. Когда откидывал ее со лба, получалось эффектно.

Зритель сегодня преобладал вражеский. Здесь, во Дворце физкультуры Авиахима, у армейцев тренировочная база, так что территория это ихняя. Динамовских пришло мало, сидят кучкой, неуютно им. А Егору нормально. Когда зал колючий, это еще лучше. Повышает бойцовские качества.

Он нарочно улыбнулся публике во всю физиономию, предъявил свои замечательно белые зубы. Драил он их порошком «Лампочка Ильича» два раза в день, минимум по пять минут. Потому что хорошую улыбку и девушки любят, и начальство ценит.

– Поскалься, поскалься, – крикнули из первого ряда. – Серега тебе сейчас кусалки пересчитает!

Егор поморщился на бескультурье, но ни ответом, ни даже взглядом не удостоил, тем более уже объявляли соперника, да поторжественней, чем динамовца:

– Двукратный призер чемпионатов СССР, мастер спорта Сергей Крюков! 40 боев, 31 победа! Спортивный клуб Рабоче-Крестьянской Красной Армии!

Зрители заревели, захлопали, но Егор на них не смотрел, весь сконцентрировался на противнике. Сейчас, в считанные секунды, оставшиеся до гонга, нужно было определить главное – тактику боя. Каждое движение, взгляд, мимика – всё важно.

Если противник нервничает, проявляет хоть крохотулечные признаки неуверенности – на такого нужно с первой же секунды обрушить яростный натиск, чтоб морально подавить, заставить смириться с поражением.

Гораздо опаснее вялые, сонные. Эти зануды, настроенные на прочную оборону, никогда не рискуют, берут на измор. Все шесть проигранных боев (пять по очкам, один, эх, нокаутом) Егор уступил таким вот аккуратистам. По счастью, в средней категории их сравнительно немного – они чаще встречаются среди тяжеловесов.

Сергей Крюков, как сразу определил Егор, принадлежал к третьей разновидности – живчик. Подпрыгивал на месте, кусал губы от нетерпения, тряс головой – короче, рвался в драку.

На живчиков у Егора была своя тактика, с ними он сам превращался в аккуратиста.

– Бокс!

Первый раунд Дорин провел в глухой, осторожной защите. Армеец наскакивал, молотил и справа, и слева, но ни разу толком не достал, несколько касательных не в счет. Егор не ответил ни разу, нарочно.

Публика орала, подбадривала своего, робкому динамовцу свистела и шикала.

В перерыве вовсю трепыхался Васильков – нес какую-то чушь, но Егор его не слушал. Наблюдал за противником. Кажется, парень крепкий, непохоже, что устал. Это плохо. Матч пятираундовый, выдохнуться Крюков не успеет. Значит, надо скорректировать тактику.

Во втором раунде Дорин сильные удары отбивал, а пару-тройку слабых пропустил. Краем глаза следил за часами. За десять секунд до конца подставился скулой под правый хук и рухнул.

Зрители все повскакивали, Васильков, бедолага, схватился за голову. Но на счете «восемь» ударил гонг. Вроде как спас динамовца.

Тренер уже ничего не говорил, только вздыхал да безнадежно качал головой. Вообще-то стоило бы продуть бой, чтоб Василькова турнули из клуба и взяли обратно дядю Лешу. Только ведь не возьмут.

В третьем раунде противник думал только об одном – как бы поскорей дожать недобитка. Про защиту забыл напрочь. Пару раз открывался так, что можно было ему неплохо влепить, но стопроцентной уверенности в нокауте у Егора не было, а простым нокдауном он только поломал бы весь замысел. Крюков скумекал бы, что его дурят, и встал до конца матча в глухую оборону, а по очкам его было уже не догнать.

Наконец армеец подставился как следует, и тут уж Дорин не сплоховал, провел исключительно культурный удар – левый прямой в переносицу.

Крюков как лег, так больше и не встал. До зрителей не сразу и дошло, что всё, кино закончилось, зажигайте свет.

Пока объявляли победу, пока рефери задирал Егору руку, тот наскоро осмотрел зал – на предмет проблемы кадров.

Кадры присутствовали, и один был очень даже ничего: рыженькая, сидела рядом с лейтенантом-танкистом, но смотрела не на кавалера, а на победителя, и правильно смотрела – с восхищением. В другое время Дорин обязательно бы на нее «спикировал» (в отношениях с прекрасным полом он обычно придерживался авиационной терминологии), и тогда держись, танкист.

Но сегодня кадры Егора не интересовали, приглядывался он больше по привычке. Потеря интереса, вероятней всего, была временная, не навсегда – до тех пор, пока будущий чемпион Москвы не разберется в одном феномене, у которого светло-русая коса до пояса и уникальные зеленые глаза.

Кое-как отбившись от горстки верных болельщиков, отодравшись от хлюпающего носом Василькова, Егор поспешил в раздевалку. Время было без пяти двенадцать, а в час он должен был подскочить на Таганку, забрать с дежурства вышеобозначенный феномен (существо в самом деле особенное, антропологической наукой малоизученное). Договорились сходить в филармонию на дневной концерт фортепианной музыки, а потом ехать к ней, в Плющево. Ради второго пункта программы Егор был согласен перетерпеть и филармонию.

Пока мылился-полоскался в душе, напевал любимую песню: «Капитан, капитан, улыбнитесь, ведь улыбка – это флаг корабля». Размышлял при этом про зеленоглазую Надю, Надежду. От дверей доносился счастливый голос Василькова («В финале будешь с армейцем Павловым драться, Павлов боксер опытный, но я его манеру хорошо знаю, поработаем с тобой как следует, и сделаешь его, я тебе точно говорю, а не сделаешь, серебро тоже неплохо, но я считаю должен сделать, имеешь шанс...») – только мешал думать. Потом тренер умолк – Егор не придал этому факту значения. Но когда, вытираясь большим полотенцем, вышел, стало ясно, почему Васильков перестал производить звуковые помехи. В раздевалке его не было. Вместо тренера перед Егором стоял командир в кожаном пальто без знаков различия, однако по синему околышу на фуражке было ясно – свой, из НКВД или НКГБ. А потом пальто приоткрылось, Егор разглядел малиновую петлицу с двумя ромбами, и поскорей натянул трусы, чтоб не трясти перед высшим комсоставом предметом личного пользования. Начальство наверняка пришло поздравить победителя от имени общества «Динамо». Спас Егор Дорин честь доблестных Органов, стопроцентно.

Фуражку командир держал в руке, было видно мощный бритый череп, белый косой шрам на виске.

Незнакомец разглядывал Дорина обстоятельно, с явным удовольствием. Оно и понятно: парень Егор был видный, особенно когда в одних трусах. Рост сто семьдесят пять, вес семьдесят три. На лицо тоже не урод, только нос малость кривоват – не от рождения, а на память о том самом единственном нокауте. Но мужчину такой нос, в принципе, только украшает. Для полноты картины Егор и белозубую улыбку обозначил, и чубом тряхнул.

Командир вообще-то и сам был хоть куда: немолод, но в васильковых глазах прыгают огоньки, подбородок будто из гранита, под носом чернеют ворошиловские усики. Еще Дорин разглядел в отвороте пальто значок «Почетный чекист», а на правой руке тонкую кожаную перчатку. Забыл снять? Или протез?

– Смотрел на вас и любовался, – улыбнулся бритый. Голос у него был приятный, сильный. – Умно деретесь, расчетливо. Это только в боксе или вообще – жизненная позиция?

Что-что, а производить впечатление на начальство Егор умел. Человек с двумя ромбами говорил культурно, сразу видно – из образованных, так что ответил ему Дорин соответственно:

– Бокс, товарищ командир, хорошая школа жизни. Как у Маяковского, помните?

Знай и английский,
и французский бокс.
Но не для того,
чтоб скулу сворачивать вбок,
А для того,
чтоб не боясь
ни штыков, ни пуль,
Одному обезоружить
целый патруль.

– Так себе стишата. У Маяковского есть и получше. Но идея правильная. – Бритый наклонил лобастую голову и вдруг обратился к Егору на немецком. – Mögen Sie Gedichte?[1]

Выговор у него был чистый, можно даже сказать, идеальный. Дорин тоже постарался не ударить лицом в грязь, ответил на хохдойче:

– Ich kann immer noch die Gedichte, die ich in der Schule gelernt habe. Mein Gedächtnis lässt mich nicht im Stich.[2]

Огоньки в синих глазах военного вдруг погасли.

– Немецкий-то у вас ученический, ненатуральный.

Тогда Егор перешел на диалект – не как учили в ШОНе, а как говорили в колхозе у дедушки Михеля:

– Ja mei, wir sind halt einfache Leut.[3]

Огоньки снова зажглись.

– Dees iis aa schee![4] Вот это настоящий байериш, не соврала характеристика!

И стало тут ясно, что бритый читал служебную характеристику младшего лейтенанта Дорина. Хранится этот секретный документ в железном сейфе, куда Егору доступа нет. В Органах характеристики на сотрудников составляют не для отписки, как в обычных совучреждениях. Про общественную работу не пишут, лишь про полезные и вредные для дела качества. Дорого Егор дал бы, чтобы заглянуть

---

[1] Любите поэзию? (*нем.*)

[2] Что в школе учил, помню. На память не жалуюсь. (*нем.*)

[3] Чего с нас взять, мы люди простые. (*бавар.*)

[4] Вот это здорово! (*бавар.*)

в этот документ хоть одним глазочком, но это, как говорится, дудки. А вот синеглазого к ней допустили. Из чего следовало, что в раздевалку он пришел не поздравлять победителя, а по какой-то другой, гораздо более важной надобности.

Сердце у Дорина застучало быстрей, но виду он не подал, смотрел все так же открыто, улыбчиво.

– Откуда такое владение баварским диалектом? – спросил командир.

– От матери. Она у меня немка. И от деда. Ездил к нему каждое лето. Он председатель колхоза «Рот фронт», в Саратовской области. Бывшие немецкие колонисты. Они сто лет назад из Баварии переехали. Ну, в смысле, не они, а ихние предки.

– А отец ваш, Максим Иванович Дорин, кто был? В документах написано «из крестьян-бедняков». Как он с вашей матерью сошелся? Необычно: деревенский парень – и дочь колониста. Вы рассказывайте, рассказывайте, я не из пустого любопытства спрашиваю.

Понятно, что не из пустого, подумал Егор.

– Он тоже Саратовской губернии. На империалистической воевал, дали ему отпуск по ранению. Тогда они с матерью и встретились. Она еще совсем девчонка была. Ну, полюбили друг друга. Дедушка Михель против был, так отец маму тайком увез, – наскоро рассказал про неинтересное Дорин. Главное-то про отца начиналось после революции: как он добровольцем в Красную Гвардию пошел, как комиссаром батальона стал, как его белоказаки в плен взяли и шашками зарубили.

Но про Гражданскую войну бритый слушать не стал. Сказал – и так знает, в характеристике этот героический факт отражен.

– А что ваша мать теперь? Она ведь в Саратове живет? Замуж не вышла?

– Нет. Отца очень любила. Долго по нему убивалась. А теперь куда ей замуж, старая уже – сорок два года.

На это командир улыбнулся.

– Вам, Дорин, сколько лет? Двадцать четыре?

– Осенью будет. Я, товарищ командир, 8 ноября 1917 года родился, – с гордостью сообщил Егор.

Тот понимающе усмехнулся:

– Понятно. Первенец новой эры. Ответственное звание.

Только теперь Егор разглядел, что в коридоре за дверью кто-то стоит – в щели мелькнул защитного цвета рукав с шевроном. Так вот почему за всё время разговора в раздевалку никто не сунулся...

– Поговорим, товарищ младший лейтенант? – показал бритый на скамейку. – Минутка найдется?

Спрошено было явно для проформы, и ответ мог быть только один.

– Само собой, – кивнул Егор, хотя времени до свидания с феноменом у него оставалось в обрез.

Натянул через голову фуфайку, сел.

– Не соскучились по настоящему делу? – спросил собеседник, и сердце снова скакнуло. – Напомните-ка биографию. Про детство и отрочество можете пропустить, начните прямо с юности.

– Ну что... – Дорин застыл, недошнуровав ботинок. – В 35-ом закончил десятилетку, в Саратове.

Поступил в Летную школу, я ведь аэроклубовский. Выпущен в 37-ом, с отличием. Служил в Киевском военном округе, в истребительном полку. Недолго. Подал рапорт в Испанию, прошел предварительный отбор, но вместо Испании попал в Школу Особого Назначения. В августе 39-го зачислен в Немецкий отдел Главного Управления Госбезопасности. Но отдел в сентябре расформировали, после Пакта о ненападении... Месяца два ждал нового назначения. Определили в спортобщество «Динамо» – у меня с Летной школы первый разряд по боксу. Уже полтора года здесь...

Рассказывая всё это, Егор чувствовал себя довольно глупо. Высокий начальник наверняка и так доринский послужной список отлично знал. Однако слушал очень внимательно, а смотрел так, будто рентгеном просвечивал.

– ШОН закончили в 39-ом? Курс Фонякова? Это когда экспериментировали с подготовкой агентов-универсалов?

– Так точно.

– Значит, радиодело изучали в полном объеме? Это хорошо. Даже отлично, – задумчиво пробормотал бритый и вдруг хлопнул Дорина по колену – Егор чуть не подпрыгнул. – Ну а теперь объясню про себя. Я начальник спецгруппы НКГБ. Спецгруппа носит кодовое название «Затея» и занимается... одной затеей. Пока вы не дали согласие на мое предложение, больше вам знать не положено. А предложение такое...

Он сделал паузу, и, кажется, специально – посмотреть, как тянет шею младший лейтенант, ловя каждое слово. Довольный реакцией, улыбнулся и перешел на «ты»:

– Мне нужен помощник для одной операции – аккурат такой, как ты: спортивный, быстро соображающий и, главное, с натуральным немецким. Сразу предупреждаю – операция рискованная, можно и гикнуться. Это единственная подробность, в которую на данном этапе обязан тебя посвятить. Имеешь право отказаться, мне принудительно-мобилизованные ни к чему. В этом случае про наш разговор забудешь, раз и навсегда. Ну, а если согласен, садимся в машину и едем. Жду ответа.

Егор открыл рот – и ничего не сказал. Еще сутки назад он подскочил бы от счастья и немедленно помчался бы за начальником спецгруппы, ни о чем не спрашивая. Он и сейчас был счастлив и согласен ехать с этим крепким, уверенным человеком на любое опасное дело. Если бы только не сию минуту. Хоть бы часик отсрочки – слетать на Таганку, предупредить. Но по пытливому взгляду командира было видно, что просить час на улаживание личных дел означало бы всё погубить.

Однако и обмануть Надежду после вчерашнего тоже было немыслимо. Позвонить к ней на работу нельзя, низший медперсонал, она говорила, к телефону не подзывают… Что же делать?

Егор снова открыл рот, сглотнул – и опять промолчал.

Глава вторая

НАДЕЖДА

Тут вот какая штука.

Накануне вечером, в воскресенье, с Дориным произошла совершенно нетипичная история. В подмосковных Вешняках, после танцев в клубе «Железнодорожник», он познакомился с одной девушкой.

То есть, в самом факте, что спортсмен с лихим чубом и сахарной улыбкой «взял на таран» очередную цель, ничего нетипичного, конечно, не было. Всё дело в девушке. Уж, казалось, всяких перевидал, весь фюзеляж в звездах, но такую встретил впервые.

Хорошие логико-аналитические способности Дорина, в свое время отмеченные руководством Школы Особого Назначения, пока не пригодились ему в борьбе с врагом, но нашли-таки полезное применение, причем не только на ринге. Имелась у Егора своя методика «захода на цель» и «пикирования» – быстрая, результативная, почти не дающая сбоев.

Постоянной подруги у младшего лейтенанта не было. Как-то не возникло душевной потребности. А вот физическая потребность присутствовала, потому что в здоровом теле здоровый дух, который, в свою очередь, требует другого здорового тела. Задачка несложная, если имеешь голову на плечах. Ну и плечи, само собой, должны быть при этом не ватные.

По выходным Дорин обыкновенно «вылетал на барражирование» – ходил на вечера по самым что ни на есть бандитским клубам и хулиганским танцплощадкам. Пока шли танцы, стоял в сторонке, приглядывался: как тут с трудовыми резервами. Резервы обычно наличествовали, и даже в изобилии. Известно, для девушек любые танцульки что лампочка для мошкары.

Сняв с повестки дня кадровый вопрос, Егор выбирал где-нибудь поблизости подходящее место – темную аллейку, проходной двор или подворотню – и ждал.

После танцев девушки, которые без кавалеров, шли мимо маленькими стайками, а то и в одиночку, и к ним обязательно начинала клеиться местная шпана. Если человека два-три, Егора это устраивало. Если больше, он предпочитал не связываться.

Дальше ясно. Выждав, чтобы девушка начала возмущенно пищать и поминать милицию, Егор выходил из густой тени – в белых штанах, белых туфлях, белой рубахе (это если летом, а для осенне-зимнего периода имелась у младшего лейтенанта очень представительная бекеша). Накидать плюх доморощенным приставалам для чемпиона клуба «Динамо» проблемы не составляло. И всё, девчонка твоя. При таком сценарии ни одна не устоит, какая ни будь воображала. А воображалы среди посетительниц танцев встречались редко, это были всё больше девушки простые, без фанаберий. Такая многого от парня не ждет, и уговаривать ее долго не надо, если приглянулся. Притом иногда среди них попадаются ого-го какие.

Тут в чем плюс: совмещение приятного с полезным. Во-первых, удовлетворяется здоровое чувство, во-вторых, тренировка в условиях, приближенных к боевым. Конечно, сама страсть происходила не в «Метрополе» на перинах, а где придется. Бывало, что и на каком-нибудь чердаке или даже в кустах, но рай, как известно, бывает и в шалаше.

Вот и вчера всё начиналось точно так же. Посмотрел Егор в газете, где что. Увидел: в подмосковном клубе «Железнодорожник» лекция из цикла «Любовь и дружба в социалистическую эпоху», а потом танцы.

Прибыл в пункт назначения, произвел разведку на местности и сел в засаде, у забора.

Неподалеку, под фонарем, топталась подходящая компания – трое регочущих шпанцов в сапогах и ватниках.

Пока ждал, малость продрог. Весна в этом году выдалась на редкость поздняя и холодная. 19 апреля, а еще снег не весь сошел, по ночам минус, лужи блестят льдом.

Стоял, дышал на ладони, прислушивался к гоготу и мату. Разговоры у туземцев были подходящие. Один из них, которого остальные называли Рюхой, хвастался, что любую биксу в два счета завалит. Мол, случая не было, чтоб после танцев уходил не вдувши. Егора такая постановка вопроса устраивала.

Где-то неподалеку звенели колокола – негромко, но празднично, торжественно. Дорин вспомнил, что нынче, кажется, Пасха. Отсталые гражданки пожилого возраста в церквях свечки ставят, куличи святят.

Вдруг видит: идет девушка, одна-одинешенька, причем не из клуба, а с противоположной стороны В руке у девушки белый узелок.

Рюха с дружками к ней вразвалочку, с трех сторон.

– Гляди, Вовчик, какая краля.

– Сеньорита, приглашаю станцевать танго.

– Цыпа, у меня руки замерзли, дозволь за пазухой погреть.

Короче, понесли жеребятину.

Девушка вправо, влево, назад – некуда деться, плотно обступили.

Но она ничего – не упрашивает, не кричит.

– Глазища-то, глазища, ишь сверкают, – сказал Рюха. – Пацаны, держите меня, я втрескался, падаю.

И правда сделал вид, что падает – повис у девушки на плечах.

Она его, похоже, стукнула, потому что Рюха заорал:

– Драться, лярва? Ты у меня щас выть будешь. – Толкнул девчонку в грудь, так что опрокинулась в сугроб, а сам навалился сверху.

На этом картина первая закончилась и началась вторая: те же и Зорро.

– Оставьте гражданку в покое! – подбегая, закричал Егор.

Уронил в сугроб одного, приложил об забор второго – те двое оказались сообразительные. Как поднялись, сразу дунули во все лопатки. Только с Рюхой пришлось повозиться.

Тот, вскочив с девушки, попробовал изобразить главную бандитскую коронку, «датский поцелуй» – это когда наносят три быстрых удара: правым кулаком в нос, левым локтем в солнечное сплетение, а коленом в пах. Этот подлый прием проходит, только когда врасплох, а против человека, готового к бою, он не работает.

Получив по сопатке, Рюха согнулся пополам и вдруг выдернул из голенища финку.

Махнул ею перед носом раз, другой. Прошипел:

– Всё, падла. Кранты тебе.

Баловства с холодным оружием Егор не одобрял и поступил с правонарушителем сурово. С бокса переключился на самбо, выкрутил Рюхе руку, да повернул так, что хрустнула кость. Пусть знает, гад.

Тот, взвыв, сел в снег, схватился за сломанное предплечье.

Теперь самое время было проявить галантность.

Егор нагнулся к девушке.

– Вы целы? Требуется медицинская помощь? (Он в такие минуты всегда говорил на «вы»).

Ничего ей хулиганы сделать не успели и никакая медпомощь, конечно, не требовалась. Просто хотелось получше рассмотреть. Вдруг уродина? Тогда можно будет сменить дислокацию и попробовать счастья сызнова, танцы-то еще не кончились.

Теперь самое время было проявить галантность.

Первое впечатление было: не красавица, но и не крокодилина. Личико худенькое. Широкий рот, в уголке родинка. А глаза и вправду огромные, сияющие – не соврал Рюха.

– Благодарю вас, со мной всё в порядке, просто очень испугалась. А вот этому человеку медицинская помощь необходима, – показала девушка на хулигана. – Вы сломали ему руку.

Встала, стряхнула с пальто снег, перекинула через плечо длиннющую косу.

«Интеллигенция», определил про себя Егор, потому что нормальные девушки таким тоном не говорят и выражений типа «благодарю вас» не употребляют. Ему сразу захотелось уйти в отрыв – охота была тратить время на цирлихи-манирлихи.

Но тут девушка его удивила. Бережно положив свой узелок, подобрала с земли выдранную заборную штакетину и подошла к стонущему Рюхе. Тот вжал голову в плечи, заслонился здоровой рукой, но девушка бить его не стала. Она переломила штакетину об колено и сказала:

– Дайте руку. Я наложу временную шину.

Приладила обе половинки прямо поверх ватника, прикрутила своим вязаным шарфом. Прикрикнула:

– И не нойте, сами виноваты.

Под фонарем было светло, и Егор разглядел, что кожа у нее белая-пребелая, как молоко. Длинные густые ресницы. Пальцы сильные, с коротко остриженными ногтями, без лаков-маникюров. А одета странно, не как современные девушки одеваются:

длинное пальто с шалевым воротником, какая-то старорежимная шапочка.

Пока не решил, уйдет или останется – решил получше присмотреться.

– Теперь идите в травмопункт, – велела удивительная девушка. – Он должен круглосуточно работать.

Рюха шмыгнул носом, закряхтел, встал.

– Спасибо сказал бы, что ли, – сурово произнес Дорин.

Отойдя на безопасное расстояние, шпанец сплюнул.

– Барышне, само собой, спасибо. А тебе, гнида белобрысая, я еще железку в печень вставлю.

И побежал прочь, придерживая сломанную руку.

Началась картина третья: Зорро и спасенная дама.

Провожая взглядом побежденного неприятеля, Егор чувствовал, что девушка на него смотрит, глаз не сводит. Это было нормально.

– Вы врач? – обернулся он. – Или студентка на медицинском?

– Я санитарка.

– Даже не медсестра? – удивился он. – А чего не выучитесь?

Девушка на вопрос не ответила, вместо этого вдруг спросила:

– Зачем вы сломали ему руку? Нет, я понимаю, если бы это произошло во время драки, но я видела – вы сломали ее намеренно, когда он уже капитулировал.

Слово-то какое – «капитулировал», будто Франция в Компьене.

– Чтоб знал, гаденыш, как на людей ножом махать, – объяснил Егор.

– Вы что, жестокий?

В ее голосе прозвучала тревога, личико вытянулось.

– Ему же самому лучше будет. Привык силой действовать. Пусть походит месяц-другой в гипсе, поразмыслит над своей жизнью. А если б я был жестокий, то доставил бы его вместе с финкой в отделение, и впаяли бы ему два года. Железно.

Нож он подобрал, покрутил в руках – дрянь, обычная самоделка. Отломал рукоятку, зашвырнул в кусты.

– Как хорошо, что вы не жестокий. Это бы все испортило.

Она улыбнулась, да так ясно, с искренним восхищением, что сразу стало видно – Егор ей ужас до чего нравится.

Тогда-то он и решил: ладно, берем в прицел. Не Целиковская, конечно, но очень уж мирово улыбается.

– Меня Егор зовут. А вас?

– Надежда.

Предложил проводить.

Она нисколько не удивилась – словно это само собой разумелось. Взяла Егора под руку. То и дело поглядывала на него снизу вверх, помахивала узелком.

– Чего это? – спросил он.

– Пасха. И кулич. Освященные. Я в вешняковскую церковь ходила.

– Для бабушки, что ли? Болеет?

– Почему для бабушки? – удивилась Надя. – У меня нет бабушки, мы с папой живем.

– Что ж вы, комсомолка, а в церковь ходите?

– Я не комсомолка. А вы что, комсомолец?

И опять в ее голосе прозвучала непонятная тревога.

– Нет, – пренебрежительно пожал плечами Егор. Он уже полгода как стал кандидатом в члены ВКП(б), но с девушками о таких серьезных вещах предпочитал не говорить.

Она снова улыбнулась и так на него посмотрела, подняв свое худенькое личико, что Егору оставалось только наклониться и поцеловать ее в мягкие, удивительно горячие губы. Надежда ломаться не стала, сама обняла его и тоже стала целовать – быстро-быстро, в лоб, в щеки, в подбородок. Егор от подобного натиска даже малость опешил. А она еще шептала: «Точь-в-точь, ну просто точь-в-точь».

– Что «точь-в-точь»? – спросил он, задыхаясь.

– Такой, как я представляла. – И снова потянулась к нему губами. А минуту, или, может, пять минут спустя, сказала. – Пойдем ко мне. А то я больше не могу.

Вот тебе и «интеллигенция».

Он и сам уже не мог, всего колотило.

– А далеко?

– Нет, тут рядом, в Плющево.

Схватила его за руку, и они побежали – по белой заснеженной дорожке, по хрустящим лужам. Льдинки разлетались из-под ног, сверкали в тусклом электрическом свете.

Остановились перед зеленым забором, гладко выструганным и очень высоким. Вошли в калитку.

В глубине темнел дом – с терраской, с резными наличниками, с башенкой. Обычная дача, каких под Москвой видимо-невидимо, но Егору она показалась каким-то сказочным теремком.

– А что папаша-то? – шепнул Егор, поглядев на неосвещенные окна. – Спит?

– Его нет, он на дежурстве.

– А соседи?

– И соседей нет. Мы одни тут живем. У папы еще в гражданскую войну квартиру забрали, а дачу оставили. Потому что он врач.

– Тогда понятно.

– У папы руки хорошие, он тут всё сам устроил – и водопровод, и канализацию, и сад разбил. Только телефона нет, здесь ведь не Москва – область. Чаю попьем?

Но чаю они не попили. Прямо там, на крыльце, снова стали целоваться. Потом она повела его по узкой лесенке наверх, в мезонин, и там была какая-то комната, какая-то деревянная кровать, и, кажется, луна в окошке, но Егор по сторонам не смотрел, не до того было.

Надежда оказалась девушкой страстной, нежной, ласковой. Можно сказать, повезло Дорину. Никогда еще он не чувствовал себя таким желанным, таким любимым. Ну и вообще – здóрово было. С другими девчонками не сравнить.

Он и после тоже блаженствовал, когда уже всё закончилось. Лежал на спине, курил папиросу, она перебирала ему волосы, терлась о плечо щекой.

Потом вышла, и донесся звук льющейся воды. Хорошо, когда жилье с удобствами. И комнатка мировая. Чистенькая, с фотографиями на стенах, шкаф вон с книгами.

Тут папироса погасла, стал Егор чиркать спичкой – уронил коробок под одеяло. Пришлось зажечь лампу. А как откинул одеяло – обалдел.

Вот тебе на! А кидалась на него, будто опытная-разопытная.

– Я что у тебя, первый? – спросил он, когда Надя вернулась.

– И последний.

– Чего?

– Я еще в детстве придумала: у меня будет только один мужчина – такой, какой мне нужен. Смелый, красивый, а главное – благородный. Я полюблю его на всю жизнь и всегда буду ему верна. Если же такого не встречу, пусть лучше никакого не будет. А увидела тебя, и сразу решила: это он.

Егору стало не по себе. Во-первых, как это так: увидела и сразу решила? Чокнутая она, что ли? Ну и потом, он-то ведь ничего такого для себя пока не решал.

Хотел сразу одеться и уносить ноги – мол, пора, срочные дела и всё такое. Но посмотрел в ее глаза – и не ушел.

– А откуда ты знаешь? Может, я не такой, какой тебе нужен?

Надежда снисходительно потрепала его по челке.

– Знаю и всё. Ты смелый и благородный. Ты меня спас. Их трое было, и у одного нож, а ты не испугался и всех победил. Еще ты красивый. И глаза у тебя такие, как надо. Уж можешь мне поверить.

И смутился Дорин. Сделалось совестно.

– Да чего, – пробормотал он. – Подумаешь, трое. Я же спортсмен.

– И еще спортсмен, – сказала она.

Короче, Егор не только не ушел, но на всю ночь остался. И правильно сделал, что остался. А может, неправильно. Это как посмотреть.

Потом они говорили про разное – про что придется. Потом снова любились, даже еще лучше, чем в первый раз. Просто удивительно, такая интеллигентная девушка эта Надежда, а не было в ней совсем никакой жеманности.

Незадолго до рассвета заснули. Или, может, она не спала, а только он один.

Во всяком случае, когда Егор открыл глаза, Надежды рядом не было. В окошке синело небо, светило солнце, с крыши капало. Похоже, весна наконец опомнилась, взялась за ум.

Откуда-то снизу доносился звон ложечки о стакан, и гудел что-то неразборчивое густой мужской голос.

Дорин вмиг оценил ситуацию.

Вернулся папаша. Неожиданно – иначе Надя разбудила бы. Сейчас она проводит операцию прикрытия, а он, как порядочный человек, должен потихоньку сматывать, чтобы не срамить дочь перед родителем.

Однако это оказалось не так просто. Одежда была разбросана и в комнате, и в коридоре, и на лестнице. Например, свою бекешу на собачьем меху Дорин обнаружил на самой нижней ступеньке. Там же лежал второй сапог с галошей.

Оттуда было рукой подать до кухни, где дислоцировался предполагаемый противник, поэтому двигался Егор согласно науке бесшумного перемещения, которую изучал на первом курсе ШОНа.

– ...Ты послушай эти их культурные новости, Надюша, – доносилось из кухни.

«ОТЧЕТ О ВТОРОМ ДНЕ ДЕКАДЫ ТАДЖИКСКОГО ИСКУССТВА

В помещении Большого театра Союза ССР состоялся общественный просмотр музыкального представления «Лола». Первое действие происходит у колхозной мельницы, где собралась передовая молодежь, чтобы повеселиться, поплясать и послушать шутки мельника-орденоносца Бобо-Набода и его закадычного друга Навруз-Бобо. Среди девушек – певунья Кумри, чья бригада завоевала первенство во время сева. Здесь же и ее возлюбленный пограничник Фирюз. Второе действие разворачивается в колхозной чайхане, где хлопкоробы устраивают праздник тюльпанов. Заканчивается торжество общим хором, прославляющим Великого Друга и Вождя Народов».

– Скоро будут ему молитвы возносить, вот увидишь. И это в Большом театре! Жалко, Петипа не дожил.

Об стол грохнул подстаканник, задребезжало стекло.

– Папа, тише! Ты его разбудишь! – услышал Егор голос Нади и понял, что конспирация ни к чему. Придется знакомиться.

Он надел сапог, бекешу положил на ступеньку и с приличествующим ситуации выражением лица (осторожно-нейтральное, почтительное) вышел на трудные переговоры.

У накрытого белой скатертью стола сидел пожилой мужчина с бородкой, как у Михаила Ивановича Калинина. Был он в пиджаке и галстуке, несмотря на домашние условия и восемь утра. В руках, как и следовало ожидать, желтела развернутая газета, поверх нее ехидно поблескивали очки. Ясно: папаша у нас – осколок прошлого.

– Здрасьте, меня Егор зовут, – сдержанно сказал Дорин, покосился на Надю и обмер – глаза у нее оказались поразительного зеленого цвета, вчера в темноте он не разглядел. Звезды, а не глаза. Он в них как окунулся, так и потонул, даже про родителя забыл.

– Викентий Кириллович. Очень приятно, – напомнил о себе папаша, и по тому как он протянул «о-очень», было ясно – ни черта ему не приятно, а совсем наоборот.

Не понравился осколку статный парень в зеленых юнгштурмовских галифе и малиновой ковбойке, на которой сверкали три значка: осовиахимовский, золотой ГТО и «Ворошиловский стрелок».

– Это и есть твой принц на корабле с алыми парусами? – обратился Викентий Кириллович к дочери. – М-да.

Надежда вся вспыхнула, но взгляда от Егора не отвела. Ну и он тоже смотрел почти исключительно на нее.

– Молодой человек, имени «Егор» в природе не существует. Это искаженное «Георгий», – гнул дальше свою недружественную линию родитель. – Да вы садитесь, чаю попейте. А я пока газету дочитаю. Привычка, знаете ли, после ночного дежурства.

Надя налила чай, пододвинула хлебницу, блюдечко с колбасой. Сама села рядом, прижалась коленкой. Егор деликатно ел, слушал, как Викентий Кириллович читает вслух – не подряд, а так, на выбор.

Выбор у него был чудно́й. Нет чтоб почитать про новости социалистической индустрии или про конференцию Московской облпарторганизации – он выбирал всякую мелочовку, и в его исполнении звучала она как-то подозрительно. Завод «Совсоцпитание» осваивает производство растительного масла из крапивы и бурьяна. В сельхозартели имени Павлика Морозова свиноматка принесла 31 поросенка. Управление ЗАГС отмечает растущую популярность имен нового типа: Солидар, Цика (от ЦК), Черныш (в честь пролетарского писателя Чернышевского), Запоком (За победу коммунизма). Вроде ничего особенного, а в чтении Викентия Кирилловича выходило глупостью.

Но надо отдать папаше должное – в целом по отношению к дочкиному хахалю вел себя культурно, на скандал не нарывался. Хотя имел право.

Отложил газету, задал пару вопросов – из какой «Георгий» семьи, да где работает или учится.

Из рабоче-крестьянской, с вызовом ответил Дорин на первый вопрос. Про работу сказал коротко: физкультмассовая. С точки зрения Викентия Кирилловича бокс наверняка должен был считаться обычным мордобоем.

Потом папа с дочкой поговорили про служебные дела. Оказалось, оба работают в больнице имени Медсантруда, он там зав отделением ольфа… офта… короче, глазным.

– Что ж вы дочь в санитарках держите? – не выдержал Егор. – Учиться не отдаете? В институт или хоть в медучилище. Такая девушка, а на грязной работе, горшки за лежачими выносит.

– Ничего грязного в этой работе нет. Во время мировой войны великие княжны, и те не брезговали, – строго посмотрел на него Викентий Кириллович. – И напрасно вы думаете, что Надежда не учится. Еще как учится, у самых лучших специалистов. В ваших институтах ей делать нечего. Там не профессии учат, а марксизму-ленинизму. Я Надюшу и в школу-то не пустил, дал домашнее образование. Слава богу, справки об освобождении от занятий мог сам выписывать.

Теперь сделалось понятно, почему Надя не такая, как все. Без школы росла, без коллектива, под гнетом родителя, махрового старорежимного контрика. Жалко Егору ее стало – не передать словами.

Заговорили про какого-то Моргулиса или Маргулиса, который обещает стать новым Фаерманом (кто такой Фаерман, Егор не понял, а Моргулис этот, судя по всему, работал вместе с Надей), но Дорину уже пора было бежать. Время к девяти, а в пол двенадцатого полуфинал. Пока доедешь, да надо переодеться, размяться. И так Васильков орать будет, что в общежитии не ночевал, режим нарушил.

Надя вышла проводить, прижалась к груди. Тогда и договорились про филармонию и прочее.

На прощанье она опустила глаза и тихонько так спросила:

– Ты правда придешь? Честное слово?

– Слово, – твердо ответил Егор.

Она дотронулась кончиками пальцев до его щеки, повернулась, убежала в дом.

Вот какая феноменальная девушка встретилась вчера Дорину. Как к ней не придти, как обмануть?

То-то Егор, глядя на бритого, и сглатывал, то-то и молчал.

Глава третья

ПО СИСТЕМЕ СТАНИСЛАВСКОГО

Правая бровь командира – густая, золотистая – удивленно приподнялась, и одного этого движения было достаточно, чтобы Дорин вспомнил о примате общественных ценностей над индивидуальными.

– Я чего сомневаюсь: как я без формы-то? – моментально сориентировался Егор. – Непорядок получится. А форма в общаге. Мне только на Стромынку смотаться, и прибуду, куда скажете. Сорок минут туда, десять там.

Сам еще надеялся: если попросить у Василькова «эмку», успеет и Надю предупредить, и переодеться.

Но не вышло.

Золотистая бровь встала на место. На секунду в улыбке обнажились зубы – не хуже егоровых, тоже белые, ровные.

– А-а. Я уж думал, ошибся в тебе. Со мной это редко бывает. Не надо форму. Для операции она тебе не понадобится. Экипируем в лучшем виде.

Протянул узкую, крепкую ладонь, пожал Егору руку, не снимая перчатки. Нет, все-таки не протез.

– Ну, раз согласен, давай знакомиться. Звание мое – старший майор госбезопасности. Должность, как уже сказано, начальник спецгруппы. Имя-отчество мое тебе не понадобится, на день ангела друг к другу ходить мы не будем. А фамилия у меня необыкновенная – Октябрьский. Когда-то давно была другая, обыкновенная, но в двадцатом году, по приказу Реввоенсовета республики, награжден почетной революционной фамилией. Времена тогда, Дорин, были интересные. Награждали не медалями и не путевками в санаторий, а чем придется: кого золотой шашкой, кого маузером, кого красными галифе, а меня вот фамилией. Самая лучшая награда за всю мою службу.

Тут старший майор как бы ненароком сунул руку в карман брюк, и кожаное пальто раскрылось. На шерстяном френче, кроме уже усмотренного Егором «Почетного чекиста», сверкали еще два Ордена Красного Знамени и Красная Звезда. Ого!

Хотя тон у товарища Октябрьского стал легким, полушутливым, но видно было, что он к младшему лейтенанту все еще приглядывается. Это пускай. Теперь, когда с колебаниями было покончено, Дорин смотрел новому начальству в глаза весело, без боязни.

– Жучков, машину! – крикнул старший майор в сторону двери. – А ты, Дорин, давай, надевай свою бекешу. Ехать надо, времени в обрез. – Он коротко вздохнул. – Безобразие, конечно, что я вот так, с бухты-барахты, непроверенного человека на важную операцию беру. С кадрами у нас плохо. Башковитых и спортивных парней в управлении пруд пруди, но с натуральным немецким беда. Расшугали всех, после Пакта о ненападении. Тебя вон в ШОН взяли, чтоб готовился к борьбе с немецким фашизмом, а потом не понадобился. Так?

Дорин кивнул, перекинул через плечо спортивную сумку.

Жизнь у младшего лейтенанта сложилась не так, как мечталось когда-то. Начиналось всё правильно, прямо по щучьему веленью: хотел быть летчиком – стал. В учебной эскадрилье по стрельбе шел первым, по технике пилотирования вторым, по матчасти третьим. Заявление в Испанию подал весь истребительный полк, а отобрали только Егора и Петьку Божко, который по стрельбе был вторым, а по пилотированию и матчасти первым. Только Петька-то в Испанию попал, а вот Егора из Первого отдела прямиком в ШОН отправили. Как показала жизнь – не шпионов ловить, а спортивную честь Органов отстаивать.

Машина ждала у служебного выхода, шоколадный ГАЗ-73, красота. Октябрьский сел за руль, Дорина усадил назад, а Жучков, которого Егор толком и не разглядел, поместился в зеленую «эмку» и поехал сзади. Солидно ездил старший майор, с сопровождением.

Автомобиль он вел ловко, плавно, как профессиональный гонщик. Руки лежали на руле, будто отдыхали, и правая по-прежнему была в перчатке. Егор все время видел в зеркальце заднего вида глаза старшего майора. Вот, оказывается, зачем Октябрьский его назад определил – чтобы удобней было за лицом наблюдать.

– Вернулся я, Дорин, в управление после трехлетнего отсутствия. Стал группу комплектовать – хоть караул кричи. Раньше было полно отличных, боевых ребят из немецких антифашистов. А теперь никого, ни одного человека. Всех вычистили, дураки-перестраховщики.

Трехлетнее отсутствие?

Егор пригляделся к старшему майору по-особенному. Из репрессированных, что ли? То-то он не похож на нынешних начальников. Те всё больше жидковатые, рыхлые, и взгляд осторожный, а этот бронзовый, налитой, веселый. Будто из прежнего времени.

Октябрьский невысказанную мысль словно подслушал.

– Да, – кивнул. – Был репрессирован. Как многие. Но после прихода Наркома восстановлен в звании. Как не очень многие. А чтоб ты на меня впредь таких косых взглядов не бросал, предпочитаю по этому скользкому поводу объясниться – раз и навсегда. Работать нам с тобой хоть и недолго, но локоть к локтю. Моя жизнь будет зависеть от тебя, твоя от меня. А от нас обоих будет зависить успех дела, что еще важней. Поэтому давай без недомолвок, на полном доверии. Времени притираться друг к другу у нас нету. Я-то про тебя уже много чего знаю, а ты про меня почти ничего. Есть вопросы – задавай, не робей. Хоть о моей персоналии, хоть о политике.

Робеть Егор отродясь не привык. А уж коли начальство предоставляет такую редкую возможность, грех не воспользоваться.

– На любую тему? – на всякий случай спросил он.

– Валяй на любую.

Ну, Дорин и спросил, о чем больше всего наболело:

– Товарищ старший майор, я чего в толк не возьму. Вот я в спортклубе служу, ладно. У нас всё тихо, мирно, только дядю Лёшу из тренеров сняли, брат у него оказался вредитель. Это понятно. Но вы мне объясните, что же это в центральном аппарате-то делалось? В тридцать седьмом, в тридцать восьмом? Я, конечно, тогда еще в органах не служил, школа не в счет, но откуда у нас в НКВД взялось столько шпионов и врагов? Или они не враги были, а ошибка? Сами говорите: немецких антифашистов зря убрали, вас вот зря посадили. Объясните мне, как коммунист коммунисту.

Ленинградка осталась позади, ехали уже по улице Горького, недавно перестроенной и невозможно красивой: дома многоэтажные, проезжая часть шириной чуть не с Москву-реку.

Глаза в зеркале стали серьезными.

– Объясню. Сам много об этом думал. Тем более, времени для размышлений имел достаточно... Понимаешь, Дорин, органы государственной безопасности – они, как хирургический скальпель. Должны быть острыми и стерильно чистыми. Чуть какой микроб завелся, или даже опасение, что может завестись – сразу надо обрабатывать огнем и спиртом. И правильно, что нас без конца шерстят. У нас, чекистов, особые права, но и особая ответственность перед народом и партией. Кому много дано, с того будет и много спрошено. Не хватало еще, чтоб мы поверили в свою неуязвимость и безнаказанность.

Он помолчал, дернул углом рта.

– Но конечно, много щепок нарубили. Больше, чем леса. Такая, брат, страна: дураков много. Их только заставь богу молиться – не то что лоб, всё вокруг расшибут. И подлецов тоже много, кто почуял шанс карьеру сделать или личные счеты свести… Вот я тебе расскажу, из личного опыта. Было это в двадцать первом году, на тамбовщине, когда подавляли крестьянский мятеж.

– Антоновщину, да? Когда кулаки против советской власти восстали?

– Антоновщину. Только не в кулаках там было дело. Наши советские дураки с подлецами наломали дров, довели крестьян до последней крайности. Я тогда по деревням ездил, со стариками разговаривал – чтоб не велели мужикам в лес уходить. И говорил всюду примерно одно и то же. Не советская власть ваш враг, а прилепившиеся к ней подлецы. Они, гады, всегда к власти липнут. А как вскарабкаются на ответственную должность, сразу окружают себя дураками, потому что с дураками им ловчее. Но хорошая власть отличается от плохой тем, что при ней на подлеца и дурака всегда можно найти управу. Вы, говорю, не против советской власти бунтуете, она же вам землю дала, помещиков выгнала. Вам советские подлецы с дураками поперек горла встали. Так они и мне враги, еще больше, чем вам. Давайте их вместе в расход выведем. И что ты думаешь? Ездил я один, безо всякого оружия, а добрый десяток сел от гибели спас.

Про подлецов с дураками – это даже неграмотному крестьянину понятно. – Октябрьский поправил правой рукой зеркальце. По тому, как двигались пальцы, стало окончательно ясно: не протез. Может, он левую перчатку дома забыл? – Подлецы, брат, иногда высоконько забираются. И тогда могут очень много вреда натворить. Генеральный комиссар госбезопасности Ежов, паскуда, что сделал? Из 450 сотрудников аппарата разведки репрессировал 270, это 60 процентов! И всё лучших норовил. Ну а с немецким направлением, это уже дураки постарались. Хотели продемонстрировать Фюреру «добрую волю» – мол, раз у нас с немцами Пакт, то мы по Германии больше не работаем. И гляди, что получилось. Взялись за ум, да время упущено, кадров нет. Приходится чуть не с нуля начинать. Абвер же за эти годы вон как развернулся. Помню, в 35-ом у них было всего полсотни сотрудников. Ни с нами, ни даже с польской «Двуйкой» тягаться и не мечтали. А теперь у Абвера 18 тысяч агентов, ничего? Я же, руководитель ключевой спецгруппы, будто лейтенантишка, должен сам на операцию ходить, да еще нового человека с собой беру, потому что работать некому.

Рассердился старший майор от собственных слов, даже стукнул кулаком по рулю. А тем временем уже подъезжали к ГэЗэ, Главному зданию на Лубянке, где помещался центральный аппарат Органов внутренних дел и госбезопасности.

Дежурный записал Дорина в книгу, выдал разовый пропуск. Прошли боковым переходом – там, у лифта, тоже стоял часовой. Октябрьский показал ему удостоверение, про Егора сказал «со мной». Поднялись на седьмой этаж – снова пост. Но тут старший майор и показывать ничего не стал, просто кивнул в ответ на приветствие.

Как-то пустовато было в широких коридорах, из-за плотно закрытых дверей не доносилось ни звука.

– А где все? – спросил Егор.

– Рано еще. У нас режим курортный, – подмигнул Октябрьский. – Ночью работаем, утром дрыхнем. Лафа.

Кабинет у него оказался без таблички, только номер – 734. Просторный, с кожаным диваном, с большим, совершенно пустым столом, а из окна шикарный вид на Лубянскую площадь и Китай-город.

– Степаныча ко мне, – сказал старший майор в трубку одного из телефонных аппаратов (на столе их было четыре штуки, причем один, как заметил Егор, без наборного диска).

– Ты садись. Пока тебя снаряжать будут, поболтаем, принюхаемся друг к другу. Еще вопросы есть? Валяй, не стесняйся.

– Такой вот вопрос, товарищ начальник. Скажите, как мог вредитель Ежов на высокую должность попасть?

– Хитрый был очень, гад. Тихий такой, скромный. Солдат партии, верный ленинец, – тут старший майор присовокупил матерное слово. – Мало того что подлец, так еще в нашей профессии ни хрена не смыслил. Политиком себя мнил. – Он брезгливо поморщился. – А в Органах не политики нужны – профессионалы. Вот, скажем, заболел ты, надо тебе на операцию ложиться, опасную. Ты к кому предпочтешь – к ведущему хирургу или к секретарю больничного парткома? То-то.

– А товарищ Нарком? – совсем обнаглел Егор. – Он как? Профессионал или...?

– Профессионал. Даже посильней Ягоды, а тот был мастер своего дела, что бы про него теперь ни говорили. Наш Нарком – одна сплошная целеустремленность. Жесткий? Да. Жестокий? Безусловно. По понятиям 19 века, Толстого там с Достоевским и Надсоном, вообще чудовище и злодей. Только мы с тобой, Дорин, живем в веке двадцатом. Тут другие правила и другая мораль. Нравственно всё, что на пользу дела. Безнравственно всё, что делу во вред. Время нам с тобой досталось железное, дряблости и жира не прощает. Или враг нас, или мы его. А добрыми и жалостливыми станем потом, после победы.

Показалось Егору, что старший майор это не только ему, но будто и самому себе говорит. Рукой рубит воздух, лицо посуровело. И резко так:

– Еще вопросы?

Понял Дорин, что с рискованными темами пора завязывать – хорошего понемножку. Следующий вопрос задал такой:

– А какое вы мне, товарищ начальник, дадите задание?

Октябрьский рассмеялся, покрутил головой.

– Парень ты, я вижу, и вправду неглупый. Нахальный, но меру знаешь. А знать меру – это, может быть, самое главное качество в человеке.

Постучали в дверь. Вошел какой-то дед – по-домашнему в рубашке с подтяжками, на шее портняжный метр. Хмуро сказал:

– Здравия желаю. Этот, что ли?

– Этот, этот. Обмерь-ка его, Степаныч.

Степаныч кинул на Егора один-единственный взгляд.

– Чего тут мерить? Фигура стандартная. 48-й размер, 3-й рост. Нога у тебя, парень, сорок два? Ну и всё.

– Через сто двадцать минут чтоб было готово, – официальным тоном велел Октябрьский. – Выполняйте.

Старик вышел, а у Дорина внутри всё так и сжалось. Через два часа? Так скоро?

Октябрьский вышел из-за стола, на ходу подцепил стул, поставил перед Егором спинкой вперед. Сел, подбородок с ямочкой пристроил на скрещенные руки.

– Ну слушай, Дорин. Буду вводить тебя в курс дела. По порядку, от общего к частному. Вот тебе первый факт для осмысления. Скоро начнется война. С Германией.

Егор сморгнул. Что с немцами когда-нибудь воевать придется, это не новость, все понимают. Но чтобы «скоро»?

– Вопрос этот Фюрер решил еще прошлым летом, сразу после Франции. Войска к нашим границам фрицы стягивают уже несколько месяцев, не шибко-то и прячутся. Потому приказом Наркома заведено литерное дело с оперативным названием «Затея», для сбора данных о немецкой военной угрозе и работы на этом направлении. С этим ясно?

Дорин кивнул.

– Идем дальше. Факт номер два. По агентурным сведениям, Германия должна была ударить в середине мая. Поэтому наши агенты провели превентивную операцию в Югославии. Ну, ты, наверно, в курсе.

– Так точно. В газетах читал. Патриотически настроенные офицеры югославской армии устроили переворот и разорвали пакт с фашистами.

– Вот-вот. Переворот организовать – дело не столь хитрое. Думали, впадет Фюрер в истерику, кинет на Балканы свои дивизии от наших границ, да и увязнет хотя бы на месяц, на два. Тогда нападать на Советский Союз в этом году ему станет не с руки. Пока ноты-ультиматумы, пока войска доберутся до Югославии, пока повоюют, пока передислоцируются обратно – пол-лета и пройдет. Только недооценили мы Фюрера. Он не стал тратить время на дипломатию, ударил молниеносно, через десять дней после переворота. Еще за неделю расчехвостил всю югославскую армию. Знаешь, чем они югославам дух сломали? Зверской бомбардировкой Белграда. Пятьдесят тысяч убитых, все сплошь мирные жители. Раньше так не воевали. Чудовищно, но эффективно. После этого вся югославская армия, 340 тысяч человек, в плен сдалась. И что же мы в результате всей этой катавасии имеем? Полную неизвестность, вот что. – Октябрьский изобразил недоуменную гримасу. – Сидим, гадаем на кофейной гуще: нападет на нас в этом году Гитлер или передумал? Есть сведения, что он хочет сначала добить Англию, а с нами разобраться в следующем году. Правда это или дезинформация? Вот главный вопрос, на который должна дать ответ вверенная мне группа. От того, найдем ли мы правильный ответ, зависит решение ЦК и, в значительной степени, исход грядущей войны. То ли нам надо срочно бросать все силы на укрепление границ, сворачивать реорганизацию армии, закрывать долгосрочные проекты по созданию самолетов и танков нового поколения. То ли спокойно, не нервничая и не суетясь, завершить к весне 42-го программу укрепления обороны, и тогда нам сам черт не брат.

Старший майор замолчал, давая слушателю возможность как следует вникнуть в сказанное.

– Ты, Дорин, не удивляйся, что я тебе, младшему лейтенанту, про большую политику толкую. Я у себя в группе статистов не признаю. Каждый сотрудник, даже привлеченный вроде тебя, обязан понимать не только свой маневр, но и общую картину. А также свою ответственность за происходящее. Страшную ответственность. Ведь что будет? Мы проведем работу, я выдам заключение Наркому. Нарком пойдет с нашим заключением к Вождю. Вождь примет решение. Ошибемся – наше социалистическое отечество может погибнуть. Осознаешь?

– Это какой нарком? – спросил Дорин. – Товарищ нарком госбезопасности или сам Нарком?

Октябрьский даже обиделся:

– Конечно, Сам.

В феврале месяце прежний НКВД разукрупнили на два наркомата – Внутренних Дел и Государственной Безопасности. К делению этому сотрудники еще не привыкли, да и было оно больше условным. Сидели под одной крышей, ходили по тем же коридорам, ездили в общие дома отдыха. Даже руководство не сменилось, просто бывший начальник Управления госбезопасности тоже стал называться «народным комиссаром». Чтобы не путаться, сотрудники называли его «нарком госбезопасности», а прежнего – просто «Нарком» или «Сам». По-правильному именовать главного чекиста страны теперь следовало бы «заместителем председателя Совета народных комиссаров». Недавно получил он это высокое назначение и курировал теперь не только Органы, но и еще несколько ключевых ведомств.

В общем, одно дело спецгруппа подчинялась бы товарищу наркому госбезопасности, и совсем другое – напрямую Наркому.

Егор, что называется, проникся.

– Факт третий. Противостоит нам Абвер, организация, про которую тебе рассказывать не нужно, в ШОНе у вас по этой замечательной конторе был специальный курс. Задача Абвера – заморочить нам голову. Если нападение решено отменить, они должны создать у нас прямо обратное впечатление, чтобы мы попусту растратили свои силы. Если сроки нападения остаются в силе, Абвер попытается убедить нас, что войны в этом году ни в коем случае не будет. Ребята они хитрые, изобретательные, работают, что называется, с огоньком. По традиции там много бывших морских офицеров, да и начальник, как тебе известно, адмирал. Что мне в их организации нравится – должности там распределяют не по званию, а по профпригодности, так что капитан или даже обер-лейтенант может оказаться главнее полковника. Важен не чин (он в конце концов зависит от возраста), а личные качества. Переиграть абверовцев будет непросто. Особенно, если учитывать наш кислый статус кво с кадрами.

Старший майор тяжело вздохнул. Что такое «статус кво», Егор запамятовал, но на всякий случай понимающе кивнул.

– На этом обзор ситуации заканчиваю и перехожу собственно к операции. – Октябрьский оживился Можно сказать, повеселел на глазах. – Вчера ночью поступила агентурная информация. 20 апреля в полночь, то есть сегодня, в районе Святого озера (это около Шатуры) с самолета будет сброшен особо важный груз. Посылка или человек, неизвестно. Однако то, что занимаются этим лично германский военный атташе генерал Кестринг и его заместитель полковник Кребс, да и сама близость выброски к Москве – свидетельство особой важности этой акции. Наш источник сообщает, что подготовка ведется с соблюдением чрезвычайных мер секретности. Принимать груз будет Решке, капитан Абвера. Он числится третьим секретарем посольства. Разведчик сильный, опытный. Досье на него толщиной с роман «Граф Монте-Кристо», а по содержанию даже увлекательней. Когда сам Решке берет на себя обязанности приемщика – это не шутки. Но и мы окажем самолету уважение, – хитро прищурился начальник спецгруппы «Затея». – С нашей стороны встречать его будет не какой-то капитанишка, а представитель высшего комсостава, по германским меркам генерал-майор. – Он с шутливой важностью постучал себя по петлицам. – Имею приказ Наркома: перейти от пассивного наблюдения к активным действиям. Давно пора.

– Что такое «активные действия», товарищ старший майор?

– Будем перехватывать. Хватит с фрицами менуэты танцевать, время поджимает. Перехожу на быстрый фокстрот, а также на танго «Я задушу тебя в объятьях».

– А это что такое?

– Сам увидишь, – интригующе улыбнулся Октябрьский и снова подмигнул. – Если груз с руками и ногами, встречать его будем мы с тобой, два чистокровных арийца. Само собой, при поддержке группы молчаливых товарищей. Так что роль у тебя ответственная, почти что главная.

Егор приосанился, всем своим видом показывая: «Не сомневайтесь, не подведу», хотя у самого противно дрогнули колени. Главная роль! Без репетиций, в незнакомой пьесе, да еще какой…

– Со словами роль или как? – спросил он, изобразив бесшабашную улыбку. – Память у меня отличная, с первого раза запомню, вы не беспокойтесь.

– Ты запомни, главное, вот что. Театр у нас профессиональный и даже академический, так что всяческая самодеятельность исключается. Импровизаций не нужно. По собственной инициативе рта не раскрывать. Если парашютист к тебе обратится, отвечать односложно, с певучим баварским подсюсюкиванием, как ты умеешь. Ты – мой помощник, соблюдаешь субординацию, ясно? Если я почувствую, что дело запахло керосином, дам команду «давай!». Тогда хуком – и в нокаут. Только гляди, не перестарайся, мозги не вышиби.

– Если так, то лучше аперкотом. Рычаг силы короче.

– Аперкотом так аперкотом, специалисту видней. Однако я надеюсь, до этого не дойдет.

Дорин не спускал глаз со старшего майора, ожидая продолжения инструктажа, но Октябрьский молчал.

– Значит, не раскрываю рта, на вопросы отвечаю коротко, по команде бью аперкотом. Понятно. Дальше что?

– Да ничего, – усмехнулся Октябрьский, одобрительно глядя на младшего лейтенанта. – Вот и вся твоя роль.

– Ничего себе главная! – разочарованно протянул Егор. – Типа «кушать подано», что ли?

– А ты хотел, чтоб я тебе, желторотому, доверил вербальное пульпирование матерого абверовского агента?

«Вербальным пульпированием» на спецжаргоне назывался первичный словесный контакт с малоизученным объектом, чтобы с ходу сдиагностировать его статус, характер, степень опасности. Для этой ювелирной работы требовалась безошибочная интуиция, опыт, быстрота реакции.

– Ну не пульпирование, конечно, но, может, хоть подыграть вам как-то… Сказать что-нибудь, для естественности, для непринужденной атмосферы…

– Я тебе скажу! Ночь, у всех нервы на пределе, парашютист после приземления вообще еще не понял, на каком он свете. Какая к лешему естественность! И потом, Дорин, в хорошем театре маленьких ролей не бывает. Про систему Станиславского слышал? Даже если артист только говорит «кушать подано», он должен про свой персонаж всё в доскональности знать: биографию, черты характера, пристрастия. Вот этим мы с тобой сейчас и займемся. Как говорил товарищ Станиславский: «Верю – не верю». Надо, чтоб ты себя вел убедительно, иначе зритель тебе не поверит. А зритель будет особенный. Если сыграешь плохо, он не в буфет уйдет, пиво пить, а начнет садить с двух стволов, прямо в брюхо.

Октябрьский ткнул Егора твердым пальцем в живот и засмеялся.

Глава четвертая

Операция «Подледный лов»

В Москве было тепло, и по мостовым бежали ручьи, а прибыли в Шатуру – будто уехали не на 120 километров, а на две недели назад, когда весной еще и не пахло. На улицах городка еще кое-где серели сугробы, а окрестные поля и вовсе были белыми

Пока что обосновались в горотделе госбезопасности, который занимал две комнаты в местном отделении милиции. Место было удобное – окна выходили аккурат на станцию, куда должен был прибыть гауптман Решке.

Октябрьский, развалясь в кресле, болтал ногой в белой бурке, курил папиросы, по телефону разговаривал благодушно и, пожалуй, даже лениво. Никакого напряжения в старшем майоре не ощущалось, зато Егор сидел как на иголках и поминутно наливал себе воды из графина.

Пока ехали в радиофицированной машине (Егор про такие слышал, но своими глазами видел впервые), начальника спецгруппы все время вызывала Эн-Эн, служба наружного наблюдения, докладывала.

В 18.50 Решке вышел из посольства; петляет, пытается уйти от слежки; дали ему оторваться от двух обычных «хвостов», но сегодня его ведут еще восемь дополнительных.

В 19.15 гауптман встретился на Казанском вокзале с двумя мужчинами, оба одеты в брезентовые плащи с капюшонами, меховые сапоги, за плечами по большому рюкзаку, в руках рыболовные снасти Один опознан сразу – Леонгард Штальберг, сотрудник представительства «Фарбен-Индустри». Проходит по разработкам как агент германских спецслужб. Второго устанавливают. Штальберг достал из рюкзака еще один плащ, отдал Решке.

Сели на Шатурский поезд. В 19.20 отбыли. В электричке решено наблюдение не вести – в вагоне мало народу. Но с каждой станции старшему майору радировали, а потом, когда Октябрьский обосновался в горотделе, звонили по телефону – автомобильная радиосвязь за пределами Москвы все-таки работала неважно, с перебоями.

В 20.20 из картотеки Третьего отдела сообщили, что третий «рыболов» установлен. Это некий Гуго фон Лауниц, инженер из московской конторы «Люфтганзы».

– Любопытно, – сказал на это Октябрьский. – Такой по нашему ведомству не проходил. Значит, до сих пор считался чистеньким.

В комнате неотлучно находился начальник горотдела лейтенант Головастый. Фамилия звучала, как прозвище – не потому что лейтенант выглядел большим умником, а потому что голова у него и в самом деле была здоровенная, с оттопыренными красными ушами. Шатурец нервничал – боялся ударить лицом в грязь перед высоким столичным начальством.

– Святое озеро, оно большое, площадь 312 гектаров, береговая линия около 9500 метров, – сыпал он цифрами, демонстрируя профкомпетентность. – С двух сторон к воде подходит лесной массив. Опять же торфяные болота. Они, правда, еще не оттаяли.. Я вот тут на карте, товарищ начальник, места пометил, куда удобней выброс производить.

– Отстань, Головастиков, – отмахнулся старший майор, который всё время перевирал фамилию лейтенанта. – Они нас сами отведут, куда надо. Сходи лучше, проверь, как там группа захвата.

Егор группы не видел, знал только, что прибыла она около девяти и скрытно расположилась в каком-то пакгаузе. К Октябрьскому с докладом явился командир – подтянутый парень с подкрученными усиками, по званию младший лейтенант госбезопасности, фамилию Егор не разобрал и про себя окрестил командира Поручиком.

Октябрьский спросил только:

– Сапера не забыли? Ну-ну. Ступайте. Действовать согласно инструкции.

Зачем ему, интересно, сапер?

С вопросами Егор не лез. Только смотрел и слушал. Экипировали его на Лубянке так: ватник, резиновые сапоги поверх шерстяных носков, ушанка. Всё впору, движений не стесняет. Еще дали тонкую, но исключительно теплую фуфайку.

– Надевай-надевай, – велел Октябрьский. – Неизвестно, сколько будем в снегу топтаться, а ночной прогноз на Шатуру минус два.

Сам начальник был одет элегантно: дубленая куртка со шнурами, щегольские бурки, меховое кепи с козырьком. Прямо иностранец.

В 22.28 позвонили с соседней станции «Шатурторф»: встречайте гостей, через три минуты будут у вас.

Егор глотнул воды – в последний раз. Вскочил, стал застегиваться.

– Едет, едет, едет к ней, едет к любушке своей, – пропел Октябрьский приятным баритоном. Настроение у него улучшалось с каждой минутой.

– Вот она, настоящая жизнь, – потянулся он. – Ну-ка, Дорин, погаси свет и отодвинь шторы. Будем кино смотреть. Немое.

Дорин уже знал, что все, сходящие с поезда, проходят через площадь, мимо окон отделения. Головастый распорядился отремонтировать один уличный фонарь, в остальных поставить лампы поярче, так что освещение было подходящее, маленькая площадь просматривалась, как на ладони. На случай, если немцы вздумают спрыгнуть с перрона и идти через пути, на той стороне дежурили сотрудники – дадут знать.

Раздался шум приближающегося поезда.

- Товарищ старший майор, может, все-таки выдадите оружие? – спросил Егор.

- Твое оружие – аперкот, да и то исключительно по команде... Ага, вот они, голубчики. Прибыли.

Через площадь, в негустой толпе, шли трое мужчин в широких плащах, у двоих на плечах удочки и сачки, у третьего коловорот для подледного лова. Егор так и прилип к стеклу, стараясь разглядеть шпионов получше.

– «Три фашиста, три веселых друга, экипаж машины боевой», – промурлыкал старший майор. – Долговязый – Решке. Очкастый – Штальберг. Методом исключения устанавливаем, что носатый – это фон Лауниц. Хорошее у него лицо. Слабое. Вот с ним и поработаем.

Последнее было сказано вполголоса, про себя.

Стук в дверь. Вернулся Головастый.

– Всё нормально, товарищ начальник. У группы готовность номер один, цепочка оповещена по всему периметру. Как говорится, но пасаран.

– Что ж, веди нас, доблестный идальго, – сказал ему Октябрьский, надевая кепи. – Ночной зефир струит эфир, шумит, поет Гвадалквивир.

Егор впервые участвовал в настоящей оперативной слежке, и была она странная, совсем не такая, как учили в ШОНе.

Они со старшим майором просто шли сначала по улице, потом через поле по утоптанной снежной дорожке. Не маскировались, не прятались, визуального контакта с объектом не имели.

Вел немцев кто-то другой, кого Дорин и не видел – лишь точечные световые сигналы из темноты. По этим коротким вспышкам они трое (Егор, Октябрьский, Головастый) и двигались, а сзади бесшумно скользили тени в грязно-серых маскхалатах, группа Поручика.

После полей начался лес, довольно густой. Километров пять прошли, не меньше. Над головой светилась полоса неба – там плавала луна, помигивали звезды. Поднялся ветер, холодный.

– Понял я, товарищ начальник. Это они на просеку метят, – сказал Головастый. – Ее под линию электропередач прорубили. Удобное место для сброса, я его сразу на карте пометил, честное слово. Просека широкая, метров семьдесят. По краям ельник, развести костры – не видно. А главное, прямо в озеро упирается. Лед еще крепкий, в принципе может и самолет выдержать, если небольшой.

– Ага, так он тебе и сядет, держи карман шире. – Октябрьский задрал голову. – Не повезло гауптману. Ночь лунная. Зато летчик будет доволен. И парашютисту легче, если конечно груз – это человек.

Огонек впереди мигнул два раза, потом еще два.

– Остановились. Ну-ка, теперь осторожно.

Старший майор отшвырнул папиросу, пригнулся и двинулся вперед мягко, плавно, так что и снег не хрустел.

Егор с лейтенантом последовали примеру начальника, сзади бесшумными прыжками догнал Поручик.

Лес впереди посветлел. За елями открылось голое пространство, справа расширявшееся и сливавшееся с белесым небом – очевидно, там было озеро.

На снегу отчетливо выделялись три фигуры. Доносился звук тихих голосов, вспыхнула спичка, звякнула крышка термоса.

– Что это они хворост не раскладывают? – прошептал Головастый. – А костры?

– Ложись, – приказал Октябрьский. – Представьте себе, что мы в Гагре, на пляже. Дорин, справа от меня. Головачов, слева. Подъяблонский, ты сзади.

Вот как, оказывается, звали Поручика.

– Не ПодъяблОнский, а ПодъЯблонский, – обидчиво поправил он. – Сколько раз говорить, товарищ старший майор.

– Ну извини, – хмыкнул Октябрьский.

Бойцы группы захвата залегли шагах в десяти, густой цепочкой. Ни звука, ни разговоров – слились со снегом и как нет их.

Полежали так с полчаса. От земли пробирало холодом, даже сквозь ватник и теплую фуфайку.

Потом Поручик шепнул:

– Летит!

Через несколько секунд Егор тоже услышал ровный, медленно приближающийся гуд, а еще полминуты спустя уверенно сказал:

– «Дуглас», «Ди-Си»-третий. Транспортно-пассажирский, двухмоторный. Мы их тоже выпускаем, по лицензии. У нас он «Пэ-Эс»-84 называется. Идет где-то на 3000 метров. Скорость, по-моему, немного за двести, крейсерская.

Поручик уважительно на него покосился.

– Хорошо иметь рядом специалиста, – похвалил Октябрьский. – Ишь ты, конспираторы, даже о марке самолета позаботились. Обычно для сброса они обходятся «юнкерсами». В Абвере-2, на базе группы «Т», имеются иностранные самолеты всех марок, но зазря их не гоняют, только в особых случаях. Значит, груз действительно особой важности.

Немцы на просеке засуетились, встали в линию, метрах в тридцати друг от друга.

Октябрьский заметил:

– Понятно, почему костров нет. Фонарями сигналить будут. Оно проще, и следов не останется.

И точно: над головами агентов вспыхнули три ярких пятна – то загорятся, то погаснут.

– Пора, товарищ начальник? – выдохнул Головастый.

– Не пора. Пусть сначала груз сбросят. Не понравится летчику что-нибудь, улетит, а мы зря дров наломаем. – Старший майор приказал поручику. – По три бойца на каждого. Двое берут, третий подхватывает фонарь и держит, помигивая. Только не вспугните.

– Ничего, – спокойно ответил тот. – Они сейчас вверх смотрят, и слух нацелен не на периферию, а на звук мотора.

Подъяблонский уполз в темноту, а старший майор достал из-под куртки необычного вида бинокль и стал смотреть в небо.

– Это ночного видения, да? – шепнул Егор.

– Да. Причем с дальномером... Всё правильно, высота три сто. Молодцом, товарищ военлёт... Пошел на второй круг... Замедлил ход. Сейчас сбросит... Есть! Парашют раскрылся... Это человек! Дорин, сколько времени он будет спускаться?

– С трех тысяч? Если б не ветер, то десять минут. А с ветром... – Он прикинул скорость – пять метров в секунду, плюс-минус. – Минут тринадцать.

Старший комиссар отшвырнул бинокль в сторону, обернулся, энергично махнул.

Из ельника метнулись серые, едва различимые тени – это пошла группа захвата.

Октябрьский скороговоркой объяснил, не сводя глаз с просеки:

– Раз парашютист – понадобится пароль. У нас тринадцать минут, чтоб его добыть.. Хорошо взяли, чисто!

Три световых пятна на поляне качнулись совсем чуть-чуть, и снова восстановили прямую линию, слаженно замигали.

– Вперед!

Старший майор так рванул с места, что Егор сразу отстал, а местный чекист и вовсе грюхал далеко позади.

Каждого из немцев держали двое бойцов – вмертвую, на глухой залом. Раздавались стоны, сдавленное кряхтение.

– Следи за временем, бросил Октябрьский и ткнул пальцем в долговязого гауптмана. – Эй, вы! Пароль для парашютиста!

– Я немецкий дипломат, - прохрипел согнутый в три погибели Решке. – Я третий секретарь посольства. Требую консул. Какой парашютист? Мы с друзьями идем на рыбалка…

– Пароль! – перебил его старший майор. - Иначе прикончу.

– Не посмеете!

– Пошли люди ловить рыбу, да под лед провалились. Обычное дело. Ну-ка, в воду его. Башкой!

До берега было метров десять. У самой кромки лед подтаял, между белой коркой и серым песком чернела полоса воды.

Гауптмана поволокли к озеру, сунули головой под ледяной край. На помощь подоспели еще двое бойцов, навалились немцу на ноги. Решке бился, плескалась вода.

– Тех двоих подвести ближе, пусть полюбуются! – крикнул Октябрьский, не оборачиваясь. – Дорин, время!

Егор посмотрел на часы. Рука ходила ходуном, голос предательски дрогнул:

– Полторы минуты!

Он оглянулся на немцев. Выражение лиц у них было одинаковое: смесь недоверия и ужаса.

Один из солдат, державших фонарь, покачнулся.

– Держи, мать твою! – рявкнул Поручик. – Если нервишки слабые, служи в балете!

Перед глазами у Егора был светящийся циферблат. Секундная стрелка медленно перебиралась с деления на деление.

– Вынуть, товарищ начальник? – спросил Головастый, переминавшийся с ноги на ногу у самого берега. – Может, теперь скажет?

– Я тебе выну! Дорин, время!

– Три минуты!

Гауптман больше не бился, ноги нелепо расползлись в стороны.

– Пускай валяется, – приказал Октябрьский.

Бойцы встали, растирая заледеневшие руки. Неподвижное тело осталось лежать, погруженное в воду до пояса. Егор сглотнул. Фрица, наверное, еще можно было откачать. Неужто старший майор не прикажет вытащить?

– Теперь вон того, Лауница!

Носатый немец взвизгнул, и Егор вспомнил, как Октябрьский тогда сказал: «Хорошее лицо. Слабое. Вот с ним и поработаем».

– Пароль!

Лицо фон Лауница прыгало, губы дрожали. Сейчас, сейчас расколется! Но нет, немец молчал.

– Четыре минуты тридцать секунд, – доложил Егор.

Вдруг очкастый (как его, Штальберг) крикнул:

– Я! Я скажу пароль! Только условие – его тоже... – И мотнул головой на фон Лауница. – Под лед. Сами понимаете...

– Понимаю, – кивнул Октябрьский.

Подошел, придвинулся к Штальбергу вплотную. Шепотом спросил:

– Ну?

Тот едва слышно выдохнул:

– «Фау-Цет».

– Ясно. – Старший майор сосредоточенно смотрел очкастому в глаза. Потом приказал. – Этого тоже под лед.

Отчаянно упирающегося Штальберга поволокли к берегу, сунули головой в воду, и кошмарная сцена повторилась.

– Зачем?! – не выдержал Дорин.

– А ты на носатого посмотри, – вполголоса ответил Октябрьский.

Фон Лауницу, похоже, отказали ноги – он висел на руках у бойцов, губы дергались, ресницы часто-часто моргали.

Время?

Восемь минут сорок секунд.

Штальберг лежал точно в такой же позе, как Решке, по плечи погруженный в воду. Судороги уже кончились.

Пароль? – спокойно обратился Октябрьский к последнему из немцев.

Гот зажмурился, но кобениться уже не стал.

Скажу, скажу! Ли… Линда!

Что и требовалось доказать, – наставительно посмотрел на Егора старший майор. – А то «Фау-Цет»… Так, пароль есть. Где наш херувимчик?

Поручик, оказывается, успел подобрать бинокль ночного видения и не отрываясь смотрел вверх.

- Он, товарищ начальник, хитрый. Стропы тянет, на лед спуститься хочет. Чтоб обзор у него был, подходы просматривались. Хреново. Группе не подойти. Какие будут приказания?

– Как это он не боится, что лед проломится? – удивился Головастый, хотя сам не так давно говорил, что на озеро может и самолет сесть.

Судя по кромке, ледяной покров был сантиметров семьдесят-восемьдесят. Ходить и даже подпрыгивать – сколько угодно, а вот если с размаху плюхнется парашютист..

– Что это там чернеет? – спросил Поручик, глядя через бинокль на озеро. – Вон там. Часом не остров?

– Точно! – подтвердил Головастый. – Островок. Маленький, метров тридцать в поперечнике.

– Туда он и целит. Усмотрел сверху. Ишь, мастер парашютного спорта.

Егор небрежно сказал:

– И ничего особенного. Я бы тоже приземлился При пятиметровом ветре – запросто. Если б остров был метров десять, тогда, конечно...

– Значит так, – прервал дискуссию Октябрьский, очевидно, уже принявший решение. – Дорин, идешь со мной. Остальным оставаться на берегу. До моего сигнала... Или до выстрелов. Этому, – показал он на поникшего фон Лауница, – кляп в рот. На всякий случай.

Вдвоем перепрыгнули через полосу воды на лед, быстро зашагали. Под ногами похлюпывало, несмотря на минус два. Еще пару дней теплыни, и завздыхает покров, треснет.

Парашютиста было видно уже невооруженным глазом. По серебристому небу скользил белый конус, спускаясь к темному пятну островка. Похоже, приземлится раньше, чем мы дотопаем, прикинул Егор. Идти было метров триста.

– Linda, Linda, mein Scha-atz...[1] – напевал Октябрьский на мотив «Светит месяц, светит ясный».

И Егору было совсем нестрашно. Не то что несколько минут назад, на берегу, когда топили шпионов.

– Товарищ старший майор, а как вы догадались, что Штальберг набрехал про пароль?

– Я его досье помню. Зубастый волчище. Железный крест у него за Испанию. Такой легко не сломается. К тому же литературу надо знать. Балладу «Вересковый мед» читал? Про то, как шотландцы хотели выведать у отца с сыном особо секретные сведения? А старик им велит сына убить – тогда, мол, скажу. Они, дураки, послушались.

Правду сказал я. шотландцы.
От сына я ждал беды.
Не верил я в стойкость юных.
Не бреющих бороды

А мне костер не страшен,
Пусть со мною умрет
Моя святая тайна.
Мой вересковый мед.

Вот и островок: слева обрывистый берег, справа пологий; сухая трава, черные кусты, на них – белое

[1] Линда, Линда, сокровище мое... (*нем.*)

полотнище парашюта. Человека не видно. Наверное. залег. Держит на мушке.

– Ну-ка, Дорин, крикни с убедительным баварским подвыванием: «Fehlt Ihnen was?»[1]

– Вы целы? – заорал Егор. приставив ладонь ко рту.

От земли отделилась тень. Высокий мужчина. в шлеме и комбинезоне. Точно – в руке пистолет Кажется, 712-ый маузер, бабахающий очередями

– Мы беспокоились, что вы угодите в полынью. возбужденно воскликнул Октябрьский на своем чудесном немецком. – Вон она. совсем близко!

Под самым берегом действительно темнела вода.

- Ничего. – отозвался парашютист. - Сверху ее было хорошо видно. Пароль назовите.

А говорит он по-немецки нечисто, заметил Дорин Бегло, но с акцентом.

– Марга, то есть Магда. Ах нет, шучу Линда. Малышка Линда, – засмеялся старший майор, карабкаясь по склону – Паршивая память на женские имена. Помогите-ка.

Шпион спрятал пистолет. нагнулся с крутого откоса и рывком вытянул их наверх – сначала одного. потом второго.

– Зашибли? - спросил Октябрьский. кивая на левую руку агента, плотно прижатую к боку

– Немного, локоть. Ерунда, перелома нет Но скатать парашют не сумею. Помогите. А потом кинем в воду.

---

[1] Вы целы? (*нем.*)

– Ну-ка, Руди, – подтолкнул старший майор Егора, – давай в четыре руки. Это мой помощник, – объяснил он парашютисту. – Между прочим, служил в Люфтваффе. С парашютами управляться умеет.

Тот кивнул. Теперь он повернулся лицом к лунному свету, и Дорин разглядел широкое лицо с приплюснутым носом, прищуренные глаза. Агент беспрестанно поводил шеей, оглядывая белый простор. Но там было пусто и тихо, только шелестел ветер.

Сняли парашют с кустов, высвободили стропы, в два счета скатали.

Немец, или кто он там, стоял чуть поодаль, наблюдал. Ногой придерживал рюкзак.

Сейчас товарищ старший майор начнет его пульпировать, знал Егор. Перед арестом нужно вытянуть из фашиста как можно больше информации.

– Не болтало? В воздухе? Прогноз был неважный, мы с полковником Кребсом беспокоились, – приступил к делу старший майор, как бы ненароком упомянув заместителя военного атташе, который, по сведениям Органов, имел в германской разведке более высокий статус, чем его начальник.

Агент промолчал.

Подтащили парашют к обрыву, скинули в воду. Громкий всплеск, черные брызги, потом белая пена. Надо же, под самым берегом, а не мелко.

– Что же мы не познакомимся? – сказал Октябрьский, поворачиваясь. – Это, как я уже сказал, Руди. Ну а я гауптман Решке. Приветственная депутация в полном составе. А кто вас провожал? Вы откуда вылетели – из Мишена или из Штеттина? Ну, будем знакомы.

И протянул руку.

Из инструктажа Дорин знал, что заброской агентов в СССР сейчас занимается Абверштелле (то есть. региональное управление) «Кенигсберг», с разведшколой и аэродромом в прусском местечке Мишен, и Абверштелле «Штеттин». Про первое подразделение мало что известно, про второе информации вообще ноль.

Широко улыбнувшись, парашютист подал правую ладонь и вдруг резко качнулся вбок. Левая рука, якобы ушибленная во время приземления, согнулась в локте, тускло блеснула черная сталь. Ярко полыхнула вспышка, слившись с грохотом выстрела, но Октябрьский каким-то чудом успел ударить по дулу, и пуля ушла в землю.

Старший майор схватил пистолет за ствол, крикнул:

– Егор!!!

Дорин рванулся, но парашютист выпустил пистолет, отпрыгнул назад и, крякнув, влепил Октябрьскому ногой в грудь.

Старший майор, взмахнув руками, рухнул с крутого берега – судя по всплеску, прямо в прорубь. Однако смотреть в ту сторону было некогда – правой рукой агент уже рвал из кармана маузер.

– Лында! Хады чекистские! Поубываю! – яростно хрипел перекошенный рот.

Украинец, успел подумать Егор, налетая на противника. Для начала зацепил аперкотом в подбородок, и сразу провел серию быстрых ударов: в корпус, в корпус, в корпус, в лицо, в лицо, в лицо.

От последнего, завершающего, парашютист опрокинулся навзничь, маузер отлетел в сторону, но Егору всё казалось мало.

Прижав руки упавшего к земле коленями, он молотил наотмашь, как никогда в жизни. На ринге или в драке он всегда сохранял хладнокровие и ясность мысли, а тут потемнело в глазах, уши будто заложило. Дорин сам не слышал, что при каждом ударе выкрикивает:

– На! На! На!

Кто-то схватил его сзади за плечи, отшвырнул.

Над Егором стоял старший майор, мокрый и перепачканный землей.

– Ты что!? Убьешь! А ну посвети.

Стуча зубами от возбуждения, Дорин достал из кармана фонарик.

Агент лежал, закатив глаза. Вместо лица – кровавая каша: нос свернут на сторону, сломанная челюсть полуотвисла, меж разбитых губ блестят осколки зубов.

– Вроде живой... Просто отключился. Эк ты его, – покачал головой Октябрьский, щупая пульс. – Неинтеллигентный ты человек, Дорин. Не умеешь обращаться с иностранцами.

Хоть с него ручьем лила вода, но голос был спокойный, всегдашний, и от этого Егор окончательно пришел в себя. Огляделся вокруг. Увидел, как по льду бегут черные фигуры – услышав выстрел, группа сорвалась с места.

Старший майор, взмахнув руками, рухнул с крутого берега.

– Он не иностранец, он украинец, товарищ старший майор.

– Вот как? Вы даже успели поболтать? Что еще он тебе сообщил?

– Ничего. Линда, говорит, гады чекистские, поубиваю. Но говор украинский, сто процентов. Чего он вдруг стрелять-то стал?

Октябрьский сокрушенно почесал скулу.

– Чего-чего… Дурак я, вот чего. Наврал, выходит, Лауниц про Линду-то. Хорошо хоть этот нас с тобой сразу не завалил. Очень уж в себе уверен был. Нас только двое, а у него в левой руке ствол… Эй! – крикнул он, оборачиваясь к озеру. – Лауница притащили?

– Так точно, здесь он! – откликнулся Поручик, он уже был под самым обрывом. – Что у вас, товарищ начальник?

Не ответив, Октябрьский стремглав сбежал вниз по короткому, но крутому склону. Оттолкнул Поручика и Головастого, распихал бойцов и подлетел к носатому немцу, которого волокли в самом хвосте.

– Линда, значит, Линда? – пронзительно крикнул он.

Егор был уверен, что старший майор ударит немца, фон Лауниц тоже – он сжался, дернулся назад, однако конвоиры держали крепко.

Но Октябрьский не ударил. Упер руки в бока, с любопытством наклонил голову.

– Зачем наврали?

Оставив бесчувственного парашютиста на попечении Поручика, Егор спустился на лед – послушать, что ответит немец.

Тот долго молчал. Наконец, глядя себе под ноги, сказал:

– Все равно убьете. Не консула же вам вызывать, после того, как вы утопили дипломата и представителя «Фарбен-Индустри»…

Фон Лауниц покосился куда-то в сторону и снова быстро опустил голову.

Это он на полынью, догадался Егор и поежился. Неужели опять?

– Логика понятна, – кивнул арестованному Октябрьский. Он снял бурку, вылил из нее воду. Проделал то же со второй. Поглядел на конвоиров. – Что смотрите? В воду его.

И скинул куртку. Ему набросили на плечи сухой полушубок.

– А-а! Не надо! Ради бога! – задохнулся криком фон Лауниц, тщетно попытался упереться ногами, но каблуки скользили по льду.

Немца повалили у края, сунули головой в воду.

Егор почувствовал, что в третий раз этого зрелища не вынесет. Отвернулся – хоть и было стыдно собственного слюнтяйства.

– Отставить! – приказал старший майор. – Давайте его сюда.

Фон Лауница усадили на лед. Он хватал воздух ртом, мокрые волосы прилипли ко лбу.

Подойдя, Октябрьский сел на корточки, заговорил мирно, рассудительно:

– Я вот что подумал. Раз вы наврали с паролем – значит, вы человек с характером. Это хорошо. Жить, судя по воплям, вам хочется. Это тоже неплохо.

Значит, у нас есть база для сотрудничества. Решайте сами: работаете со мной, или предпочитаете назад, в полынью.

Немец закрыл глаза. По лицу прошла судорога.

– Нет… Нет! Что вы хотите? Что я должен сделать?

– Дайте ему шапку, а то простудится. Волосы вытрите! Вот так… – Старший майор похлопал фон Лауница по плечу. – Скажете полковнику Кребсу, что парашютиста отнесло ветром на озеро, и лед не выдержал. Вы трое побежали его спасать, под Решке и Штальбергом лед подломился. Вы не могли спасти всех троих, выбрали парашютиста. Причем вытащили не только его самого, но и рюкзак. Куда вы должны были доставить гостя?

– На конспиративную квартиру. Кузнецкий мост, 19.

– Ишь, наглецы, – удивился Октябрьский. – Это же в ста метрах от Лубянки!

– Наглость тут не при чем, – будто оправдываясь, стал объяснять немец. – Видите ли, в том районе эфир перенасыщен радиосигналами. Идущими из вашего ведомства. Еще один будет незаметен. Это удобно.

Старший майор удовлетворенно улыбнулся:

– Значит, наш хлопец – радист. Имелась у нас такая версия. А скажите, Лауниц, какой все-таки был пароль?

– «Фау-Цет».

Покосившись на Егора, Октябрьский виновато развел руками:

– Вот тебе и вересковый мед. Горе от ума, на старуху бывает проруха, век живи – век учись, чужая душа потемки, а также прочие народные мудрости…

Ладно, не будем посыпать голову пеплом. Работа не окончена. Идем со мной. Дорин, ты мне понадобишься.

А фон Лауницу сказал напоследок, жестко:

– Вы только не вздумайте нарушить наш уговор. Факты есть факты: «груз» мы взяли, явку на Кузнецком вы сдали. Поверьте, вам во всех смыслах будет приятней идти по жизни с нами.

И с разбега влетел на кручу.

– Ну что тут, Подъяблонский? Очухался этот?

– Я ПодъЯблонский, товарищ начальник. Нет, лежит. Прикажете дать нашатырю?

– Сам. Ты мне сапера подошли.

Старший майор взял едко пахнущий пузырек, наклонился над радистом. У того всё еще шла носом кровь, из разинутого рта вырывалось хриплое дыхание.

– Я сапер, товарищ начальник, – доложил подбежавший боец с кожаной сумкой за плечами, похожей на школьный ранец.

– Возьмите рюкзак. Проверьте на наличие мины. У Абвера новая мода: перед сбросом груза заводят часовой механизм. Если агент разбился или схвачен, через сорок минут или через час взрыв. Мы так 19 февраля под Каунасом трех ребят потеряли. Да не здесь копайся! – прикрикнул он на сапера, начавшего расстегивать рюкзак. – Подальше оттащи, а то подорвешь дорогого гостя. И меня заодно.

Прежде чем сунуть пузырек под нос парашютисту, Октябрьский сказал:

– Ну, Дорин, до сих пор были цветочки. Ягодки начнутся сейчас. Не сломаем его сразу, пока мозги не встали на место – потом труднее будет. Момент оптимальный. Шок, воля от потери сознания ослаблена. Ты нагнись, чтоб он тебя видел. И сооруди рожу поужасней.

Дал нюхнуть пленному нашатыря – тот дернул головой, страдальчески простонал, захлопал глазами.

В первую секунду взгляд был несфокусированным, потом парашютист увидел свирепо оскаленную физиономию Егора и, всхлипнув, попытался вжаться в землю.

Октябрьский ткнул Дорина локтем. Тот понял без слов.

– У, гад фашистский! – и занес кулак.

- Пока не надо, – прикрикнул на него старший майор – и парашютисту. – Кто такой? Диверсант? Террорист? Против кого замышляете теракт? Против руководства Советского Союза?

– Ни, я не диверсант! Я радист, радист… – забормотал пленный, не сводя глаз с Егорова кулака.

– Эй, сапер, там в мешке рация есть? – крикнул Октябрьский, обернувшись.

– Нету, товарищ начальник! – донеслось из темноты.

– А мина?

– Есть какая-то коробка. Я в нее пока не лазил. Но вроде не тикает.

– Это не мина, это рация. Нового типа, – сказал пленный. – Я покажу.

Раскололся? А что если это все-таки мина, и он хочет подорвать себя вместе с чекистами?

Похоже, об этом же подумал и Октябрьский. Тут Егор проявил инициативу, легонько стукнул радиста по скуле. Вроде чепуха, а тот весь затрясся:

– Это правда рация! Честное слово!

– Ну что ж, – усмехнулся старший майор. – Сапер, как тебя! Тащи коробку сюда!

Передатчик был плоский, весом килограмма три, а размером с толстую книгу. На занятиях по радиоделу Егор таких компактных не видел.

– Фу-ты, ну-ты, – восхитился старший майор. – Это у вас в отделе «Т» теперь такие делают? Вещь!

– Их всего несколько пробных экземпляров, – поспешил сообщить радист, по-южному выговаривая: «нэсколько», «экзэмпляроу». – Сигнал уникальный, идентифицируется на приемнике-близнеце. Применяется только для особо важных агентов.

– Кто особо важный? Ты? – презрительно бросил Октябрьский.

Это он нарочно его шпыняет, сообразил Егор. Морально доламывает.

– Ни, шо вы! Я отправлен в распоряжение агента «Вассер».

– Ах, к «Вассеру», вот оно что. – Старший майор пальцами сжал Егору локоть: внимание! – и небрежно протянул. – Поня-ятно. Радист ему, значит, понадобился… Ну что, изменник Родины, поможешь нам с Вассером повстречаться? Или… – Угрожающий кивок на Егора.

– Да чего теперь… Помогу. – повесил голову пленный.

– Перебинтовать его! – крикнул тогда Октябрьский.

Пока радисту перевязывали разбитое лицо, Дорин шепотом спросил:

– А кто это «Вассер», товарищ старший майор?

– Впервые слышу. Судя по всему, большая шишка. Персонального радиста ему отправили, да вон с какой помпой Рация опять же, для особо важных. Неспроста это. Имею предчувствие, что герр Вассер поможет нам внести ясность по главному вопросу бытия: когда начнется война. Ну-ка, порасспрашивай его. Он к тебе явно неравнодушен.

– Есть порасспрашивать.

Дорин сел на корточки рядом с радистом, и тот сразу испуганно заморгал.

– Не бойся, не трону. Тебя как звать?

– Степан. Степан Карпенко.

– И как же нам добраться до Вассера, Степан Карпенко?

Старший майор стоял сзади, внимательно слушал, как Дорин ведет допрос.

– Та не знаю я. Он сам позвонит. На явку.

– Допустим. А как он выглядит? Возраст, рост, приметы.

– Ей-богу, не знаю. Мне сказали: жди, позвонит человек, назовет пароль. Поступаешь в его распоряжение. Прикажет: умри – значит, умри. И всё.

– А какой пароль?

– «Извиняюсь, товарищ Карпенко, мне ваш телефон дали в адресном столе. Вы случайно не сын Петра Семеныча Карпенки?»

А отзыв есть?

Да Нужно сказать: «Нет, товарищ, моего батьку звали Петро Гаврилович». Тогда Вассер скажет, что делать.

– Еще что можешь сообщить про Вассера?

– Ничего. Чем хотите поклянусь.

Октябрьский тронул Егора за плечо: достаточно.

Отвел в сторону, сказал:

– Молодцом, боксер. Подведем итоги. Операция «Подледный лов» прошла хлопотно, но успешно. Улов такой: завербован Лауниц; взят и обработан радист с рацией; главное же – имеем выход на некоего аппетитного Вассера, про которого мы пока ничего не знаем. но мечтаем познакомиться.

Глава пятая

ФАЙВ О'КЛОК У НАРКОМА

В ярком цвете неба, в особой прозрачности воздуха ощущалась свежая, набирающая силу весна. Солнечный свет лился сквозь высокие окна. Сидевшие за длинным столом нет-нет, да и поглядывали на эти золотые прямоугольники, где меж раздвинутых гардин виднелись крыши и над ними увенчанный звездой шпиль Спасской башни. Каждый, посмотревший в сторону окон, непременно щурился, и от этого в лице на миг появлялось что-то неуловимо детское, никак не сочетавшееся с общим обликом и атмосферой кабинета.

Комната была скучная: массивная официальная мебель, тускло поблескивающий паркет, на стене географические карты, завешенные белыми шторками. Цветных пятен всего два – огромная картина «Вождь и Нарком на открытии второй очереди Уч-Кандалыкской ГРЭС», да бело-золотой чернильный прибор «Обсуждение проекта Советской конституции», подарок на сорокалетие хозяину от сотрудников центрального аппарата.

Десятиметровый стол, за которым обычно проходили совещания руководства, выглядел непривычно.

Посередине две вазы (одна с фруктами, другая с печеньем), серебряный самовар, стаканы с дымящимся чаем.

Кроме самого Наркома и наркома госбезопасности в чаепитии участвовали еще четверо · трое в военной форме, один в штатском

Собственно, чай пил один Нарком. лысоватый крепыш в пенсне, за стеклышками которого поблескивали живые, насмешливые глаза. Остальные к угощению не притрагивались сосредоточенно слушали бритого военного с двумя ромбами в петлицах

Вот он закончил говорить, сел

– Хорошо, товарищ Немец, - одобрил хозяин, в чьей речи ощущался легкий грузинский акцент Как всегда, коротко. ясно и убедительно. Теперь послушаем аргументацию товарища Японца.

Все кроме человека. которого Нарком назвал «Немцем». повернулись к коренастому брюнету с одним ромбом. сидевшему напротив Тот поднялся привычным жестом оправил ремень, прочистил горло «Немец» же (это был старший майор Октябрьский) нагнул крутолобую голову и принялся рисовать в блокноте штыки и шпаги Перчатка на правой руке ему мешала, из-за нее колюще-режущие предметы выходили кривоватыми

Традицию чаепитий Нарком завел относительно недавно, к ней еще не успели привыкнуть, оттого и стеснялись. В отличие от табельных совещаний, где присутствовали, согласно должности заместители обоих народных комиссаров, а также начальники управлений, отделов и направлений, на чай к Самому приглашали без учета званий, по интересу. Приветствовался свободный обмен мнениями, даже споры и возражения начальству. Для того и подавался чай, чтобы подчеркнуть неофициальность этих бесед, которые Нарком шутливо окрестил «файв о'клоками». В такой обстановке он вообще шутил чаще обычного и держался запросто. Говорил мало, больше слушал.

Нарком госбезопасности, тот обычно рта и вовсе не раскрывал, подчеркивая этим что в присутствии Самого его номер второй. Мнение Октябрьского о наркоме госбезопасности было такое: человек умный, но очень уж осторожный. Как говорится, дров не наломает, но и пороха не изобретет.

Форточка качнулась под дуновением ветерка, по полированной поверхности стола пробежал солнечный зайчик – полыхнула мельхиоровая ложечка, в вазе мягко залучился янтарный виноград.

Фрукты были отборные. В конце апреля винограда, персиков, абрикосов нет даже в распределителе для высшего комсостава, а тут пожалуйста.

Старший лейтенант Коган не выдержал – деликатно отщипнул виноградину, потом вторую. Потянулся и за персиком, но убрал руку. Был Коган подтянут, плечист, рыжеволос. Сегодня его звали «Англичанин».

Каждому из четверых приглашенных на «встречу по интересу» Нарком дал прозвище: «Немец», «Японец», «Англичанин», «Американец». Интерес же нынче был нешуточный – определить, какое из направлений разведывательно-контрразведывательной работы следует считать приоритетным. От этого зависело распределение сил, ресурсов, кадров – короче говоря, всё.

Каждый по очереди излагал свою точку зрения, народные комиссары слушали.

Октябрьский выступил первым. Сказал, что на сегодняшний день главную угрозу для СССР несомненно представляет фашистская Германия; что нападение в июне или даже в конце мая весьма вероятно. В подробности проводимых спецгруппой мероприятий не вдавался, в столь широком кругу это было ни к чему. Лишь зачитал последние агентурные данные, перечислил основные аргументы. Старший майор был уверен, что позиция у него крепкая, куда сильней, чем у остальных.

Вторым выступал «Японец», начальник японского направления майор Лежава.

– ...Наши дипломаты недооценивают ихнего самурайского коварства, товарищи, – говорил он. – Переговоры переговорами, но даже если мы подпишем с ними договор о нейтралитете, что для самурайской клики дипломатический документ? Когда это японцев договоры останавливали? Может, когда они в 1904 году без объявления войны на Порт-Артур напали? Или на Хасане в 38-ом? На Халхин-Голе в 39-ом? Я так считаю, товарищи, что сейчас наступает решающий момент. В эти самые дни в Токио определяется, куда качнет Японию: на Север против СССР или на Юг, против американцев. А что самураи полезут в большую драку, сомнений не вызывает. Ихняя военщина нарастила такую мощь, так разогналась, что не сможет остановиться, даже если захочет...

Дальше Лежава коротко обрисовал борьбу, которую ведут две партии внутри японской верхушки – армейская и морская. Генералы выступают за войну на суше, против Советского Союза. Адмиралы – за войну на море, против США. И те, и другие оказывают давление на императора Хирохито. По мнению майора, все силы и средства следовало бросить на то, чтобы помочь морской партии – вот ключ к победе в предстоящей войне с Германией. А что войны с немцами не избежать, чуть раньше или чуть позже, это и без форсированных разведмероприятий спецгруппы «Затея» понятно.

Октябрьский на выступавшего ни разу так и не взглянул, но клинки в блокноте делались всё хищнее – с зазубринами, со стекающими каплями крови. Появились там и самурайские мечи, единственное свидетельство, что старший майор все-таки слушает коллегу. А не смотрел он на Лежаву, потому что имел к нему счет, до сих пор не предъявленный и не оплаченный.

«Японец» заметно волновался. От этого грузинский акцент, и без того более очевидный, чем у Наркома, сегодня особенно чувствовался – имя японского императора, например, прозвучало, как клекот орла: Кхырокхыто.

Дела у Лежавы были так себе. Еще недавно его направление считалось ведущим, особенно после подписания Советско-германского пакта, когда немецкая разведка якобы свернула работу против

Вторым выступал «Японец».

СССР и передала свою агентуру японцам. Но после блицкрига немецкая угроза снова вышла на первый план. Лежаве урезали финансирование, он стал реже бывать у Самого. Оттого сейчас и нервничал.

Три года назад, в разгар беспощадной чистки, японская опасность (плюс кое-какие личные качества) спасла ему жизнь, он остался последним из могикан, разведчиков доежовской эпохи. Октябрьский помнил время, когда Лежава был единственным грузином в начсоставе НКВД. Тогда на Лубянке преобладали евреи, латыши, поляки – представители наций, активней всего участвовавших в революции. Но времена переменились, теперь в центральном аппарате стало много кавказцев: сам Нарком, народный комиссар госбезопасности (фамилия у того русская, но родился он в Грузии, и мать грузинка), многие ключевые работники. Только вряд ли это обстоятельство могло выручить Лежаву. Нарком национальному происхождению значения не придавал, а что привел с собой много грузинов и армян, так это не из местнического патриотизма – просто взял лучшие кадры с предыдущего места службы, из Закавказья.

– Хорошо, товарищ Японец, – оборвал выступающего Нарком. – Дальше ясно. Теперь послушаем товарища Американца.

Тут Октябрьский поднял голову, стал слушать внимательно. «Американца» (он, один из всех, был в костюме и галстуке) старший майор видел впервые. Знал только, что это Епанчин из «Службы связи» – Коминтерновского отдела, ведающего нелегальной работой за рубежом. Судя по фамилии и манере говорить – из бывших. Не из белогвардейцев, конечно, – слишком для этого молод, а из второго поколения, кого увезли в эмиграцию ребенком. Из таких получался отличный материал для агентурной работы. В свое время, служа за границей, Октябрьский активно привлекал подобных ребят, и с очень неплохими результатами.

«Американец», как ему и полагалось, гнул свою линию.

Всякому здравомыслящему человеку, кто умеет смотреть в завтрашний день, понятно: правящие круги США поставили перед собой цель добиться мирового господства. Первый шаг на этом пути они сделали благодаря империалистической войне, когда мировой финансовый центр переместился из Лондона в Нью-Йорк. Новая европейская свара американской олигархии только на руку. Большая война ослабит и Западную Европу, и Советский Союз, а капиталисты США нагреют руки на военных заказах и поставках. Известный Наркому источник «Курильщик» сообщает, что руководство американской разведки готовит ряд мероприятий, цель которых – как можно скорее спровоцировать конфликт между Москвой и Берлином. Президента Рузвельта крайне тревожит усиление Германии, американская администрация надеется, что вермахт надолго увязнет на Востоке. Если мы сейчас позволим американским агентам бесконтрольно действовать в Европе, это будет иметь тяжелые последствия.

Примерно с середины выступления Октябрьский снова начал рисовать – теперь всё больше арабески и вензели. Аргументация у Американца была слабовата.

– Ничего, – засмеялся Нарком. – Мы америкашкам воткнем в задницу Хирохито, чтоб не скучали. У товарища Японца на этот предмет есть и задумки, и наработки.

Помрачневший было Лежава просиял улыбкой, закивал.

– Теперь вы, товарищ Англичанин.

Старший лейтенант, успевший-таки цапнуть из вазы персик, выплюнул в ладонь косточку, вытер губы, вскочил. Этого парня из Иностранного отдела, Матвея Когана, Октябрьский один раз уже видел, тоже на «файв о'клоке», и окрестил про себя «Мальчиком Мотлом». Лицо у рыжего старлея было довольно нахальное, с россыпью бледных веснушек, глаза шустрые. Из таких получаются отличные агенты и оперативники, подумал Октябрьский и вдруг поморщился – в голову пришла неприятная мысль. Между прочим, он тут самый старый, через несколько месяцев стукнет пятьдесят. Обоим народным комиссарам едва за сорок, Лежаве, кажется, тридцать шесть, Епанчину и Когану максимум по тридцатнику.

Ничего, сказал себе старший майор. Я еще не старик, а что остальные меня моложе, так это здорово. У нас, чекистов, силенка есть, зубы не стерлись, с потенцией тоже всё в порядке.

«Англичанина» он слушал так же внимательно, как «Американца».

– Я, товарищи, сейчас в основном за кордоном. Фигаро-здесь, Фигаро-там, и больше там, чем здесь, но тем не менее товарищи из нашего английского направления доверили мне довести до вашего внимания нашу принипиальную позицию. Потому что я, товарищи, как говорится, с самого пылу-жару. Конечно, всяк кулик свое болото хвалит, но, честное слово, товарищи, наша британская трясина будет поболотистей ваших. Это железно.

Несколько развязное начало Октябрьскому не понравилось, и в блокноте появилось изображение жабы, но потом пошли сплошь квадраты и прямоугольники, потому что логика у Мальчика Мотла была крепкая, кирпичик к кирпичику, а сведения исключительной важности.

– Перемирие между Британией и Гитлером – вопрос недель, а может быть, и дней. Англия вымотана воздушной войной, ударами немецкого подводного флота. Везде разговоры про одно и то же: это не наша драка, почему мы должны отдуваться за поляков и лягушатников? Ладно. Это, как говорится, сообщения агентства ТАСС – «Тетя Аня Соседке Сказала». Но у нас, товарищи, есть информация посерьезней. Источник «Лорд» обращает наше внимание на резкое усиление антисоветской партии сторонников мира, в особенности так называемой «Кливлендской клики», группы завсегдатаев салона леди Астор.

– Это та дамочка, которая сказала Черчиллю: «Если б вы были моим мужем, я насыпала бы вам в кофе яду?» – усмехнувшись, спросил Нарком.

– Она самая. А Черчилль, если помните, ей ответил: «Если б я был вашим мужем, мадам, я бы этот кофе с удовольствием выпил», – заулыбался и Коган, однако тут же посерьезнел. – Если говорить про Черчилля, то его положение шатко, как никогда. Оппоненты премьер-министра в открытую требуют мира с Германией на условиях довоенного статуса кво и неприкосновенности британских колоний. На сегодняшний день немцев это железно устраивает. «Лорд» информирует, что «Кливлендская клика» поддерживает контакты с нацистской верхушкой. Мы сообщили об этом в британскую контрразведку, но там и без нас знают. Только поделать ничего не могут. Или не хотят – в контрразведке тоже две фракции. Поймите, товарищи: англичане готовы мириться, это реальная, стопроцентная опасность. Если Гитлер завтра сделает какой-нибудь эффектный жест, который польстит британскому самолюбию, партия мира возьмет верх. «Лорд» говорит, что на тайных переговорах британских и германских представителей обсуждаются самые фантастические варианты. Чуть ли не сам Рудольф Гесс прилетит в Англию безо всяких предварительных условий, рассчитывая исключительно на английскую рыцарственность.

– Ну уж, – не выдержав, фыркнул Октябрьский. – Может, к ним еще сам Фюрер пожалует? Заливает ваш «Лорд».

– «Лорд» не заливает! – вспыхнул Коган. – Это железный источник. Я за него ручаюсь. А вы, товарищ старший майор, не знаете, и не говорите!

Нарком успокаивающе кивнул – мол, я знаю, я верю, и «Англичанин» взял себя в руки.

– В общем так, товарищи. Ситуация на английском направлении представляется нам железно приоритетной. – Старший лейтенант чеканил каждое слово, да еще отмахивал сжатым кулаком. – Нападет на нас Гитлер этим летом или нет, будет зависеть от исхода тайных британо-германских переговоров. Вот где в настоящий момент проходит наша передовая линия фронта. У меня всё, товарищи.

Итоги обсуждения подвел Нарком.

Сказал, что обстановка сложная, но это ничего, разве когда-нибудь она бывала легкой? Каждое из направлений для нас важно, на каждом в любой момент может образоваться кризис. Поэтому всем работать, как работали до сих пор.

– И «немцы», и «японцы», и «американцы», и «англичане» должны по-прежнему считать, что именно на вашем участке решается судьба будущей войны, – говорил Нарком, переводя взгляд с одного на другого. – Правильно сказал Коган: мы, разведчики, сейчас на передовой. За спиной у каждого – наша социалистическая Родина. Не дайте врагу прорваться.

А оргвыводы сделал такие: выделил Октябрьскому дополнительных сотрудников и спецсредства; «англичанам» санкционировал безлимитный расход валюты. Лежава с Епанчиным не получили ничего, так что в результате «файв-о-клока» приоритеты разведдеятельности более или менее определились.

– Товарищ Коган, – сказал еще Нарком, явно озабоченный информацией из Лондона. – Может быть, вам имеет смысл вернуться и вести «Лорда» лично?

– Ей-богу, нет необходимости, товарищ генеральный комиссар, – ответил Мальчик Мотл. – Есть прямой контакт связи, по известному вам каналу. И еще «Молния», на случай срочного сообщения чрезвычайной важности.

– Ну хорошо. Ладно, товарищи, мы с Всеволодом Николаевичем пойдем, а вы чайку попейте, поболтайте. Налаживайте контакт.

Нарком поднялся, вскочили и все остальные.

Это было нечто новенькое. Как это – распивать чаи в кабинете Самого, да еще в отсутствие хозяина? У сотрудников разных отделов «болтать» между собой не по службе было не заведено, а на обмен служебной информацией требовалась особая санкция. Представители четырех направлений неуверенно смотрели друг на друга.

– Да вы сидите, сидите, – махнул рукой Нарком. – Чайку вон свежего себе налейте, фрукты кушайте. Товарищ Октябрьский, на минуточку.

Остановившись у самой двери, Нарком вполголоса спросил у старшего майора:

– Вы когда мне Вассера этого возьмете? Что-то долго возитесь.

– Ждем звонка, больше ничего не остается. Проверяют немцы, а как же? Два дня с помощью милиции искали в озере тела «рыболовов». Нашли. Агент «Эфир» (такая кодовая кличка была дана фон Лауницу) доносит, что в посольстве делали вскрытие. сами. Убедились, что Решке и Штальберг, действительно, утонули. Еще два дня трясли Эфира, но мы ему разработали детальную легенду. Докладывает.

что прошел проверку успешно, даже представлен к награде за спасение радиста и рации. Имя «Вассер» в его присутствии ни разу не упоминалось. Похоже, посольская резидентура должна просто передать Вассеру по эстафете радиста.

– Гляди, как осторожничают. Покоя мне не дает этот Вассер. Сам полковник Кребс у него на побегушках. По всему видно, опасный мерзавец.

– Или мерзавка, – поправил Октябрьский со своей всегдашней привычкой к точности. – Скорее всего, конечно, мужчина. Но возможно, и какая-нибудь железная фрау.

– Имеете основания так думать? – заинтересовался Нарком. – Какие?

– Никаких. Просто слово «Wasser» по-немецки среднего рода. А по-русски и вовсе женского – «Вода».

– Wasser, Wasser – задумчиво пробормотал Нарком, тоже произнося это слово на немецкий лад – «васса». И вдруг усмехнулся. – Фрау Васса Железнова. Ты, Октябрьский, мне это существо неопределенного пола непременно добудь. Я тоже думаю, что через Вассера мы можем подобрать отмычку к «Барбароссе» ... Ладно, идите, чаевничайте, – снова перешел он на «вы» и на прощанье хлопнул старшего майора по плечу.

После ухода начальства в кабинете повисло молчание. Непринужденно держался один Коган – шумно отхлебнул чаю, с удовольствием сгрыз печенье.

– Я гляжу, Мотя, ты в своем Лондоне не больно-то джентльменских манер набрался. Хлюпаешь, как насос. Не зря тебя товарищ Менжинский «беспризорником» дразнил, – шутливо заметил Лежава, не желая показать, что расстроен исходом совешания.

– Это я на родине расслабляюсь, – в том же тоне откликнулся старший лейтенант. –На приеме в Бэкингемском дворце я сама изысканность.

– Вы бываете в Бэкингемском дворце? – заинтересовался Епанчин. – И что, видели короля?

– Я много чего видел, – неопределенно ответил Коган. – И много где бывал.

Снова помолчали.

– Товарищи, ну что мы волками друг на друга смотрим, – не выдержал «Американец». – Делить нам нечего, одной Родине служим. Вот и Нарком сказал, чтоб мы больше контактировали, обменивались информацией. После сочтемся, кто больше сделал для победы.

Прекраснодушный коминтерновец стал расспрашивать Когана про жизнь в Англии. Рыжий охотно рассказывал про бомбежки, про новинки британской военной техники, но от разговора по существу уходил. Так же вел себя и Лежава. Когда Епанчин спросил его, есть ли в Японии сторонники мира – среди творческой интеллигенции или, скажем, духовенства, майор отделался похабным анекдотом про буддийского монаха и гейшу.

Октябрьский же вообще помалкивал. Во-первых, знал, что ничего полезного от коллег-соперников не услышит. А во-вторых, был уверен, что в кабинете установлена прослушка – потому Нарком и оставил их здесь, не отправил «налаживать контакт» куда-нибудь в другое место.

Именно Октябрьский и предложил расходиться – дел невпроворот. «Японец» и «Англичанин» с большой охотой поднялись, один «Американец» выглядел растерянным. Ничего, подумал старший майор, покрутится у нас месяц-другой, разберется, что к чему. Парень вроде неглупый.

Уже в коридоре Октябрьского взял за локоть Лежава.

Побагровев и очень стараясь не отводить взгляда, заговорил:

– Слушай, я рад, что ты вернулся. Честное слово. Всё хотел заглянуть, объясниться… Ты это, ты прости меня. Я ведь искренне думал, что ты враг… Данные такие были, ну я и поверил. Сам помнишь, что тут у нас тогда творилось. Тебе, наверно, показывали мой рапорт?

– Не рапорт, а донос, – спокойно ответил старший майор, не делая ни малейшей попытки облегчить Лежаве задачу.

У того дернулась щека.

– Да ладно тебе… Признаю, ошибался. Переусердствовал. Виноват я перед тобой. Прости меня, а? Не ради старой дружбы, а для пользы дела. Правильно ведь Епанчин сказал: одной Родине служим.

– Правильно, – согласился Октябрьский.

Лежава обрадовался:

– Вот видишь! Давай пять. – И протянул ладонь, но неуверенно – боялся, что рукопожатия не будет.

Однако старший майор как ни в чем не бывало снял перчатку, крепко стиснул «Японцу» пальцы и убирать руку не спешил.

Лицо грузина осветилось улыбкой.

- Вот это по-нашему, по-большевистски! Значит, простил?

Тогда, по-прежнему не прерывая рукопожатия, Октябрьский повернул кисть пальцами кверху – вместо ногтей там были сморщенные багровые пятна. Увидев их, Лежава побледнел.

- Нет, – ответил старший майор и отвернулся, натягивая перчатку.

Он торопился – нужно было проведать квартиру на Кузнецком Мосту, где работала группа лейтенанта Григоряна.

Глава шестая

СВЕТЛЫЙ ПУТЬ

Доринский сожитель, вымотанный бессонной ночью, уснул не раздеваясь. А Егору хоть бы что. Облился до пояса холодной водой, помахал гантелями, и снова как огурчик. Засиделся в четырех стенах, измаялся — не то чтоб от безделья (дел-то как раз было по горло), а от монотонности и главное от ожидания. Безвылазно торчал в коммуналке шестой день, а звонка от Вассера всё не было. Может, и вовсе не выйдет на контакт?

Натянув майку, Егор вышел на кухню, где соседка слева, в стоптанных тапках, в застиранном халате невнятного цвета, варила щи.

– И хде ты, Зинаида, тильки таку похану капусту берешь? – лениво сказал Дорин, говоря на украинский манер. – Хоть противохаз надевай.

– Пошел ты, Степка... У тебя и так рожа как противогаз, – огрызнулась соседка, всегда готовая к отпору. – Барин нашелся – щи ему нехороши. А мой Юшка любит. Надо больному дитятке горяченького похлебать?

Егор хмыкнул – Зинкиному сыну, идиоту Юшке, было под тридцать. Ничего себе «дитятко», еле в дверь пролазит.

– Некультурная гы баба, Зинаида Васильевна. На общественной кухне матом ругаешься, живешь в антисанитарных условиях. Как только тебя в Моспищеторге держат, доверяют мороженым торговать?

Этого Зинаида ему тем более спустить не могла. Хряпнула крышкой об кастрюлю, подбоченилась и заорала таким базарным голосом, что из комнаты справа выполз Демидыч, даром что глухонемой. Тоже пожелал принять участие в конфликте. Замычал, показал Зинке кулак – проявил мужскую солидарность.

Не утерпел и малахольный Юшка. Выехал на кухню в своей каталке – огромный, с пухлой детской физиономией, на которой дико смотрелась небритая щетина. Заволновался, захныкал, принялся дергать мамку за подол: успокойся, мол. Щека у Юшки была подвязана грязной тряпкой – у идиота который день болели зубы.

Обитатели коммуналки так увлеченно собачились, что прошляпили момент, когда открылась входная дверь. Среагировали лишь на скрип линолеума в коридоре.

Оборвав на полуслове трехэтажную матерную конструкцию, Зинаида крутанулась на пятке, полусогнула колени и выхватила из-под фартука револьвер.

Демидыч в долю секунду оказался слева от двери, Юшка, опрокинув свою каталку, справа. У обоих в руках тоже было оружие. Один Егор чуть замешкался – сунул руку подмышку, а вынуть ТТ не успел.

Всё нормально, это был шеф – у него свой ключ.

– Ваньку валяете? – сказал Октябрьский. – Крику от вас на весь двор.

Старший майор на явку заглядывал три, а то и четыре раза на дню, благо от ГэЗэ сюда две минуты ходу. Был он в драповом пальто поверх формы, на голове кепка.

«Глухонемой» Демидыч, как старший группы, доложил:

– Репетируем, товарищ начальник.

– Ну-ну. Где Карпенко?

– Спит, – отрапортовал Егор. – Мы с ним полночи по легенде работали, и потом еще три часа на ключе.

– Это что у вас? Щи? – принюхался Октябрський. Угостите?

И присел к краю стола, снял кепку.

Зина налила ему полную тарелку, отрезала хлеба. Старший майор, обжигаясь, стал жадно есть.

– Опять не спали, не ели, товарищ начальник, – укорила его Зинаида.

Грубый Октябрьский в ответ на заботу сказал:

– Кухарка из вас, Валиулина, как из слона балерина. Где вы только такую капусту берете?

Она обиженно схватила тарелку, хотела отобрать, но старший майор вцепился – не отдал.

– Прошу извинить, товарищ оперуполномоченный, – покаялся он. – Больше не повторится. А щи замечательные. Сильно горячие.

– Ну и нечего тогда, – проворчала Зинаида.

– Как у радиста голова? – спросил Октябрьский, доев. – Жалуется?

– Так ведь сотрясение мозга, средней тяжести, – встрял Юшка, не дав Егору ответить. – Боксер хренов, бил – не думал. Человека надо интеллигентно отключать, чтоб мозги не вышибить. По-умному надо бить, товарищ Дорин, а не по-еврейски.

Чего это «по-еврейски»? – удивился Егор.

А ты кто, не еврей разве? Фамилия самая еврейская: Дорин, Басин, Шифрин. И нос крюком.

– Нос это на ринге сломали. А фамилия у меня по месту рождения, деревня Дорино. Бабушка рассказывала, помещики такие были – Фон Дорены, что ли. От них и деревню назвали.

Октябрьский, собиравшийся прикурить, не донес спичку до папиросы.

– Как ты сказал? Фандорины?

– Вроде бы. А что?

– … Нет, ничего. – Старший майор открыл было рот, но передумал. – Ничего.

Бабушка рассказывала, что те деревенские, у кого фамилия Дорин, пошли от Сладкого Барина – жил сто лет назад такой помещик, большой охотник до баб. Но этой информацией с руководством и товарищами Егор делиться не стал – незачем.

Начальник молча курил, глядя куда-то вдаль. и взгляд у него был не такой, как всегда – рассеянный, отсутствующий.

С группой больше ни о чем не говорил и скоро ушел – только напоследок внимательно посмотрел на Дорина, будто видел младшего лейтенанта в первый раз. С чего бы это?

Вообще-то за без малого неделю знакомства Егор уже успел привыкнуть к особенностям поведения товарища старшего майора. Необыкновенный это был человек, и вел себя тоже необыкновенно.

Например, после операции на Святом озере, когда возвращались в Москву, вдруг ни с того ни с сего заговорил по-былинному:

– Ну, добрый молодец, проси за удалую службу награду. Чем тебя уважить-одарить за то, что добыл золотую рыбку? Златом-серебром, жалованой грамотой, иль шубой со своего плеча? Желай, чего хочешь.

Если честно, Егор к такому повороту событий был готов. Видел, что начальство после успешной операции пребывает в отличном расположении духа и желание продумал заранее.

– Товарищ старший майор госбезопасности, возьмите меня в спецгруппу, а? Сами говорите, война на носу, а я груши боксерские околачиваю. Не пожалеете, честное слово.

– Нет, – сказал Октябрьский, как отрезал, и у Егора упало сердце. – Нет, товарищ младший лейтенант госбезопасности. То, о чем вы просите, это не награда.

Это приказ начальства, который не обсуждается, а принимается к исполнению. В штат спецгруппы «Затея» ты будешь зачислен с завтрашнего числа, вне зависмости от желания. А за сегодняшнюю операцию представлю тебя к внеочередному званию, заслужил.

– Спасибо! – подскочил на мягком сиденье лимузина Дорин. – В смысле, не за награду, а за то, что берете к себе. То есть, за награду, конечно, тоже спасибо, – поправился он. – Служу Советскому Союзу.

Октябрьский кивнул, не сводя глаз с темного шоссе. Машину он вел сам, шофер дремал сзади.

– Вот-вот, служи. А благодарить не за что. Беру тебя по следующим причинам. Во-первых, из-за того, что в общем и целом держался молодцом. Во-вторых, из-за того, что наломал дров: так отмолотил радиста, что его в подобной кондиции Вассеру показывать нельзя. Синяки, положим, через несколько дней сойдут, но что прикажешь делать со сломанной челюстью? В-третьих, ты обучен радиоделу. В-четвертых, благотворно действуешь на арестованного – он при тебе прямо шелковый. В общем, даю тебе ответственное задание. Будешь состоять при Карпенке. Подробности объясню позже. А с боксом, конечно, прощайся. Мало того, что тебе нос попортили, так рано или поздно еще и мозги вышибут. Мне безмозглые сотрудники не нужны.

Эх, плакал финал чемпионата, подумал Егор, но без особого сожаления.

– Товарищ старший майор...

– Ты вот что, – перебил его Октябрьский. Называй-ка меня «шеф», было в прежние времена такое обращение к начальству. Коротко и удобно. В группе меня все так зовут. Ты ведь теперь один из наших.

Так младший лейтенант Дорин, можно сказать, вышел на светлый путь, занялся настоящей работой, большим, важным делом. Пускай армеец Павлов забирает чемпионский титул даром, не жалко.

Началась новая жизнь, совсем не похожая на прежнюю. Под началом у Октябрьского служить было одно удовольствие – спокойно, весело. и ни черта не страшно кроме одного: не разочаровать бы шефа.

Вот каким должен быть начальник. Настоящий большевик, профессионал высокого класса и, что немаловажно, человек хороший. Идиот Юшка (которого на самом деле звали Васькой Ляховым). хоть в штате спецгруппы не состоял, а числился временно прикомандированным, говорил то же самое: «С вашим Октябрьским работать – лафа. Волынить не даст, загрузит под самую завязку, но и больше возможного не потребует. А главное, все знают, что он своих ребят не сдает. Если напортачишь, сам тебе башку отвинтит, но перед начальством всё возьмет на себя. Правильный мужик, сердечный. У нас в Органах злыдней полно, служба такая, а этот добрый».

Правда, насчет того, добрый ли человек Октябрьский, у Егора было сомнение – после одного памятного разговора.

В самый первый день это было, в кабинете у шефа. когда тот объяснял, как с радистом работать и почему так важно ниточку к агенту «Вассер» не оборвать.

Дорин спросил: что, если возьмем мы этого Вассера, а он упрется и говорить не станет. Ведь, судя по всему, шпион он матерый, экстра-класса.

– Яйца поджарим – заговорит, – усмехнулся старший майор. – И даже запоет, приятным фальцетом.

В первый момент Егор подумал, что ослышался.

– Что глаза вылупил? – неприязненно посмотрел на него шеф. – Методов физвоздействия пока никто не отменял. Мера эта, конечно, противная, но в нынешних условиях без нее не обойтись. О том сказано и в закрытом постановление ЦК 10-01. – Старший майор процитировал по памяти. – «Метод физического воздействия должен обязательно применяться и впредь, в виде исключения, в отношении явных и не разоружившихся врагов народа как совершенно правильный и целесообразный метод». ЦК ВКП(б) так решил, понятно? Учитывая особый накал борьбы за выживание нашего рабоче-крестьянского государства. Арестуем Вассера – адвоката вызывать не станем.

Хотел шеф продолжить инструктаж, но, поглядев на лицо младшего лейтенанта, решил эту неприятную тему развернуть, чтоб не осталось недомолвок.

– Ты, Дорин, учти: методы физвоздействия – это целая наука, построенная в первую очередь на психологии. Наши костоломы из Следственного управления ею не владеют, по себе знаю. Тут штука в том, что хорошему психологу к самому физвоздействию прибегать обычно не приходится. Достаточно, как в средние века, показать допрашиваемому орудия пытки. Только надо правильно определить, чего человек больше всего боится.

– Откуда же это узнаешь? – спросил Дорин, ободренный известием, что можно обойтись одной психологией.

– Не квадратура круга. Мужчины делятся на две категории: глаза и яйца. Настоящего мужика мордобоем или там иголками под ногти не возьмешь. Вот мой придурок-следователь об меня все кулаки отбил, палец себе кусачками прищемил, новые галифе кровью забрызгал, а ничего не добился, потому что был дубина. А пригляделся бы ко мне получше, полистал бы досье, почитал бы, сколько времени я на баб трачу – сразу сказал бы: «Враг народа Октябрьский, не подпишешь признательные показания – яйца оторву». Глядишь, я и подписал бы, что я франкистский шпион и тайный агент беломонархического центра. – Октябрьский засмеялся, глядя на застывшее лицо младшего лейтенанта. – Ну, а вторая категория – это кто ослепнуть боится. Такому человеку пригрози, что зрения лишишь – расколется.

Егор покосился на графин – от таких разговоров у него пересохло в горле. Но налить воды не решился, не хотелось выглядеть слабаком.

– С женщинами тоже несложно. Если примечаешь, что следит за собой: причесочка там, маникюр, сережки и прочее, считай, дело в шляпе. Пригрози вырвать ноздри или отрезать верхнюю губу. Покажи фотокарточку – как выглядят женщины, с которыми это сделали.

– Но ведь гадость это! – сорвалось у Дорина. – Подлость!

Не выдержал-таки, опозорился перед шефом.

– Я тебе уже говорил. Хорошо то, что годится на пользу дела. Подлость – всё, что делу во вред. А о каком Деле идет речь, сам знаешь. Критерий в нашей работе может быть только один: целесообразность. К тому же, повторяю, – тон старшего майора смягчился, – при правильном психологическом диагнозе прибегать к таким методам необходимости нет. Если мужик не испугался «глаз-яиц», а баба отрезанного носа, нечего тратить время и силы на пытку. Это потенциальные самоубийцы или, того хуже, мазохисты – люди, которые от боли и увечий только крепче духом становятся. Про святых великомучеников вас теперь в школе не учат, а то бы ты понял, что я имею в виду.

– И что же тогда делать?

– Если есть доступ к родственникам или к предмету любви, можно попробовать психдавление. Но с нашим клиентом Вассером это вариант маловероятный. Он наверняка немец и все его дорогие родственники живут в фатерлянде. Ничего, что-нибудь придумаем. Только взять бы.

Октябрьский все не мог успокоиться – то ли тема его разбередила, то ли выражение Доринской физиономии.

– После ужасов империалистической войны, а особенно после Гражданки мерихлюндии невозможны, – сказал шеф убежденно. – Как зверствовали беляки, что творили наши – этого тебе в кинофильме «Чапаев» не покажут. В жестокое время живем. И если хотим выжить и победить, мы тоже должны быть жестокими... Ладно, всё об этом. Продолжаем работать.

Такую лекцию прочел Егору старший майор в самый первый день. Вот и спрашивается, какой он после этого – добрый или злой?

Думал про это Дорин, думал и пришел к следующему умозаключению. Для своих товарищей шеф добрый, а для врагов – зверь. И это правильно. Доброта – не всеобший эквивалент. Она, как и все на свете, понятие классовое, политическое. Что плохо для врага, то хорошо для нас. И наоборот. Чего проще?

А впрочем, сильно много времени на то, чтоб предаваться отвлеченным рассуждениям у младшего лейтенанта Дорина в эти дни не было.

Итак, первым местом службы нового сотрудника спецгруппы «Затея» стала запущенная коммуналка на Кузнецком Мосту. Квартиру немцы выбрали толково. Четырехэтажное строение располагалось в проходном дворе, из окон комнаты просматривались все подходы. В случае необходимости можно было уйти и по черному ходу, и крышами, через чердак.

Соседей агенты Абвера тоже подобрали с умом: комната, которая предназначалась радисту, числилась за дальневосточником, служившим на Камчатке, а в двух остальных жили глухонемой старик Демидыч и мороженщица Зинаида Кулькова с сыном Юшей, великовозрастным олигофреном.

Но что немцу хорошо, то и нам сгодится, перефразировал Октябрьский известную поговорку.

Близко к Лубянке? Отлично. Убогие соседи? Замечательно.

В соседних домах, по периметру двора, старший майор разместил несколько групп, работавших посменно – на случай, если Вассер вздумает наведаться лично.

Соседей Октябрьский подменил – да так, что никто этого не заметил. Глухонемого отправили в дом ветеранов (он давно этого добивался). вместо него поселили лейтенанта Григоряна, внешне похожего на Демидыча, так что и гримировать сильно не пришлось.

Мороженщице с сыном выделили из фонда НКВД отдельную квартиру на другом конце Москвы, в Усачевском рабочем поселке. Зинаидой Кульковой стала Галя Валиулина из 2-го (контрразведывательного) управления НКГБ. Женщина она была молодая, собой видная и лицом на обрюзгшую мороженщицу не шибко похожая, но зато примерно той же комплекции. Навели Валиулиной алкоголический румянец, состарили кожу, одели в Зинкины платки-халаты – если смотреть издали, не отличишь, а вблизи любоваться на нее у посторонних возможности не было: сидела «Кулькова» дома, на больничном.

Сыном-идиотом, на потеху сослуживцам, назначили опытного волкодава Васю Ляхова, тоже из контрразведки. Роль у идиота до поры до времени была простая, но скучная: сидеть у окна с обмотанной щекой и пялиться во двор. Стекло, без того грязное, запылили еще больше. Да никто из соседей по двору на окна особо и не пялился – чего там интересного.

Главная же роль – так требовало дело – досталась Егору Дорину, самому неопытному из всех.

Когда он обучался в Школе Особого Назначения, там проводился эксперимент по подготовке разведчиков-универсалов, которые могли бы существовать в одиночку, без связников и радистов. Считалось, что это сделает агента менее уязвимым. Поэтому курсанта Дорина учили работать на передатчике, чинить рацию и даже собирать ее из подручных материалов. Потом, после провала нескольких ценных агентов, идею признали вредительской: лично выходя на сеансы радиосвязи, нелегал рисковал гораздо больше, чем при контакте с радистом. Однако Егору полученные в Школе знания пригодились.

Он в два счета научился обращаться с хитрой немецкой рацией, которая оказалась не только компактной, но и удивительно удобной в обращении. Ломать голову над кодами не пришлось – Карпенко сказал, что таковых не имеет и должен работать вслепую. Шифровка и расшифровка в его обязанности не входят. Оставалось научиться подделывать почерк Карпенки – была у Октябрьского идея подготовить украинцу замену на случай продолжительной радиоигры.

Этим Егор в основном и занимался. Сидел и смотрел, как Карпенко работает на ключе. Пробовал повторить. Сначала не получалось – не успевал по скорости, все-таки уровень подготовки у Дорина был не тот, да и не практиковался давно. Просиживал у неподключенного к антенне передатчика часами. Пока пленный отдыхал, долбил ключом под магнит-

чую запись. На третий день упорных тренировок наметился прогресс, а на пятый день выходило уже довольно похоже.

Когда не работали с рацией, Егор изучал биографию изменника родины: детство, контакты и, особенно подробно, немецкий период жизни.

Был Степан Карпенко деревенский, родом из-под Чернигова. Врал, что сын бедняка, но Егор был уверен - кулацкого рода-племени, иначе не пошел бы против своей родины. Про детство в колхозе плел такое, что оторопь брала.

Он вообще оказался брехун, причем самого подлого типа – из тех, что брешут правдоподобно, с деталями. Несколько раз Егор хотел на него прикрикнуть, чтоб перестал клеветать на советскую власть, но сдерживался. Важно было знать не правду, а то, что Карпенко натрепал своим немецким хозяевам.

Якобы у них в деревне была голодуха, люди мерли, и Степанов батька украл со склада мешок картошки. Был пойман, осужден. Ну как в такое поверить? Чтоб за паршивый мешок картошки целую семью сослали в Сибирь, в битком набитом вагоне для скота? И насчет голода, конечно, тоже вранье. Не может в советском колхозе быть голод. У дедушки Михеля в деревне лучше, чем в городе живут – уж Егору ли не знать?

Правда, колонисты и при царе хозяйствовали крепко. Потому что непьющие и скопидомистые – типичные Deutsche Bauern[1]. И колхоз построили зажиточный, со всего Союза приезжают передовой опыт перенимать. Так ведь и хохлы пьют несильно, куркули они почище немцев, а земля у них, говорят, чистый чернозем. С чего это им голодать?

Однако не спорил с гадом – молча слушал, записывал.

По Карпенкиной брехне, то есть легенде, выходило, что в первый же день после высылки он, еще пацаненок, выпрыгнул из теплушки и сбежал в лес, где прибился к каким-то «лесным» – то ли недобиткам с гражданской, то ли к сбежавшему кулачью, Егор толком не разобрал. От «лесных» попал на Волынь, к националистам-ОУНовцам. У тех были закордонные связи, и Карпенко несколько раз доставлял записки на ту сторону. Парень он был расторопный, бойкий, послали его учиться – сначала в Австрию, потом в Германию.

Спецподготовку Карпенко проходил в главном учебном центре Абвера, в Квенцгуте, где таких как он, набирали в «Украинскую роту».

Вот про Квенцгут слушать было интересно. Судя по рассказу радиста, подготовка там во многом была похожа на ШОНовскую. Те же предметы. такие же занятия на полигонах, штурмовых полосах, учеб-

---

[1] Немецкие крестьяне (*нем.*)

ных объектах, в тирах. Только в Квенцгуте размах был пошире. На территории имелись шоссейные и железные дороги, мосты в натуральную величину, даже макеты заводов и буровых вышек – для диверсионной практики. Курсантов учили водить все виды транспорта: и самолет, и планер, даже паровоз. Особенно впечатлило Егора, что в заливе Квенцгутского озера устроен аквариум для аквалангистов.

Без дураков готовят в Абвере агентов, ничего не скажешь.

Егор заучивал наизусть имена и прозвища однокурсников и преподавателей Карпенки, географические названия, даты Поди знай, чтó может пригодиться

А еще подолгу просиживал перед зеркалом, тренировался в украинском акценте («Та я шо? Я нишо. Я вам мамою клянуся. Того знати не можу…») и привыкал к своему новому облику.

По словам Карпенки, Вассер своего радиста в лицо не знает, но вдруг видел фотографию или имеет словесный портрет. Поэтому шеф приказал Егора загримировать.

С шикарным пшеничным чубом пришлось распрощаться – радист стригся коротко, почти налысо, оставляя всего пару миллиметров. Волосы и брови Егору покрасили в черный цвет, а брови еще и наполовину повыщипывали Не оставили без внимания и особые приметы: соорудили розовый шрам у виска и слегка оттопырили уши.

Наверно, чудная была картина – наблюдать со стороны за двумя Карпенками, когда они сидели друг напротив друга, похожие, как родные братья: оба лопоухие, со стрижкой ежиком, и разговаривают одинаково, только у одного половина лица заклеена пластырем.

Вот ведь загадка психики. Если проживешь с кем-то очень тебе неприятным, даже ненавистным, несколько дней бок о бок, в тесном общении, вдруг начинаешь замечать, что он для тебя уже не лютый враг, а вроде как просто человек. Даже жалко его становится.

Приказы Карпенко выполнял беспрекословно, отвечал на все вопросы, саботажа не устраивал, но никакой инициативы не проявлял. Если Егор ни о чем не спросит – сидит молча, опустив голову. Когда отдых – глядит в стенку. И взгляд пустой, мертвый, хрен разберешь, о чем думает. И ест так же: дочиста, но равнодушно, безо всякого аппетита. А кормили, гада, между прочим первостатейно, не то что оперативников. Полагался радисту спецпаек: икра, краковская колбаска, баночные сардины, шоколад.

– Что мы его так ублажаем? – спросил Егор у шефа в один из первых дней. – Спит на мягкой кровати, жрет в три горла, патефон вон ему притащили. Чего перед ним бисер метать? Он и так сотрудничал бы на все сто, без паюсной икры.

– Плохо понимаешь психологию, – сказал тогда Октябрьский. – Степан – человек сильный. Помнишь, как он нас с тобой чуть на тот свет не отправил? Такие люди плохо гнутся и с трудом ломаются, но уж если ломаются – то вдребезги. Тогда, на озере, мы с тобой ему характер покорежили, убили уважение к себе. От этого до самоубийства один шаг.

Карпенко сейчас по кирпичику разобран, до самого фундамента. А в фундаменте у нас, людей, камни простые: страх смерти, жажда жизни. Вот чтобы он вкус к жизни не потерял, нужна хорошая жратва, мягкая перина, музыка. Это на пока. А потом мы его снова построим, этаж за этажом, только уже по нашему чертежу. Пригодится нам еще Степан Карпенко.

А времени на личное у Дорина в эти дни не было совсем. Ни минуты. Отлучаться из квартиры он не мог, дать о себе весточку Надежде возможности не было.

В больницу имени Медсантруда он, конечно, позвонил. Попросил дежурного передать санитарке Сориной, что некий Егор уехал в срочную командировку. Передали или нет, неизвестно. Большая персона – санитарка. Если даже передали, что она могла подумать?

Понятно, что. Поматросил и бросил. Наплевал на ее любовь, доверчивость, душевное отношение. То-то папаша Викентий Кириллович, наверное, злорадствует.

Некрасиво выходило, не по-человечески.

Как вспомнит Егор зеленые глаза Нади, ее расплетенные волосы на подушке, тихий голос – внутри прямо схватывает. В такие минуты он говорил себе: ничего, вот возьмем Вассера, сразу поеду в Плющево. Всё объясню, всё расскажу (ну, не всё, конечно, а сколько начальство разрешит) – она поймет. Не в кабаке же гулял, Родину защищал. Между прочим, с риском для жизни.

Был у него на эту тему разговор со старшим майором.

Однажды, не выдержав угрызений совести, попросил Егор отпустить его хоть на часок. Сгонял бы на Таганку. Если б не застал Надю, хоть оставить записку.

Когда Октябрьский, нахмурившись, спросил: «Зачем?» – честно объяснил. Не врать же.

Ну, шеф ему и выдал, по первое число:

– Вы из-за девчонки готовы оставить свой пост? А если именно в этот час Вассер позвонит? Удивляюсь я на вас, Дорин. Может вам лучше вернуться в спортивное общество «Динамо»? – и прочее, и прочее.

А потом, глядя на повесившего голову младшего лейтенанта, смягчился и заговорил по-другому, не официально.

– Вот что я тебе посоветую, Егор, по-товарищески. Если хочешь в нашей профессии чего-то добиться, сердца не слушай, живи головой. Сердце – оно глупое. У многих, конечно, и голова тоже дурная, но ты-то парень смышленый. Заруби себе на носу: не увлекайся любовью. И семьей не обзаводись. Чекист, если он влюблен или, того пуще, женат, становится чудовищно незащищенным. Цельность утрачивает. Душу на две части в нашем деле не разделишь. Монахом быть незачем, это вредно для физического и психического здоровья, а вот в эмоциональную зависимость не попадай. Женщина – существо другого устройства. Ты ей никогда не втолкуешь, что долг важнее любви. Они этого понимать не умеют… – Тут Октябрьский помрачнел, будто вспомнил что-то неприятное, но тряхнул головой и продолжил уже в другом тоне. –

Есть, правда, исключения. Вот у лейтенанта Григоряна с женой товарищеские отношения нового типа. Проснувшись утром, здороваются за руку. За чаем читают друг другу газетные передовицы и тут же обсуждают. В интимную связь вступают по результатам голосования. Чего ржешь? Он сам рассказывал. Если оба «за» – понятно. Если «против» – тоже. Но у них бывает, что муж «за», а жена воздержалась – тогда мероприятие проводится по сокращенной программе.

Подождав, пока Егор дохохочет, шеф снова посерьезнел:

– Если тебя такая жизнь не манит, с семьей лучше подождать. Вот победим фашистов и империалистов, тогда можно будет расслабиться. Я думаю, ждать недолго осталось – года три-четыре, максимум пять. Тебе-то что, ты молодой, успеешь, а я, видно, так бирюком и подохну.

Ага, бирюком.

Тут была такая история: 24-го числа вечером на телефонной станции проводили профилактику и вырубили все номера по нечетной стороне Кузнецкого Моста.

Октябрьский зашел, говорит:

– До полуночи не включат. Значит, Вассер не позвонит. Поехали, Егор, покормлю тебя человеческим ужином.

Проситься в увольнительную после вышеприведенного разговора Дорин не посмел. Да и лестно было с шефом вечер провести.

Поехали не куда-нибудь – в ресторан «Москва», где Егор еще ни разу не бывал. Прежняя зарплата не позволяла, а новую (ого-го-го какую) потратить случая пока не представилось.

Гардеробщик, весь в золоте, был похож на белогвардейского генерала, только со значком ударника на груди. В фойе журчал настоящий фонтан, за ним во всю стену многоцветная мозаика: «Вождь на озере Рица».

«Скоро будут ему молитвы возносить», вспомнил Егор слова зловредного Надиного родителя.

– Что, не одобряешь? – спросил шеф, как обычно, безошибочно угадав невысказанную мысль подчиненного.

– Уж в ресторане-то зачем? – хмуро сказал Дорин.

– И в ресторане, и в бане, и в сундучке у тети Мани. – Октябрьский встал перед зеркалом, поправил галстук (он сегодня был в штатском). – Народ должен видеть своего Вождя всегда и везде. Люди так устроены, что любят не умом, а глазами, ушами, обонянием. Надо бы одеколон придумать, самый лучший, и назвать «Запах Вождя».

Шутит он, что ли, подумал Егор и тут же услышал:

– Я серьезно. Пойми ты, всенародно обожаемый вождь – требование эпохи. Так сейчас нужно. В смертельной схватке сильней оказывается та страна, которая крепче и монолитней, согласен? Ты посмотри, во всех динамично развивающихся государствах сегодня обязательно имеется культ вождя, как бы он ни назывался – фюрер, дуче или микадо. Мы все на пороге войны. Страшной войны, небывалой, на истребление. Либерализм и демократия – сладкая сказочка для жирных и беззубых. В современной войне победит общество, которое бьет кулаком, а не растопыренной пятерней, наступает не гурьбой, а стальным клином. Сколько у клина бывает вершин? То-то. Одна. И непременно стальная. Немцы сделают большую ошибку, если нападут на нас, не дожав Англию. Сначала нужно добить жирных, мягких, а потом уж сойтись сталь против стали, и посмотреть, чья возьмет. Иначе затупим булат о булат, и в выигрыше окажется злато. Как у Пушкина: «Всё куплю, сказало злато».

На пороге огромного зала Егор чуть не ослеп от сияния накрахмаленных скатертей, чуть не оглох от грохота джаз-банда.

Официант повел их в самый дальний угол, но Октябрьский, поглядев по сторонам, сказал:

– Ты свою тетю из деревни сюда сажай. А нас, братец, пристрой вон за тот столик, где табличка «заказано». И давай, мечи жратву, какая получше. Коньяку «Юбилейного», двести грамм. Больше нельзя, нам еще работать.

Рука в перчатке небрежно сунула официанту в нагрудный карман целую сотенную, и минуту спустя старший майор с младшим лейтенантом обосновались в самом центре зала, а за соседним столиком (Егор так и ахнул) сидела заслуженная артистка Любовь Серова, в сопровождении двух модников с прилизанными проборами. Вблизи она показалась Дорину постарше, чем на экране, но зато и здорово красивей. В кино всё черное, белое или серое, а тут было видно, что глаза у Любови Серовой голубые, волосы отливают золотом, а губы ярко-алые. И одета – лучше, чем капиталистки в заграничной картине «Сто мужчин и одна девушка». Крепдешиновое платье с открытой шеей, жемчужные бусы, сережки капельками. Загляденье!

– Что, хороша? – шепнул Октябрьский. – Чур – моя, не встревать. Ты для нее еще зелен.

Егор только улыбнулся. Во-первых, Надя всё равно лучше, хоть у нее нет таких кудряшек и бровок в ниточку. Ну а, во-вторых, при всем уважении к шефу, надо ж реально смотреть на вещи. Это всесоюзно известная киноактриса, ее красотой восхищаются миллионы. Был бы Октябрьский при орденах, в форме с генеральскими лампасами – еще куда ни шло. А так обычный лысый гражданин.

Поймав скептический взгляд, брошенный Егором на его череп, старший майор засмеялся:

– Что, прическа моя не нравится? Волосяной покров – это атавизм. Бритая голова дышит свободней, а стало быть, шустрей соображает.

– Если атавизм, зачем вам усы? – съехидничал Дорин.

– Усы у самцов вроде брачного наряда. Знак, адресованный женскому полу: мол, интересуюсь вами и приглашаю к интимной дружбе. Вот женюсь когда-нибудь – сбрею к чертовой матери. Буду идеальным мужем.

Хоть шеф обращался к Егору, но смотрел исключительно на Любовь Серову, и та уже пару раз задержала на нем взгляд: сначала просто так, потом вроде как вопросительно.

Официант уставил стол закусками: такая-сякая икра, салаты, рыба, ростбиф, маринованные огурчики, пирожки. Егор сунул за воротник салфетку, потянулся за балыком – вдруг Октябрьский говорит:

– Вот что, Дорин. Ты человек военный, обучен есть быстро. Пять минут тебе на разграбление стола. Что успеешь слопать – твое. А потом эвакуируйся. Дуй назад, на Кузнецкий. Понятно?

Он поманил метрдотеля, передал купюру для оркестра – заказал музыку.

– Вы чего, правда, что ли? – спросил Егор с набитым ртом. – У нее же кавалеры.

– Эти хлюсты не в счет, – бросил шеф, поднимаясь и одергивая пиджак.

Подошел к соседнему столу, по-старомодному учтиво спросил:

– Граждане молодого возраста, могу ли я пригласить вашу даму на тур танго?

Егор страдальчески скривился – неохота было смотреть, как шеф получит от ворот поворот.

Один из хлюстов выразительно обвел немолодого мужчину взглядом, насмешливо бросил:

– Гражданин пожилого возраста, Любочка не расположена танцевать.

Но актриса смотрела на Октябрьского с любопытством.

– А ты, Филя, за меня не распоряжайся, – вдруг сказала она. – Отчего бы и не потанцевать?

Уплетая салат, Егор не сводил глаз с танцующей пары. Модники тоже поглядывали – сначала

Каменная скула Октябрьского прижалась к разрумянившейся щеке актрисы.

с развязными улыбочками, потом физиономии у них стали вытягиваться.

Старший майор так властно взял красавицу за талию, так уверенно повел ее, что их тела будто слились в одно целое. Голая белая рука словно бы сама собой скользнула по широкому плечу, обвилась вокруг крепкой шеи.

Каменная скула Октябрьского прижалась к разрумянившейся щеке актрисы. При очередном развороте Егор увидел ее рот, с закушенной нижней губой, и вдруг стало неловко, как если бы он подглядывал за чем-то, не предназначенным для посторонних глаз.

Когда музыка доиграла, шеф и его партнерша еще несколько секунд стояли неподвижно, не спеша расцепиться. Наконец, Октябрьский отодвинулся, церемонно поцеловал красавице руку, сказал что-то – она кивнула. Выражение лица у нее было мечтательное, полусонное.

Увидев, что шеф ведет спутницу не к хлюстам, а к собственному столу, Егор опрокинул рюмку «Юбилейного», залпом выпил стакан боржоми и освободил шефу оперативное пространство. Пятнадцать минут спустя уже сидел на квартире, склонившись над передатчиком, стучал ключом. Вздыхал.

За все это время скомканный ужин в ресторане «Москва» был единственной отлучкой с боевого поста. Днем и ночью Егор готовился к встрече с Вассером, а тот, гадина, всё не звонил. Центральной точкой квартиры, смыслом существования всех ее обитателей был черный телефон, висевший на стене в коридоре. Иной раз, одурев от бесконечного писка морзянки, Дорин застывал в дверях своей комнаты и подолгу смотрел на молчащий аппарат.

Так продолжалось день, два, три, четыре, пять. На шестой день телефон очнулся.

Было это 26-го, в то самое утро, когда шеф отведал Зинаидиных щей.

Как ушел, началась потеха: «мамаша» стала кормить «сынка» с ложки. Егор и Демидыч-Григорян наблюдали – с развлечениями в скучной квартире было так себе, а Васька Ляхов исполнял роль идиота со смаком.

– Открой рот, горе ты мое, – сказала лейтенант Валиулина, пихая ему в рот ложку.

Юшка разинул огромную пасть.

– Теперь закрой.

Он закрыл

– Глотай, сволочь!

Послушно проглотив, лейтенант Ляхов скорчил жалобную рожу и пожаловался:

– Ки-исло.

Немедленно получил ложкой по лбу.

– Да что я вам, стряпухой нанялась?! – вышла из роли Валиулина. – Не нравится – сами кухарничайте! Одному не так, другой кобенится! Я, к вашему сведению, кулинарных курсов не заканчивала, я специалист по внедрению!

Тут-то и зазвонил телефон – резко, пронзительно.

– Опаньки. – Васька мягко, по-кошачьи приподнялся с каталки.

– Может, опять Собес, – ровным голосом сказал Григорян (он вообще был мужик спокойный). – Давай, Галина. Действуй согласно инструкции.

Валиулина дала телефону прозвонить еще три раза, потом сняла трубку и сварливо закричала:

– Ну чего звóните? Сказано же, нету тут никаких Шмаковых. Вы какой номер набираете? Звонют, звонют!

И только после этого сделала маленькую паузу – дала звонившему вставить слово.

– А-а, – протянула она. – Так бы сразу и сказали. – И заорала во все горло. – Степа! Степа-а-а! Спишь, что ли? К телефону! Степана Карпенко просют!

Нормально, кивнул ей Григорян и движением ладони остановил Егора, ринувшегося было к аппарату: не так быстро. Шепнул:

– Вася, пометь для рапорта: 12 часов 19 минут. Давай, Дорин. Можно.

Егор набрал полную грудь воздуха, выдохнул.

– Алё, хто это?

– Здравствуйте, – произнес вежливый, немного смущенный голос. – Я извиняюсь, товарищ, если ошибка. Мне ваш телефончик в адресном столе дали. Вы ведь Степан Петрович, так? Случайно, не сын Карпенко Петра Семеныча? Мы с ним в полтавском Облпотребсоюзе работали, с тридцать второго по тридцать четвертый. Селенцов моя фамилия.

Глава седьмая

ПОЧКИ-ЛИСТОЧКИ

– Ни, товарищ, моего батьку звали Петро Гаврилович.

Егор позволил голосу чуть дрогнуть. Радист тоже живой человек, испсиховался от долгого ожидания.

– Да-да, точно, Гаврилович! Забыл! Мы с вашим отцом на «ты» были, по имени. Он вам про меня, наверно, рассказывал. Я Селенцов, Николай.

Ни про какого Николая Селенцова радист не говорил. Что отвечать-то? Да, рассказывал? А окажется, что это ловушка.

Егор знаком показал: Карпенку сюда, живо!

Васька сорвался с места.

Но Селенцов молчанию собеседника, похоже, значения не придал.

– Знаете, Степан, я в Москве проездом. Скоро на поезд, а у меня для Петра Гаврилыча письмо. Не заберете?

– Само собой. Куда подскочить?

– Вы ведь спортсмен, верно? – сказал вдруг голос в трубке.

Откуда он знает?! У Егора ёкнуло сердце, но в следующую секунду он вспомнил: Карпенко рассказывал, что у себя в Украинской роте был первым по физической подготовке.

– Так я вас попрошу. Вы немедленно, прямо сейчас, выходите из квартиры и, пожалуйста, бегом, как на кроссе. Конечно, не сломя голову, а, знаете ли, спокойно так, трусцой. По Кузнецкому до улицы Горького, там на другую сторону и в Газетный переулок, по-новому это улица Огарева...

Проверить хочет, нет ли хвоста, сообразил Дорин. Бегущего человека издалека видно. Тем более, если за ним бежит кто-то еще.

– Огарева? – перебил он. – Вы звиняйте, дядя Мыкола, я Москву не дуже знаю.

– Я потому вам так подробно и объясняю. Вы, главное, с этого маршрута не сворачивайте, тогда всё будет хорошо. Пересекаете улицу Горького по пешеходному переходу, потом минуете Центральный телеграф, следуете по Огарева до улицы Герцена. Там на углу я вас буду ждать.

– А как я вас узнаю?

– Да я сам к вам подойду. Вы наверняка похожи на Петра Гавриловича. Встретимся через десять минут. И не опаздывайте, ждать я не могу.

Васька Ляхов вытащил в коридор сонного Карпенку, для пущей острастки приставил ему к уху пистолет.

Зря он это, подумал Егор, заметив, как вяло, без страха покосился на дуло радист.

Махнул Ваське: пока всё нормально, не нужно.

– Та я из ванной, мылся, – сказал он, чтобы выиграть время. – Одеться ще надо, взуться.

– Хорошо. Одну минуту накину, на одеться-обуться. Стало быть, встречаемся через одиннадцать минут, в двенадцать тридцать три. Да, вот еще что. Ящичек прихватите с собой, – приказал Селенцов, уже безо всяких экивоков. – Вы поняли, о чем я?

– Да.

Гудок на линии.

Егор стоял, по инерции держа трубку возле уха. Столько готовился к этому звонку, к разговору, и вроде бы неплохо его провел, а теперь будто оцепенел.

Вассер клюнул!

Операция продолжается!

Сердце колотилось так, что аж в виски отдавало.

– Дорин? – вдруг заговорила трубка голосом Октябрьского. – Что застыл?

– Шеф, он русский! – крикнул Егор, который еще не пришел в себя и потому не особенно удивился. – Вассер русский! Говорит без акцента! Он сказал…

– Не будь идиотом, – оборвал его старший майор. – Я всё слышал. Звонили из автомата на углу Петровки и Кузнецкого. Не теряй времени, Дорин. Исполняй, что велено. На старт, внимание, марш!

Тридцать секунд спустя Егор пулей вылетел из подворотни на Кузнецкий Мост, повернул направо.

До Петровки добежал за две минуты. Кинул взгляд на ряд телефонных будок близ Центрального универмага Наркомвнуторга – Селенцов звонил оттуда. Где он теперь? То ли прячется в толпе, то ли тоже торопится к месту встречи.

Понесся вверх, в сторону проезда Худтеатра. Никто из прохожих не пялился на бегущего парня в вельветовой куртке, со спортивной сумкой через плечо. Мало ли куда человек торопится? Москва – город скоростной, тут все куда-то спешат, куда-то опаздывают.

Еще через две минуты Егор уже был на улице Горького и замедлил бег. Явиться к месту встречи слишком рано будет неправильно. Сказано же: не сломя голову, а трусцой.

У пешеходного перехода всё равно пришлось остановиться – горел красный свет, а посередине стоял регулировщик. Станешь нарушать – привяжется. Если шпион сейчас откуда-нибудь следит, это может показаться ему подозрительным.

В этот момент Дорин – нет, не увидел, а ощутил то ли боковым зрением, то ли волосками на шее, что на него кто-то смотрит.

Обернулся.

Возле парикмахерской терся какой-то несвежий тип – в сапогах, пыльном пиджаке, мятой кепке, не сводил с Егора глаз.

Встретившись взглядом, не смутился, а заговорщически подмигнул, поманил пальцем.

Это еще что такое?

Коротко посмотрев на светофор (всё еще красный), Егор подошел к забулдыге.

– Чего тебе?

– Напополам будешь? – просипел тот, щелкнув себя по горлу.

Тьфу!

Младший лейтенант хотел было уйти, тем более что зажегся зеленый, но пьянчужка окликнул:

– Стёп, ну ты чё? Это ж я, дядя Коля. Я вот тебя сразу признал. Вылитый батька. Решил по дороге перехватить. Возьмем четвертинку мертвой, отметим знакомство. – И мотнул головой на магазин «Воды», примыкавший к парикмахерской.

Это Вассер?!

Не веря своим глазам, Егор молча последовал за незнакомцем.

Тот ловко ввинтился в давку, вынырнул у самого прилавка и переругиваясь с очередью («Кому в рыло? Герою Халхин-Гола? Несознательно выражаетесь, гражданин. Я кореша боевого встретил, вместе в танке горели!»), в два счета взял бутылку водки.

– Идем, я тут местечко приглядел.

Повел через арку во двор, где у кирпичной стены валялась пустая тара.

Сел на ящик, хлопнул ладонью по соседнему: присоединяйся.

– Вы – Вассер?! – спросил Дорин шепотом.

Незнакомец усмехнулся.

– Ишь, чего захотел. Больно жирно тебе будет. Я – связной.

Сиплости как не бывало, голос сделался обыкновенным, трезвым. Теперь сомнений не было – звонил именно этот человек, он и есть Селенцов. Двойку вам, товарищ младший лейтенант, за ненаблюдательность.

– Принесли рацию? – спросил Селенцов, и Егор заработал еще одну двойку, за ошибочный вывод: вопрос прозвучал по-немецки, и судя по выговору, язык этот для связного был родным. Вот тебе и русский...

– Да, – ответил Дорин, тоже перейдя на немецкий. (Хотите проверять – пожалуйста). – Рация в сумке. И запасные аккумуляторы. Но сеанс лучше проводить из моей квартиры. Там удобно антенну на чердак вывести...

– Про это позже, – бросил Селенцов, рассматривая Егора спокойными, слегка прищуренными глазами. – Вы что, баварец?

Тон был небрежный, но Егор внутренне насторожился.

– Нет, я украинец. Учитель немецкого в Квенцгуте был баварец, лейтенант Зиглер. У него и заразился. А вы откуда? – изобразил он простодушие – мол, вы спросили, я поинтересовался, ничего особенного, нормальный трёп.

Но связной только ухмыльнулся.

– Хороший у вас был учитель... – И многозначительно покачал головой.

А это еще в каком смысле? Или у него просто манера такая – сбивать с толку? Насчет Зиглера всё правильно, есть в абверовской школе такой преподаватель, и точно баварец.

Разговор на немецком пришлось прервать – подковыляла бабка с драной клеенчатой сумкой, в которой позвякивало стекло. Села поодаль, приготовилась ждать бутылку.

– Отдыхайте, сыночки, не торопитесь, я подожду, – сказала она.

«Селенцов» содрал сургуч, протянул чекушку.

– Ну, будем. Ты первый.

Егор немного отпил, сморщился. Собутыльник совал мятый, в табачных крошках сырок.

Пришлось откусить.

– Спасибо, я всё.

– Ну как знаешь.

Удивительный связник запрокинул голову и высосал всю водку до донышка. Сырок есть не стал – лишь понюхал, да и выкинул. Пустую бутылку поставил на асфальт.

– Держи, бабка, богатей.

Сам поднялся, сумку с рацией повесил на плечо.

– Пока, Степа. Позвоню.

– Да как же я без нее? – в панике метнулся за ним Дорин. – У меня инструкция...

– Ihr Auftrag war es, den Befehlen der Person mit dem Kennwort bedingungslos zu folgen,[1] – жестко проговорил «Селенцов» и громко добавил. – Ну, бывай.

Широким шагом прошел через затененную арку на залитую солнцем улицу Горького и вмиг затерялся в толпе.

Дорин заметался.

Что делать? Наши-то ждут его на Герцена, а он вон где перехватил. Что если ему только рация была нужна? Исчезнет с концами, ищи его потом.

---

[1] Ваша инструкция – беспрекословно повиноваться тому, кто назовет пароль (*нем.*)

Приняв решение, кинулся вдогонку.

Но навстречу из тени качнулась знакомая фигура.

– Куда? Назад! Без тебя разберутся.

Октябрьский! В длинном пальто, под которым блестят хромовые сапоги, на голове картуз.

– Этот потертый и есть Вассер? – спросил старший майор.

– Нет, он связной.

– Так я и думал. Тоже, между прочим, неплохо. Наружка сработала оперативно, так что не бойся, не соскочит твой собутыльник. – Шеф полуобнял Егора за плечо. – Пойдемте, сэр, нас ждет персональное такси.

У тротуара стояла маршрутка ГАЗ-55, все места заняты в ней были молчаливыми мужчинами в штатском – кроме одного сиденья, на котором блестел черным лаком ящик с наушниками.

Ящик заскрипел, затрещал, и тоненький голос пискнул из головного телефона:

– Сел на троллейбус, первый номер. Едет в сторону Белорусской.

– Ну, поехали и мы, – сказал Октябрьский, садясь рядом с ящиком и надевая наушники.

Егору досталось место рядом с шофером.

– А где троллейбус? – спросил Дорин, не замечая, что говорит шепотом.

– Его ведет другая машина.

– Слежка на пáру? Ясно.

Кто-то за спиной хмыкнул.

– Мы ведем твоего дружка на двадцати автомобилях, из них восемь радиофицированных, – объ-

яснил Октябрьский. – Я же тебе сказал: сработали оперативно.

На светофоре пришлось остановиться. К маршрутному такси подбежал какой-то гражданин, попробовал открыть дверцу.

– Местов нету, товарищ, – сказал ему водитель.

– Да как же нету? А вон, у окошка! – показал гражданин на сиденье, где стояла рация. – Пускай товарищ в кепке свой чемодан снимет.

– Там сидеть нельзя, спинка сломана.

– Ничего, я как-нибудь пристроюсь…

– Сказано вам – не положено! – рявкнул шофер.

Возле Первого гастронома, бывшего Елисеевского, старший майор сказал в микрофон:

– Корнеев, уходи вправо, теперь мы.

Маршрутка прибавила скорости и вскоре нагнала троллейбус, битком набитый пассажирами.

– Дорин, пригнись, – велел шеф. – Вон он, на задней площадке. Как бы не оглянулся.

Егор сполз на пол, вследствие чего временно лишился возможности лично наблюдать за объектом. Выручал технический прогресс: Октябрьский обменивался с другими машинами информацией, разные голоса (все как один писклявые и трескучие) докладывали о своем местоположении, так что в целом младший лейтенант, можно сказать, был в курсе происходящего.

Однажды из наушника вдруг донеслось:

– Октябрьский, как у тебя?

Кто это посмел обращаться к старшему майору на «ты»?

– Нормально, товарищ Нарком, ведем, – ответил шеф, и Егор затаил дыхание.

Вот это да! Сам Нарком следит за операцией.

– Нужны дополнительные средства – сообщи. Я дал распоряжение…

– Внимание! – крикнул в микрофон Октябрьский, перебив Наркома. – Выскочил из троллейбуса! Бежит на противоположную сторону, к памятнику Пушкина… Прыгнул в «Аннушку», вагон номер 12-42. Движется в сторону Никитских ворот. Савченко, выходи вперед, я отстану! Извините, товарищ Нарком.

– Ну-ну, работайте.

Теперь можно было снова устроиться на сиденье. Маршрутка ехала вдоль Тверского бульвара, отстав от трамвая «А» на несколько машин.

– Шеф, а зачем он у меня рацию забрал? – обернулся назад Дорин. Его распирало от радостного предвкушения: всё под контролем, операция идет успешно, в этом есть и его, Егора, заслуга.

– Не знаю. Может, ты ему чем-то подозрителен показался, – ответил Октябрьский, и настроение сразу испортилось.

– А вернее всего, фрицы решили проверить, не химичил ли кто с рацией, – продолжил старший майор. – Хорошо, что я не отдал ее Сливовкеру из техотдела на изучение. Уж он приставал-приставал, не терпелось абверовскую новинку исследовать…

Неизвестный Егору Савченко, который вел «Аннушку», доложил, что объект спрыгнул на ходу и перебежал на другую сторону бульвара.

Там его уже пас какой-то Шарафутдинов – как понял Егор, на трехтонке.

Связник проделал подобный маневр еще дважды, но оторваться от слежки не смог – очень уж плотно его обложили.

– Что-то слишком петляет, – озабоченно сказал Октябрьский. – Заметил? Маловероятно. Неужто чутье такое?

На Зубовской площади Селенцов в очередной раз сменил вид транспорта – пересел из автобуса на 34-й трамвай, шедший в сторону Новодевичьего.

В это время объект снова вела машина Октябрьского, только водитель поменял цифру маршрута на стекле да номер на бампере.

– Я остаюсь, товарищ старший майор? – сказал шофер. – У нас маршрутное такси «семерка», она тут тоже заворачивает.

– Нет, Лялин. Давай-ка ты лучше поотстань. Береженого, сам знаешь… Корнеев! – (Это уже в микрофон.) – Обгоняй!

Минуты не прошло – Корнеев, ехавший на «эмке», доложил:

– Сошел. Идет через Девичье Поле. Медленно. Оглядывается.

– Кажется, приехали, – удовлетворенно заметил Октябрьский. – Встреча у него тут с кем-то, не иначе. Всем начальникам групп! Оцепить сквер по периметру, скрытно. Я выхожу.

Вылез на тротуар, сладко потянулся.

– Давай, ребята. Только не кучей.

Оперативники один за другим перескакивали через чугунную оградку и исчезали в еще голых, но все равно густых кустах.

– А мы с тобой, Егор, культурно пойдем, по дорожке. Приличным прогулочным шагом.

Не успели они пройти «приличным шагом» и двадцати метров, как из кустов вынырнул Лялин.

– Товарищ старший майор!

– Ну, где он?

– В избушке на курьих ножках, – отрапортовал сотрудник.

Октябрьский нахмурился:

– Что за дурацкие шутки?

– Там детская площадка, товарищ начальник. Песочница, горка деревянная. Ну и избушка, вроде как Бабы-Яги, что ли. Залез он туда и не выходит.

– Ладно, пошли посмотрим, что за чудеса такие...

Игровая площадка на Девичьем Поле была замечательная, свежепокрашенная к Первомаю. Кроме обычного набора детских забав – горки, качелей, песочницы – были там фанерный аэроплан с красными звездами, кораблик с надписью «Аврора» и бревенчатый домик с маленькими окошками. По всей этой красоте ползало десятка полтора ребятишек мелкого возраста, в основном вокруг аэроплана. Жилище Бабы-Яги у подрастающего поколения Страны Советов, похоже, популярностью не пользовалось.

На скамейках сидели бабушки с няньками. Кто вязал, кто болтал между собой – одним словом, картина для парка самая что ни на есть обыкновенная.

Октябрьский, Егор и Лялин укрылись среди деревьев, со всех сторон окружавших площадку. За сквером серело массивное здание Академии Фрунзе. Оттуда тоже, перебегая от ствола к стволу, подтягивались оперативники.

Старший майор не сводил глаз с избушки.

– Не пойму... Сидит – не высунется... Тайник у него там, что ли? Не нравится мне это. Уйдет подальше от детей – будем брать.

Вдруг одна девочка лет шести, пытавшаяся вскарабкаться на крыло аэроплана, оглянулась на домик.

– Тсс! – шикнул на подчиненных Октябрьский, прислушиваясь.

Девочка что-то спросила звонким голоском. Спрыгнула на землю, подбежала к избушке. Заглянула. Скрылась внутри.

– Чего это он? – спросил Егор, посмотрел на шефа и поразился – лицо у того страдальчески исказилось.

– Паскуда, – прошептал старший майор. – Вот он что удумал...

– Шеф, я не понял…

– Помолчите! – цыкнул Октябрьский – яростно, да еще и на «вы». Внезапно стиснул Егору плечо. – Нет, гляди, выпустил!

Девчушка вышла из домика, крикнула:

– Хорошо, дяденька! – и вприпрыжку понеслась к краю площадки, где (Егору отсюда это было хорошо видно) на земле лежали двое сотрудников.

Один из них, коренастый парень в кожаной куртке, вдруг поднялся в полный рост и не маскируясь направился к старшему майору. Девочка шла за ним.

Октябрьский встретил оперативника бешеным шепотом:

– Ты что делаешь, скотина?!

Тот вместо ответа сконфуженно протянул клочок бумаги.

Через плечо шефа Егор прочитал строчку, написанную химическим карандашом: «Господа чекисты, предлагаю вступить в переговоры».

Кулак в черной перчатке с силой стукнул по стволу дуба.

– Мать его… – Октябрьский подавился ругательством – вспомнил о ребенке.

Девочка выжидательно смотрела на него снизу вверх, шмыгала носом.

– Тебя как зовут? – спросил старший майор, опускаясь на корточки.

– Люська.

– Ну какая же ты Люська, это плохих девочек так зовут, а ты Люсенька. Правильно я говорю?

Немножко подумав, девчушка кивнула.

– О чем с тобой дядя говорил? Ну, который в избушке?

– Спросил: «У тебя котенок есть?» Я говорю: «Нету». Он говорит: «Жалко. Скажи маме, пускай купит. Котенки – они знаешь какие смешные». Потом говорит: «Там в кустах дяди в прятки играют. Отнеси им эту бумажку. Они тебе шоколадку дадут». Давай шоколадку.

Октябрьский выпрямился, посмотрел в сторону избушки.

– Дяденька, давай шоколадку, – дернула его за штанину девочка.

– У кого-нибудь есть шоколадка? – спросил шеф, по-прежнему глядя на детскую площадку.

Лялин и парень в кожанке покачали головами.

– У меня ириски есть, две, – сказал Егор.

– Ладно, – вздохнула девочка. – Давай ириски.

И побежала обратно к аэроплану – удержать ее Егор не успел.

Только теперь до него дошло, почему у шефа такое выражение лица. Мало того что Селенцов обнаружил слежку, так еще, сволочь фашистская, прикрылся детьми. Как его теперь возьмешь?

– Матюгальник мне! – крикнул старший майор, обернувшись. – И передать по цепочке: не стрелять, ни в коем случае. Откроет огонь – не отвечать!

Сзади, оказывается, тоже были сотрудники, много. Надо полагать, из остальных машин подтянулись.

Начальнику принесли алюминиевый рупор.

Он сдернул кепку, смахнул с черепа капли пота. Лицо у старшего майора было бледное, решительное.

– Гражданки! Говорит администрация парка. Немедленно уводите детей в сторону Пироговки, на территории замечена бешеная собака!

Едва договорив, Октябрьский опустился на одно колено, вынул из-под пальто маузер и, опершись на другое колено локтем, навел длинный ствол на окошко домика.

Правый глаз шефа был зажмурен, нижняя губа закушена добела.

Егор тоже рванул из кармана свой ТТ, но Лялин схватил его за рукав.

– Не надо. Октябрьский знаешь, как стреляет? Пусть этот только высунется.

– Его живьем нужно! Обязательно живьем! – шепнул Дорин в отчаянии.

С галдежом и визгом женщины подхватили детишек, десять секунд спустя на площадке не осталось ни души. В песочнице валялось забытое ведерко, под ноги к Егору подкатился красно-синий резиновый мяч.

Старший майор шумно выдохнул, поднялся. Маузер спрятал обратно.

– Не стал по детям стрелять, – с облегчением сказал Егор. – Все-таки не совсем мерзавец.

– Совсем мерзавцы только в плохих романах бывают, – повеселевшим голосом произнес Октябрьский. – Дайте-ка матюгальник.

– Шеф, а зачем он девочке про котенка говорил? – спросил Дорин, подавая рупор. – Думаю-думаю – никак не соображу.

– Мало ли. Может, у него дома дочка такая же, и у нее котенок. Эх, – с сомнением покачал головой старший майор. – Вряд ли живьем дастся. Но попробуем. – И громко крикнул в раструб. – Выходите с поднятыми руками! Я гарантирую вам жизнь!

– Ага, сейчас! – приглушенно донеслось из домика. – Только суньтесь – разобью рацию и застрелюсь. Говорить буду только с главным начальником. Пусть подойдет.

– Договорились!

Октябрьский оглянулся назад, поискал кого-то взглядом.

– Эй, Клячкин! Пушка твоя знаменитая при тебе?

– Так точно, – ответил один из оперативников, делая шаг вперед.

– Ну, покажи мастерство. Ты – главный начальник. Подходишь тихо, культурно. Еще издали начинай его забалтывать, неважно что. Чуть башку высунет – бей. Только не промажь, точно в лоб.

– Когда я мазал, шеф? – обиженно сказал Клячкин.

Раз «шеф» – значит, свой, из спецгруппы, сделал вывод Егор.

Провожая взглядом Клячкина, который с начальственной неспешностью, солидно шел через площадку, Дорин спросил:

– Как это в лоб? Живьем же хотели.

– В пистолете резиновые пули. Новинка, – коротко объяснил шеф.

Когда Клячкину оставалось до избушки шагов двадцать, темное окошко полыхнуло коротким, хищным пламенем. С дерева сорвалась напуганная выстрелом ворона.

Самого Селенцова младший лейтенант не углядел – тот стрелял из-за стенки, не высовываясь. Однако не промахнулся.

Охнув, Клячкин согнулся пополам. Ткнулся головой в землю, перекатился на бок и задергал ногами.

– А-а! А-а-а! – кричал он, зажимая руками живот.

– Завыл, волчара? – крикнул из домика связной. – Под такую музыку и умирать веселей!

Из кустов выбежал кто-то в сером пальто, схватил раненого подмышки, хотел утащить, но окошко снова озарилось вспышкой, и человек опрокинулся навзничь. Он не бился, не стонал – просто откинул руки и остался лежать лицом кверху.

Тогда Клячкин поднялся на четвереньки, попробовал ползти сам.

Следующий выстрел уложил его наповал.

– Оставаться на местах! – грозно рявкнул старший майор в рупор.

Снова выстрел – от дуба, за которым стоял Октябрьский, полетели щепки.

– Вот сажает, гад! – Шеф стряхнул с воротника труху. – По звуку – «вальтер» П-38, девятимиллиметровый. Хорошая машинка.

В последующие десять минут «Селенцов» стрелял еще четырежды – очевидно, когда замечал в кустах какое-нибудь движение. Судя по крикам, как минимум дважды попал.

Затем надолго наступила тишина.

Октябрьский высунул из-за ствола картуз – никакой реакции. Приказал Лялину перебежать от дерева к дереву – опять ничего.

– Так-так, – сказал тогда шеф. – Неужто он обсчитался, все восемь пуль из магазина высадил? Или хочет нас обдурить, а у самого вторая обойма… Есть вторая обойма или нет – вот в чем вопрос…

Он приложил ко рту рупор:

– Эй, как вас там, Селенцов! Может, поговорим?

– Говорите, слушаю, – раздалось в ответ.

– Как вы поняли, что за вами слежка?

– Интересуетесь? – откликнулась избушка. – Дайте спокойно перекурить – скажу.

– Ладно, курите.

Из окошка потянулся сероватый дымок.

– Точно патроны кончились, товарищ начальник, – азартно крикнул из-за соседнего дерева Лялин. – Время тянет!

– Чище работать надо, чекисты! – донеслось из домика. – Номер на маршрутке поменяли, а вмятина на бампере та же.

– Лялин!!! Ты что же, …, за машиной не следишь!? – заматерился шеф таким страшным голосом, что Егор обмер, а Лялин и вовсе попятился. – Ты, …, мне операцию провалил!

Помертвевший Лялин слепо переступал ногами, двигаясь куда-то вбок. Бормотал:

– Виноват, не доглядел... Исправлю, товарищ начальник... Кровью искуплю!

Внезапно он сорвался с места и выскочил на площадку. С разбегу перепрыгнул через песочницу, заорал:

– Бросай оружие, сука! Выходи!

– Стой, дура! – крикнул ему вслед Октябрьский.

Но было поздно – логово Бабы-Яги изрыгнуло гром и молнию. Проштрафившийся Лялин повалился головой под качели.

Из кустов высыпали было оперативники, но ударил выстрел, еще, еще. Двое упали, остальные попрятались обратно.

– Есть запасная обойма! – простонал старший майор. – Обманул, артист!

И снова пошла канитель: шорохи в кустах, редкие выстрелы.

После седьмого по счету Октябрьский вдруг скинул наземь пальто, сбросил головной убор.

– Пора!

– Так семь только, я считал, – вскинулся Дорин. – Еще одна осталась.

– В том-то и дело. Нужно, чтоб он ее на себя не истратил. Всем сидеть тихо! – крикнул шеф в рупор и вышел на открытое место.

Оглянулся на оперативников, погрозил кулаком.

Был он стройный, подтянутый, на груди сверкали эмалью ордена. Зычным голосом воззвал:

– Селенцов! Это начальник управления! Предлагаю поговорить!

Почему начальник управления, растерянно подумал Егор, но в следующую секунду догадался: шеф нарочно важности прибавляет, хочет шпиона своими ромбами и орденами соблазнить, чтоб последний патрон не на себя, а на чекистскую шишку потратил. Вот это человек! Ведь застрелит его сейчас Вассеров связной, сто процентов застрелит!

Проштрафившийся Лялин повалился головой под качели.

Не мог Егор смотреть на такое спокойно – нарушил приказ командования.

Выскочил из укрытия, отфутболил в сторону подвернувшийся под ноги мяч, догнал старшего майора.

– Дорин, ты? – вполголоса спросил Октябрьский, не оборачиваясь. – Ну конечно, у кого еще дисциплина хромает... Значит, так. Если выстрелит, сразу на него и своим знаменитым аперкотом в нокаут. Соплей надо мной не ронять, плач Андромахи не закатывать.

– К-какой плач? – заикнулся от напряжения Егор.

– Эх, чему вас только в школе учат...

Бревенчатый сруб был уже совсем близко.

– Избушка-избушка, повернись к лесу задом, а ко мне передом! – крикнул старший майор.

И вдруг из низенькой дверцы высунулась рука с пистолетом. А за ней, пригнувшись, вышел Егоров собутыльник. Дорина взглядом не удостоил – держал на мушке Октябрьского.

– Если вы такой наблюдательный и слежку заметили, что ж на улице пальбу не открыли? – спросил шеф самым обычным, разговорным тоном, останавливаясь.

Остановился и Егор.

– Да знаете, место подходящее выбирал, – так же мирно ответил связной. – Природу люблю. Хотелось на деревья посмотреть, напоследок... Настоящий генерал, не ряженый, – сказал он, как бы сам себе. – По глазам видно.

Вот зачем вылез – убедиться, понял Егор. Сейчас точно выстрелит!

А шеф этого словно не понимал.

– Что сейчас-то на деревья смотреть, они еще почти мертвые, почки одни, – сказал он, с наслаждением вдыхая весенний воздух. – Вот через неделю листочки полезут, самое лучшее время года. Захотите – сами увидите.

На эти слова Селенцов улыбнулся.

– Искушаете вы меня, господин генерал.

Произнесено это было таким тоном, что Егор понял: не о листочках речь, а все о том же последнем патроне.

Дорин не сводил глаз с пальца, лежавшего на спусковом крючке. Одно крошечное сокращение мышц, и будет поздно. А что если кинуться на связника? Рефлекторно он должен выстрелить в нападающего – это, как говорил тренер дядя Леша, психофизика. Может, повезет – не на смерть положит, а только ранит.

Тут Егору показалось, что роковой палец чуть дрогнул, и младший лейтенант с места рванул вперед, заслонив собой шефа.

Скорость движений у без пяти минут чемпиона была хорошая, маневренность и вовсе отличная, но выстрел прогремел раньше, чем кулак Егора мог достичь цели.

Селенцов молниеносно вскинул руку к подбородку. Приглушенный хлопок – и шпиона швырнуло затылком об избушку. Мощнейший хук справа рассек пустоту, а сам Дорин впечатался в бревенчатую стенку. Мало того, что больно ударился локтем, но еще и на ногах не удержался – рухнул на самоубийцу.

Сразу же, конечно, вскочил. Увидел задранную голову Селенцова с пульсирующим пулевым отверстием выше горла. Содрогнулся. Конец! Шеф, чтобы взять агента, жизнью рисковал, а он, Дорин, всё испортил!

На старшего майора Егор боялся и смотреть. Что-то он сейчас скажет?

Октябрьский сказал, задумчиво:

– М-да. Не соблазнился почками-листочками наш любитель природы… Что ты, Дорин, съежился? Правильно действовал. Больно у него реакция хорошая. Жалко. Ну, заглянем в гости к Бабе-яге. Что там с рацией?

Паршиво было с рацией. Остались одни обломки – судя по следам, «Связной» расколотил передатчик пистолетной рукояткой.

– Шеф, – угрюмо произнес Егор в нарушение всякой субординации. – Как вы могли так под пулю лезть? Ладно я, я младший лейтенант. А если из-за каждого связного старший майор госбезопасности станет жизнь класть…

– Это не «каждый связной», это был ход к Вассеру, а стало быть, ключик ко всей германской «затее», – очень серьезно ответил Октябрьский. – Тут, очень возможно, судьба нашей родины на карту поставлена… И потом, Егор, я человек суеверный, в предсказания верю. Мне в четырнадцатом, перед той войной, цыганка нагадала, что я ровно в полдень умру, а сейчас уже без пяти два.

И подмигнул.

Итоги операции на Девичьем Поле были хуже некуда: трое сотрудников мертвы, пятеро ранены. Селенцов продал свою жизнь дорого.

– Если у Вассера такие связные, то каков же он сам? – спросил Егор, глядя, как уносят мертвых товарищей

Октябрьский только нахмурился – видимо, думал о том же.

– Товарищ старший майор, рация вызывает!

В маршрутке шеф приложил к уху головной телефон. Немного удивился:

– Григорян, ты? Что такое?

Даже в трех шагах было слышно, как дрожит и срывается голос Демидыча.

– Товарищ старший майор, виноват, недосмотрел... Главное, он спокойный был. Щей поел, добавку попросил... А сейчас захожу – он в серванте стекло сломал, и осколком себе по горлу...

Это Демидыч про Степана, ахнул Егор.

– Хорошие дела, – оборвал шеф писк наушников. – Я ведь говорил: паршивые щи у Валиулиной. – И отсоединился.

Он еще может шутить! Связной мертв, передатчик разбит, а теперь еще и радиста нет Полный провал, по всем направлениям...

Рация снова замигала.

– Октябрьский слушает, – тускло сказал шеф.

– Ну что у тебя? Докладывай.

Нарком!

Глава восьмая

ДЕВЯТИЧАСОВЫЕ НОВОСТИ

Сбоку было видно, как у старшего майора заходили желваки.

– Плохо, – сказал он после секундной паузы. – Провал. Живым не взяли. И рацию успел расколотить. На одной из машин была вмятина на бампере. Объект обратил внимание, сделал выводы. Это еще не все. Радист Карпенко, которого держали на Кузнецком, покончил с собой. Я недооценил его. В общем, кругом виноват. Готов нести ответственность.

Егор с трепетом ждал, что ответит Нарком.

В наушниках долго было тихо, от этого Дорину стало совсем страшно.

– В чем виноват? За что ответственность? – стальной нитью завибрировал далекий голос. – Радист был поручен Григоряну, он и ответит. Думаю, достаточно будет дисциплинарного взыскания. Если человек всерьез решил убить себя, помешать ему трудно. А вот вмятина на бампере – это хуже намеренного вредительства. Чей автомобиль?

– Младшего лейтенанта Лялина, служба наружного наблюдения.

– Под суд. Расстрелять. Чтоб другие помнили.

Эти слова Сам произнес без гнева, очень спокойно, даже рассеянно, будто думал о другом.

– Без нас уже расстреляли, – мрачно ответил Октябрьский.

Нарком помолчал.

– Ваш анализ ситуации?

– Скорее всего, нить к Вассеру оборвана.

– «Скорее всего»? Значит, есть надежда?

– Чахлая, товарищ генеральный комиссар.

– Говори, Октябрьский, не тяни резину. Сам знаешь, как это важно.

– Первое: связной не имел возможности сообщить Вассеру о слежке. – Палец в черной перчатке согнулся. За ним последовал второй. – Второе: агент Эфир. Скорее всего используют именно его, если надо будет опять выйти на радиста – ведь про смерть Карпенки знаем только мы. Теперь третье. Вассеру без передатчика нельзя. После сомнительной истории с полыньей он все-таки рискнул, пошел на связь с радистом. Возможно, пойдет на риск и снова... Однако есть большое «но», которое превращает все эти резоны в мусор.

– Исчезновение связника?

– Так точно. Он пошел на встречу с радистом и не вернулся. Факт, как говорится, неопровержимый. Ничем не исправишь. Куда делся связной? Машина сшибла, кирпич на голову упал? Смешно.

– Значит, нужно убедить Вассера, что его связной погиб по случайности. Например, в результате дорожно-транспортного происшествия. Так?

Старший майор горько усмехнулся:

– Убедить – это чересчур шикарно. Если б Вассер хотя бы допустил такую возможность, уже хорошо. Пусть бы хоть засомневался: вдруг в самом деле случайность. И рискнул бы. Ему тоже не до жиру – связь нужна. Через посольство Вассер явно действовать не хочет. И правильно делает. Там у нас и прослушка, и Эфир, и другие возможности…

– Запасного радиста вы подготовили?

Это обо мне, понял Дорин. Сам Нарком про меня знает!

– Более или менее, – покосился на Егора шеф. – Только пустой это разговор, товарищ генеральный комиссар. Из области ненаучной фантастики. Ни на какое дорожно-транспортное Вассер не купится. Таких идиотов ни в одной разведке не бывает. Тем более в Абвере.

Нарком этих слов будто не расслышал.

– Личность связного установлена?

– Имеем паспорт на имя Селенцова Николая Ивановича. – Старший майор щелкнул пальцами, ему подали документ, изъятый из кармана самоубийцы. – 1902 года рождения. Печать, возможно, фальшивая, но штамп о прописке настоящий: улица Щипок, дом 13-бис, без номера квартиры – очевидно, индзастройка. Очень возможно, что именно там и проживает. Устроим обыск, это само собой. Только вряд ли что-нибудь найдем. Судя по повадкам, калач тертый.

– Не надо обыска. – Нарком заговорил быстро, отрывисто, словно вдруг заторопился куда-то. – Туда пока не соваться. Вообще ничего не предпринимайте.

Труп связного передайте капитану Ковалеву, он получит инструкции. Засаду на Кузнецком не снимайте. А сами идите, отдыхайте. И участники операции тоже пускай отдохнут. Ночью будет много работы. И вот еще что: в девять вечера слушайте новости.

– Что? Какие новости?

– Обыкновенные. По радио, – усмехнулся голос в наушниках, и связь прекратилась.

Некоторое время старший майор озадаченно смотрел на рацию. Пожал плечами.

– Ладно, приказ есть приказ. – Он повернулся к Дорину. – Поступила команда отдыхать. До ночи свободен, потом вернешься на Кузнецкий. Извелся, поди, по своей зазнобе?

Егор и в самом деле сразу же подумал о Наде. По глазам шеф читает, что ли?

– Сегодня можно. Наведайся. Только ты, брат, похож на черта. Локоть разодран, на рубашке кровища. Щетиной зарос. Не брился, что ли?

– Не успел. Утром с рацией работал. Думал, попозже...

– Вот что, заедем-ка ко мне. Умоешься, побреешься, переоденешься. Тут близко.

Четверть часа спустя в сквере никого не осталось. Автобус с закрашенными стеклами увез мертвых, автобус с красным крестом – раненых. Сняли и оцепление.

Шоколадный «ГАЗ» Октябрьского, рыча 85-сильным мотором, понесся в сторону центра – по Метростроевской, мимо станции «Дворец Советов».

За высоким забором шумели экскаваторы, там рыли котлован для величайшего сооружения в истории человечества. Через несколько лет оно вознесется над Москвой, накрыв пол-города тенью каменного Ильича. Егор задрал голову, пытаясь представить дом высотой в 420 метров.

– Почти приехали, – сказал шеф. – Вон там я квартирую, на острове.

Ну конечно, где жить такому человеку, если не в Первом доме ЦИК. В знаменитом Доме на Набережной Егор никогда не бывал – только в кинотеатре «Ударник», но знал, что здесь обитают члены правительства, военачальники, полярники, выдающиеся писатели – одним словом, лучшие люди советской страны.

Машина въехала в замкнутый двор, не по-московски чистый, аккуратно засаженный кустиками. Подъезд был просторный, у столика с лампой сидела дежурная в форме, а лифт оказался с зеркалом и ковриком. Красота!

От квартиры старшего майора Егор ждал и вовсе каких-то невероятных чудес, но напрасно. Она была, конечно, отдельная, однако этим всё роскошество и ограничивалось.

Одна-единственная комната окнами на Водоотводный канал. В ней железная кровать, платяной шкаф, голый стол с венским стулом. Что еще? Ну, кухня. Сразу видно, что заходят на нее редко, а плитой вообще не пользуются. На полке кружка, пара мисок. Больше ничего.

Зато ванная оказалась хороша: белейшая, с горячей водой. Егор побрился по первому классу. Хоть жил шеф по-спартански, но за внешностью явно следил: золингенские лезвия, специальная пена для намыливания щек, даже какой-то крем после бритья. Дорин попробовал – намазался, и лицо сразу сделалось мягкое, сочное, будто в самом деле кремовое пирожное.

– Куртку с рубашкой кинь под ванну, – велел Октябрьский. – Придет домработница, постирает. Возьми что-нибудь из шкафа, мы ведь с тобой одного роста. Бери что хочешь, кроме костюма в полоску. После отдашь.

В платяном шкафу, кроме френчей и гимнастерок, висело целых два костюма (один черный в белую полоску, другой серый, в котором шеф был в ресторане «Москва»), еще пиджаки, брюки, сорочки. Любил, выходит, старший майор принарядиться.

Серый костюм Егор взять постеснялся. Выбрал крапчатый пиджак, украинскую рубашку с вышитым воротом. Вышло нарядно. Октябрьский, во всяком случае, одобрил.

– Сей Грандисон был славный франт, игрок и гвардии сержант, – сказал он с набитым ртом. – На, пожуй.

– Спасибо. – Дорин взял с блюдца кусок крупно порезанной чайной колбасы. – Я, когда в школе «Евгения Онегина» проходили, не понял: этот Грандисон – сержант, то есть по-старорежимному нижний чин, а сам с помещицами гуляет, да еще франт. Разве так бывало?

– При Екатерине гвардейский чин считался выше армейского, на целых две ступени – для престижа. Как у нас, в Органах. Ты тоже вон младший лейтенант, а три кубаря в петлицах носишь. Так что за Грандисона не переживай, он имел полное право кадрить благородных барышень. Как и ты – в свободное от службы время. Я, Егорка, за тобой следил. Видел, что сохнешь по своей санитарке. Но ты не кис, думал не об амурах, а о деле. Это правильно. В жизни есть вещи главные и неглавные. Перепутал их местами – беда... Ну всё, хватит в зеркало пялиться, краше уже не станешь. Дуй на свидание. А я до вечера отосплюсь.

Осмелев от похвалы, Егор попросил:

– Шеф, раз вы спать будете, может, дадите машину? А то мне в Плющево. Метро, электричка – времени жалко. А?

И представил себе, как несется по Москве на 73-ем ГАЗе, как подкатывает к дому за зеленым забором. При таком автомобиле и оправдываться легче – раз доверяют этакое средство передвижения, значит, ты и вправду человек серьезный, государственного масштаба.

– Шиш тебе, – отрезал Октябрьский. – По личным делам изволь кататься на личном транспорте. Сам так делаю и тебе советую. А пока не заработал на личный – валяй на общественном.

Егор уж и не рад был, что попросил – так разозлился старший майор.

– Ишь, завели моду. Раньше партмаксимум был, две семьсот в год, не разжируешься. А теперь, чуть кто в начальство вылез – и распределитель тебе, и оклад сумасшедший, и спецателье. Дачу мне тут выделили: зимняя, двухэтажная, с хрусталями-биллиардами, гараж, собственный теннисный корт, мать его. Посмотрел я на всё это, плюнул и уехал. Ноги моей там не будет. Я тебе вот что скажу, Дорин: фашистов-то мы одолеем, империалистам тоже свечу вставим, это ты можешь быть спокоен. Если наш советский строй от чего и рухнет, так это от жирных привычек... Ладно-ладно, чего насупился? Это ты мне на больную мозоль наступил. Всё, лети.

Насупился Егор не от тревоги за советский строй, а от мыслей о Наде. Теперь, когда до встречи с ней оставался какой-нибудь час, вдруг засвербило на душе.

Пока спускался на лифте и шел через замечательный двор, мысли были не об опасном шпионе Вассере и не о скорой войне, а обыкновенные, человеческие – впервые за всю неделю. По-человеческому выходило, что Егор Дорин поступил с Надей, как последняя сволочь. За столько дней ни одной весточки.

А ведь какая девушка! Единственная на весь СССР, таких больше нет. Доверилась, душу распахнула. Тело, между прочим, тоже. А он что? Ее глазами посмотреть – предал, надругался. Подлец он получался распоследний, если с Надиной позиции.

Оправдание у него, конечно, уважительное, уважительней не бывает. Но это с государственной точки зрения. Что-то подсказывало Егору: Надя с государственной точки зрения на любовь смотреть не захочет.

Возле «Ударника» в ряд стояли таксомоторы. Не даете служебной машины, товарищ старший майор, не надо. Обойдемся личными средствами.

Пройдя мимо невзрачных «эмок», Егор приблизился к ЗИСу, державшемуся на гордом отдалении.

– Свободен?

Окинув Дорина скептическим взглядом, шофер сказал:

– Если вы, гражданин, не в курсе, у меня авто класса «люкс», идет по двойному тарифу. Вам накладно выйдет: пятерка за посадку, каждый кило́метр – рупь двадцать, пять минут ожидания – рупь.

Еще неделю назад младший лейтенант от таких расценок шарахнулся бы, но оклад в группе «Затея», со всеми спецнадбавками, был ого-го какой – 1200 рублей. Получку выдали в первый же день, да еще с подъемными, и до сих пор ни копейки из этой фантастической суммы Дорин еще не потратил, случая не представилось.

– Твое дело – промфинплан выполнять, а не советы давать, – поставил Егор на место нахала и плюхнулся на пахнущее новой кожей сиденье. – Мне за город, в Плющево. Давай без трепа, жми на газ.

– Понял, – кивнул водила, нисколько не обидевшись. – За полчаса доставлю. Устроит?

Пронеслись через Малый Каменный мост, только-только разогнались – и уперлись в синюю задницу двухэтажного троллейбуса, ни слева его не объедешь, ни справа. Так и ползли до самого Садового кольца. Шофер ругался:

– Скорей бы отменили двугорбых этих, ужас до чего надоели. Говорят, сам Вождь распорядился их убрать. Будто бы увидел из своего «линкольна» и выразил беспокойство – мол, не перевернулся бы

на повороте, пассажиров не передавил. Заботится о простом человеке. Не слыхали такой байки?

– Не слыхал.

Егор озабоченно принюхивался к собственной подмышке. Никак по́том несет. Эх, надо было не только побриться, но и ду́ш принять.

– Останови-ка, – показал он на прямоугольник Показательного универмага, что на Добрынинской площади. – Не бойся, не сбегу. И про пять минут – рупь помню.

В парфюмерном отделе «Тэжэ» приобрел пузырек «Шипра», а еще пришла в голову хорошая идея: сделать Наде подарок.

– Какие духи самые лучшие?

– «Красная Москва», – ответил продавец. – Раньше назывались «Любимый аромат императрицы», выпущены фирмой «Август Мишель» к 300-летию дома Романовых. Тогда знали толк в красивых запахах.

Приобрел Егор монархические духи, не забыл и папашу Викентия Кирилловича – купил ему бритвенный станок «Буденновский», самый дорогой. В кондитерском взял бисквитно-кремовый торт «Заря Востока».

Перед тем как сесть в ЗИС, хорошенько опрыскался «Шипром».

– Духовито, – одобрил водила, потянув носом. – На свидание? Понимаю. А букетик как же? Будем Рогожский рынок проезжать, туда тюльпанчики завезли, крымские.

– Букеты – пережиток, мещанство, – отрезал Егор. Мысль его посетила, неприятная: как бы этой самой «Зарей Востока» ему в рожу не засветили.

– Оно конечно, пережиток, но женщины к цветам слабость испытывают. Вот, к примеру, у меня в биографии случай был. Отдыхал я в Гагре и познакомился с одной гражданкой, зубным техником…

Под трепотню шофера выехали на Рязанку, разлетелись до восьмидесяти. За окружной железной дорогой Москва кончилась, пошли деревянные домишки с палисадниками, на едва зазеленевшем лугу мелькнуло стадо коров.

Чем меньше оставалось до Плющева, тем больше нервничал Егор. Когда же вдали показался знакомый забор, стало младшему лейтенанту и вовсе худо, хоть назад поворачивай.

– Вот же он, дом 18, улица Карла Либкнехта. Приехали, – уставился водила на прилипшего к сиденью клиента. – С вас 42 рубля 40 копеек. Не туда попали, что ли?

– Туда, туда…

Таксомоторный психолог присвистнул:

– Ясно. Предложение приехали делать, а гарантий, как говорится, нет. Ну вот что, жених. Я тебя четверть часика подожду. На всякий пожарный. Бесплатно.

Если от ворот поворот – доставлю назад в Москву. Лады?

– Лады.

Выдал Егор таксисту красную бумажку в три червонца, три пятерки с летчиком. Обменялись рукопожатием.

– Ну, желаю.

Дольше тянуть было невозможно.

Набрав полную грудь воздуха, Дорин взял торт в левую руку, подарки зажал подбородком и вдавил кнопку, над которой блестела табличка «Д-р К.В. Сорин».

Ждал, что с той стороны забора донесутся шаги, и гадал, чьи – Надины или отца.

Но калитка открылась сама собой, никого за ней не было. Электричество, догадался Егор. Надя говорила, у ее папаши золотые руки.

Тут на крыльце появился и Викентий Кириллович, собственной персоной. Удивленно смотрел на дочкиного ухажера.

– Молодой человек, вы к кому?

Забыл, что ли? Не может быть.

– Это я, Егор. Здравствуйте. Надя дома?

Доктор поправил очки, спустился на две ступеньки.

– Вы? Да вас не узнать. Вы ведь, кажется, были блондин? А что у вас с ушами?

Только теперь Дорин вспомнил, что загримирован под Степана Карпенко: темный ежик, оттопыренные уши.

– Это так... – пробормотал он. – Для спектакля надо... Самодеятельность у нас.

– Ах, вы к спектаклю готовились, – сказал Викентий Кириллович голосом, не предвещавшим ничего хорошего. – Вы, стало быть, артист. Всецело отдались Мельпомене, забыли обо всем на свете. Что ж вы, господин артист, с Надеждой-то делаете?

– Я звонил в больницу, просил передать, меня в срочную командировку послали. Что, не передали? – упавшим голосом спросил Егор.

– Нет. Так где же вы были? В командировке или к спектаклю готовились?

Дорин только вздохнул.

– А… А где Надя?

– Ее нет.

Вот тебе и раз!

– Она в больнице? – спросил Егор, радуясь, что такси еще ждет.

– Нет.

– А где?

Папаша помолчал, глядя на несчастное лицо ухажера.

– Ладно, – сказал, – входите. Надежда скоро придет.

Сели на стеклянной веранде. Доктор покосился на торт и свертки, поморщился. Егор залился краской.

– Сердится она на меня? – не выдержал он.

– Это вы у нее сами спросите.

– Так где она все-таки?

– В церкви.

Тут насупился и Дорин – теперь оба смотрели друг на друга с неприязнью.

– Вы ее приучили в церковь ходить?

– Я.

– В Боженьку веруете. А еще ученый человек.

– Нет, не верую, – спокойно ответил доктор, будто не расслышав язвительности. – В мои времена это было немодно. Мы, студенты-медики, делились на атеистов и агностиков, с явным преобладанием первых. Но нынче времена другие, детей лучше воспитывать в вере. Нужна, знаете ли, хоть какая-то духовная опора.

Кто такие «агностики», Егор не знал и про духовную опору не очень понял, однако общий смысл был ясен – советские времена Викентию Кирилловичу поперек горла.

– Конечно, вам, дворянам, при царе лучше жилось, – сказал Дорин, понемногу заводясь – от нервов. – Чисто, сытно, культурно – за счет трудового народа.

Он ждал, что доктор от этих слов рассердится, но Викентий Кириллович снисходительно улыбнулся.

– Были среди привилегированных сословий и паразиты, но немного. Для вашего сведения, молодой человек: подавляющее большинство дворян в семнадцатом году имели это звание благодаря образованию и выслуге. Мой отец, например, родился на свет крепостным. Выучился на медяки, всю жизнь работал, дослужился до ординарного профессора. По Табели о рангах это был четвертый класс, дававший права потомственного дворянства. Всякий, кто хотел учиться и не боялся работы, мог добиться того же.

Чувствуя, что начинает злиться не на шутку, Егор решил взять быка за рога:

– Значит, самодержавие по-вашему лучше, чем социализм?

Во всем Советском Союзе вряд ли нашелся бы человек, который не испугался бы такого вопроса. Но Викентий Кириллович подышал на очки, протер стеклышко платком и, как ни в чем не бывало, ответил:

– Такой стране, как Россия, следовало бы пожить при монархии еще лет пятьдесят, а то и сто. Сейчас у нас, разумеется, тоже самодержавие, но совсем другой природы. Тот абсолютизм был естественный, то есть, как сказала бы Надежда, от Бога. А нынешнее самодержавие насильственное, и значит, от Дьявола.

Когда он всерьез заговорил про бога и дьявола, Егор сразу злиться перестал. Что взять со старого человека, у которого мозги наперекосяк? И потом, настоящий контрик в открытую против советской власти агитировать не станет. Самый опасный враг – кто на словах за социализм, кто бежит, задрав штаны, впереди генеральной линии, а сам втихомолку гадит.

Своей откровенностью доктор Егору даже понравился. Опять же как-никак Надин отец.

– Вы бы это, поосторожней высказывались. А то дураков много, проявит какой-нибудь бдительность – не зарадуетесь.

Викентий Кириллович осведомился:

– Значит, себя вы к дуракам не относите? Это похвально. Знаете, Георгий, с тех пор, как умерла Анна Леонидовна, я как-то совершенно перестал чего-либо бояться. Если что, у Надежды есть ее Бог, он сироту не оставит. Имею обыкновение говорить, что думаю, и ничего, как-то сходит с рук. Правда, мой героизм недорого стоит. – Он коротко, сухо рассмеялся. – Я, простите за нескромность, лучший в России специалист по коррекции возрастных нарушений зрения.

– А? – не понял Егор.

– Ну, глаукома, сильная дальнозоркость, катаракта. Пользую самых высоких пациентов. Его высокопревосходительство Всесоюзного Старосту, светлейшего председателя Ве-Це-эС-Пэ-эС, ет цетера, ет цетера. В двадцатые годы меня за «антисоветскую агитацию» частенько арестовывали – ненадолго, до первого звонка сверху. Зато в тридцатые годы мои акции пошли вверх: стареют совпартработники, входят в возраст дальнозоркости. Скоро, глядишь, героем социалистического труда стану.

И снова затряс своей козлиной бородкой – смешно ему стало.

На улице просигналил автомобильный клаксон. Это, наверное, уже пятнадцать минут прошло, со всеми муторными паузами. Шофер решил, что предложение руки и сердца принято – поздравляет.

Только поздравлять Егора пока было не с чем. С доктором худо-бедно контакт налаживался, и смотрел он на Дорина уже не так колюче. Но решать-то не папаше. Как поведет себя Надежда – вот вопрос.

Услышав за спиной скрип калитки, Егор вжал голову в плечи и зажмурился. Вроде ждал этого момента, а все равно был застигнут врасплох.

Взял себя в руки, медленно встал, обернулся – и скакнуло сердце.

По дорожке к дому, неловко раскинув руки, бежала Надя. На голове белый платок, лицо счастливое, глаза так и сияют.

Ну и Егор, конечно, одним прыжком сиганул с крыльца, бросился навстречу.

Сшиблись так, что у обоих перехватило дыхание.

– Я…я…ты…ведь я что… – бормотал он бессвязное, да еще почему-то хлюпал носом. – Ты что ж думаешь… Никак, то есть совсем…

– Спасибо, матушка, живой, я знала, спасибо, – лепетала какую-то чушь и Надя.

Даже не целовались, просто сжимали друг друга, и Надя, пожалуй, еще сильней, чем Егор.

Он вспомнил про папашу, обернулся, но на веранде никого не было. Все-таки и у интеллигенции есть свои плюсы – взять ту же тактичность.

– Тебе остригли волосы. Ты болел. Я по всем больницам, а не нашла, – сбивчиво, но уже более понятно принялась рассказывать Надежда. – Фамилии же твоей не знаю. Только имя – Георгий. Все равно – искала, искала. У папы везде знакомые. Только тебя в больницах не было.

– И по моргам искала? – содрогнулся он, представив, через что она за эти дни прошла.

– Зачем по моргам? Я знала, ты жив. Если бы умер, я бы почувствовала. А сегодня пошла в церковь, помолилась Богоматери – и ты нашелся.

– Я не болел. Просто работа, днем и ночью. Никак не мог сообщить, честное слово!

– Не болел? Слава Богу, а то я представляла всякие ужасы. Машина сбила, и ты без сознания. Или воспаление легких, крупозное. В Московской области есть случаи брюшного тифа. А работа – это ничего, это нормально. Конечно, ты не мог сообщить, я знаю.

По дорожке к дому, неловко раскинув руки,
бежала Надя.

Если бы хоть чуть-чуть мог, обязательно сообщил бы. Ты же понимал, как я волнуюсь.

Здесь с младшим лейтенантом Дориным приключилось стыдное: на глазах выступили слезы. Другой такой девушки во всем СССР (и тем более в остальных странах) не было и быть не могло, это железно.

На подобное доверие можно было ответить лишь равнозначным доверием. Он приосанился. Уже и рот открыл, чтобы сказать: «Я, Надюха, сотрудник Органов и выполняю крайне ответственное задание партии и правительства», но вспомнил про Викентия Кирилловича. Насчет Нади-то можно было не сомневаться. Кто умеет так любить и так верить, тот человек надежный. Но с кем встречается и перемывает косточки советской власти ее отец, неизвестно. Опять же, если доктору доверено оберегать зрение ближайших соратников Вождя, наверняка за ним коллеги из 5-го управления приглядывают. Как бы в донесение не попасть.

А Надежда его колебания истолковала по-своему.

Улыбнулась счастливой улыбкой, прошептала:

– Что засмущался? Я тоже знаешь как по тебе истосковалась. Пойдем.

Увела его наверх, в мезонин, и там, под скошенным потолком, он забыл обо всем на свете, а когда снова вспомнил, оказалось, что время уже к вечеру: солнце успело скакнуть к самым верхушкам деревьев и по двору прочертились длинные тени.

– Я ужасно голодная. Пойдем чай пить, – объявила Надежда.

Оделись, спустились вниз, где сидел с вечерней газетой Викентий Кириллович. Лицо у него было печальное.

Надя обняла его, поцеловала.

– Папа, я так счастлива.

– Вижу, – всё так же грустно сказал он, не поднимая глаз.

Егор на него тоже не смотрел, неудобно было.

Одна Надежда, кажется, чувствовала себя легко и свободно. Напевая, звенела вилками, расставляла посуду.

– Я сделаю яичницу и пожарю хлеб с сыром. Еще у нас есть торт. Бисквитно-кремовый? Вот здорово! А это что? – взяла она в руки красивый сверток.

– Это тебе. Духи. Дореволюционные, «Любимый аромат императрицы». – Егор покосился на Кирилла Викентьевича, но тот не смягчился, только вздохнул.

Сидеть тут с ним весь вечер Дорину не улыбалось, даже ради яичницы.

– Надь, я до самой ночи свободный. Может, съездим куда-нибудь? В ресторан можно. – И поймал брошенный поверх газеты взгляд доктора – похоже, одобрительный.

– Нет, лучше не в ресторан, а на концерт. Папа, дай-ка.

Она отобрала у отца «Вечернюю Москву». Вдвоем с Егором они склонились над разделом «Афиша». Надин локон щекотал ему висок.

– Гляди, Надь, в цирке представление «Теплоход Веселый», это по кинофильму «Волга-Волга»! Наши ребята ходили, говорят, мировой аттракцион. Там настоящий лев гоняет на мотоцикле!

– Ой, – ахнула Надежда. – Сегодня в консерватории Четвертая симфония Танеева, это такая редкость!

А Дорину было всё равно, куда идти, только бы с ней. Пускай даже на симфонию.

– Нормально. Давай в консерваторию.

– Не успеем. Там в девять начало, а сейчас уже половина.

Он небрежно пожал плечами:

– Возьмем у станции такси. В самый раз подкатим.

– Так ведь дорого же!

– Ерунда.

Викентий Кириллович кивнул:

– Вот это по-нашему, по-гусарски. Хоть ухаживать еще не разучились.

– Нет, всё равно не получится, – вздохнула Надя. – Наивный ты человек, Георгий. Билетов не достанем, даже стоячих.

– Зачем нам стоячие? – улыбнулся Дорин на «наивного человека». – Сядем в лучшем виде, на места из директорского фонда.

Она посмотрела на него с радостным восхищением, как ребенок на фокусника. Папаша тоже удивился:

– Кто вы, прекрасный юноша? Гарун аль-Рашид?

В общем. момент для, так сказать, официального представления сложился самый что ни на есть удачный. Всё равно ведь рассказать про свою службу нужно – мало ли на сколько придется снова исчезнуть. А так выйдет и эффектно, и культурно. Пускай папаша из-за своей интеллигентности и отдельной дачи сильно не задается. Егора Дорина тоже не на помойке нашли.

– Вот, – достал он из кармана красную книжечку, удостоверение сотрудника литерной спецгруппы. – С этим документом могу входить куда угодно, в любое культпросветучреждение, с правом посадки на любые места.

Первое, что заметил Егор, произнеся эти слова, – страдальческую гримасу на лице Викентия Кирилловича. С чего бы это?

Надя – та потянулась к книжечке:

– Ой, что это? Абонемент?

Он поневоле улыбнулся.

– Скорее, охотничий билет. С правом охоты на волков, которые точат зубы на нашу Родину. – И, посерьезнев лицом, объяснил. – Я, Надюша, сотрудник Органов. Всего тебе рассказать не могу, не имею права, но работа у меня ответственная, секретная. Может, в будущем придется опять исчезать без предупреждения. Так надо. Ты за меня не беспокойся, я волков не боюсь. Это пускай…

«Это пускай они меня боятся», хотел закончить он с бесшабашной улыбкой и тряхнуть чубом. Но чуба у младшего лейтенанта теперь не было, он про это забыл, и лихой улыбки тоже не получилось – с таким выражением лица смотрела на него Надежда.

– Ты чекист? – пролепетала она. – Нет, нет! Не может быть!

– Да чего ты так переполошилась? – растерялся Егор.

– У тебя фуражка с синим верхом? Ты по ночам ломишься в квартиры? Ты… ведешь допросы? – В ее глазах застыл ужас.

– Ну да, есть у меня и фуражка, только я ее сто лет не одевал, – еще пытался обратить всё в шутку Дорин. – Аресты-допросы, это больше по линии НКВД, а я служу в НКГБ…

– Это одно и то же. Папа! – повернулась Надя к отцу, голос ее дрожал. – Что я наделала! Папа!

Она бросилась к доктору на грудь и горько заплакала. Викентий Кириллович неловко гладил ее по затылку, на Егора не смотрел.

– Вы же советские люди! Не враги какие-нибудь! Что вы на меня так? – захлебнулся потрясенный Егор. – Мы под пули идем, жизнью рискуем! Чтоб вас защищать! А вы… Да вы хоть знаете, что скоро… Надя! Я же люблю тебя!

Тут она обернулась. Глаза были мокрые, но не жалобные – непреклонные:

– Уходи. Навсегда.

Еще и махнула на него рукой, будто прогоняла какую-то примерещившуюся нежить.

Этот жест был обидней всего.

Дорин вскочил из-за стола. Хотел сказать напоследок что-нибудь горькое, с достоинством, но не нашел слов. Протянул лишь:

– Эх, ты…

И кубарем слетел с крыльца.

Грудь прямо разрывалась, не хватало воздуха.

Споткнувшись на ровном месте, Егор не помнил, как вышел на улицу.

На столбе жизнерадостно вещал репродуктор:

– В связи с постановлением Совнаркома СССР и ЦК ВКП(б) от 23 февраля «О мероприятиях по расширению посевов и повышению урожайности кок-сагыза» многие колхозы впервые обратили внимание на узкие места в возделывании этого полезного растения...

Трясущимися руками Дорин раскурил «казбечину» и затоптался на месте – от волнения не мог сообразить, в какую сторону идти до станции. Ах да, влево.

За что? За что она его выгнала? Ведь ничего не знает, ничего не понимает! Он хотел объяснить, чуть было не разболтал государственную тайну, а она его и слушать не стала! Замахала, как на собачонку!

Он кинулся к калитке, нажал на кнопку звонка: раз, второй, третий.

Радио перешло с бодрого тона на сдержанно-озабоченный – это пошли международные новости:

– На греческом фронте английские имперские войска продолжают отступать, неся тяжелые потери... Ряд членов английского парламента требует в ближайшее время открытия дебатов по вопросу о военном положении. По сообщениям корреспондента Юнайтед-пресс, в Лондоне циркулируют слухи о предстоящих изменениях в составе кабинета министров...

Наконец, открыли.

В проеме стоял Викентий Кириллович.

– Зря стараетесь, молодой человек. Надежда к вам не выйдет.

Ни враждебности, ни настороженности в лице доктора не было – лишь печаль и, пожалуй, сочувствие. От этого Егор сразу как-то сник, и возмущение поувяло.

– Плачет? – тихо спросил он.

– Хуже. Молчит.

– Викентий Кириллыч, ну объясните хоть вы ей. Я же не гестаповец какой, я Родину защищаю! Чего она? Будто я из чумного барака!

– Если б вы болели чумой, она бы вас лечила… – Доктор снял очки, помял переносицу. – Послушайте, молодой человек, в вас есть что-то симпатичное… Во всяком случае, вы не похожи на других. Может быть, *пока* не похожи. Послушайте моего совета: идите, живите своей жизнью, а Надежду забудьте. Она в покойницу-мать, для нее есть только белое и черное, оттенков серого она не различает. Право, уходите. Целее будете.

С этими словами, смысла которых Егор не очень-то понял, Викентий Кириллович захлопнул калитку.

После международной обстановки голос в репродукторе должен был снова повеселеть – в конце выпуска обычно шли новости культуры. Но диктор вдруг выдержал паузу и заговорил строго и скорбно, как если бы умер кто-нибудь из членов правительства или разбился самолет.

– Сегодня в четырнадцать часов пятьдесят минут на Крымском мосту произошло трагическое происшествие. Трехтонный грузовик «Мособлстройтреста», не справившись с управлением, врезался в двухэтажный троллейбус маршрута «Б», который упал в воду. Из Москвы-реки водолазами извлечено 83 мертвых тела, которые доставлены в Первую Градскую больницу. Для родственников запросы по телефону В1-96-54.

Вот уж беда так беда, подумал Егор. Что его любовные терзания по сравнению с такой ужасной катастрофой? 83 человека! Битком набитый троллейбус, все едут по своим делам, умирать никто не собирается. А тут удар, треск, крики. Всплеск, жадное бульканье речной воды… Бр-р-р.

Первым делом Егору, конечно, вспомнился рассказ таксиста – насчет двухэтажных троллейбусов. Вождь глядел как в воду, причем в самом буквальном смысле.

Но в следующую секунду младший лейтенант похолодел. Нарком говорил шефу о дорожно-транспортном происшествии и велел слушать девятичасовые новости!

Тук-тук-тук-тук-тук, мелко заклацали зубы.

«Казбечина» упала на землю, рассыпались мелкие искры.

Глава девятая

«МЕ-Е, МЕ-Е»

– Вот так-то, Дорин, – сказал шеф. – Потому он и Нарком, и даже зампред Совнаркома, что у него масштаб. Я вот раскис, руки опустил: «пустой разговор, ненаучная фантастика», а Сам моментально сориентировался. Принял решение – единственное, дающее нам шанс на продолжение игры. И не побоялся ответственности. Что брови хмуришь? Восемьдесят человеческих жизней в такой игре – плата тяжкая, но не чрезмерная.

– Восемьдесят три, – буркнул Егор.

– Если быть совсем точным, восемьдесят две плюс еще один готовый покойник, подброшенный нашими водолазами после соответствующей обработки.

Разговор происходил на Кузнецком Мосту, в комнате, где Егор раньше жил вдвоем с захваченным радистом, а ныне квартировал в одиночестве. О Степане Карпенко напоминало лишь выбитое стекло в серванте, да пятно намертво впитавшейся крови на деревянном полу.

Тьма за окном уже потихоньку начинала сереть, долгая ночь подходила к концу. Все нужные меры были приняты, планы разработаны, маховик оперативной работы запущен и раскручен на полную мощность. Прямо с Лубянки, от Наркома, старший майор явился на Кузнецкий, поставил перед группой Григоряна новые задачи, а потом увел Егора в комнату для разговора с глазу на глаз.

Сценарий получался следующий.

Вечером, при осмотре вещей граждан, погибших в результате автостолкновения, персонал Первой градской обнаружил в сумке одной из жертв осколки подозрительного технического устройства, которое оказалось шпионской рацией. Свидетелей находки было множество, шума еще больше. Мертвец, на плече которого висела спортивная сумка с рацией, имел в кармане паспорт, по которому представители НКВД установили личность и место проживания. Час спустя несколько черных машин с визгом и скрежетом влетели на тихую улицу Щипок, нарушив предвоскресный сон трудящихся. Началась беготня, стук, звонки в двери: оперуполномоченные расспрашивали соседей о гражданине Селенцове Николае Ивановиче, 1902 года рождения. Кое-кого, показавшегося подозрительным, забрали. А завтра с утра грянет шмон в ломбарде на Павелецкой, где, по словам соседей, Селенцов служил оценщиком. Уже решено, что в ломбарде заметут всех подряд. Как выразился Октябрьский, надо поднять как можно больше тарарама, создать впечатление, что НКВД ловит широким бреднем сам не знает кого.

Можно не сомневаться, что Вассер очень скоро об этом узнает. А скорее всего, уже знает. Он наверняка встревожен тем, что Селенцов не вернулся со встречи. Согласно сценарию, контакт состоялся, связной забрал передатчик, но по дороге домой угодил в аварию – не повезло. Если бы Органы что-то знали о Селенцове, то повели бы себя тоньше: не устраивали бы ночную истерику, а поставили на Щипке засаду или установили наблюдение.

Поверит ли Вассер в случайность – вот в чем вопрос. Выбор у него, судя по всему, небольшой. Или сидеть без связи, а тогда его задание, в чем бы оно там ни заключалось, останется невыполненным. Или обратиться за помощью в посольство, где у Октябрьского имеется агент Эфир, подслушивающая техника и еще какие-то, не известные Егору каналы. Наконец, он может снова выйти на радиста, который, по тому же сценарию, безвылазно сидит на конспиративной квартире и ждет приказов. Что рация погибла – не беда. Степан Карпенко, как в свое время Егор, прошел полный курс радиодела, обучен собирать передатчики из подручных средств и деталей, имеющихся в свободной продаже. Работа не такая уж хитрая, пары часов с отверткой и паяльником вполне достаточно.

Новое задание у Дорина было – окончательно превратиться в Карпенко. В совершенстве освоить почерк, это самое главное. Хорошо, осталась магнитная лента с записью – сиди, практикуйся, набивай руку. Дело нехитрое. Если, паче чаяния, объявится Вассер, тоже ясно: действуй согласно инструкции. Неясно Егору было только одно: как же всё-таки с двухэтажным троллейбусом и его восемьюдесятью тремя, ну хорошо, восемьюдесятью двумя пассажирами?

– Ты пойми, Дорин, – горячась втолковывал Октябрьский. – Вассер – не просто агент. Ты сам видел, с какой помпой, с какой секретностью его к нам забрасывали. Видел, как оберегают его немцы. Московская резидентура – на сегодняшний день главный заграничный орган Абвера – бегает у него на посылках, по сути дела всего лишь обеспечивает ему прикрытие. Что именно поручено Вассеру, мы не знаем, но ясно одно: речь идет об операции исключительной важности. А теперь скажите мне, товарищ младший лейтенант госбезопасности, что за ключевую разведоперацию могут проводить немцы с учетом нынешней обстановки? – Начальник на пару секунд прервался, чтобы дать Егору подумать. – То-то. Если завтра война, задание Вассера стопроцентно связано с началом боевых действий. Рассуждая теоретически, это может быть крупная диверсия или теракт против Вождя, чтобы вызвать в стране хаос. Но еще катастрофичней был бы ловкий вброс дезинформации, который убедит нас: в этом году войны не будет.

Дорин моргнул. Неужели могут быть вещи более катастрофичные, чем покушение на жизнь Вождя? Хотя, наверное, Октябрьский прав. Вождь и сам сколько раз говорил: у нас незаменимых нет. И все же от таких слов, да еще произнесенных деловитым тоном, стало как-то жутковато. А старший майор, как ни в чем не бывало, продолжал выстраивать логическую цепочку.

– Теперь предположим, что Гитлер решил отложить нападение. Какое задание в этом случае может иметь Вассер? Тоже ясно. Он должен закинуть дезу о том, что война вот-вот начнется. Спровоцировать нас на неадекватную реакцию. Выкатим мы всё, что есть под рукой, на новую, еще не укрепленную границу, а войны в этом году не будет? Тогда…

– Вы уже про это объясняли, – хмуро перебил Егор старшего по званию.

– Значит, недостаточно объяснял! А теперь представь, что Абвер сейчас сумеет втюхать нам дезу, мы придем к выводу: в этом году фашисты не нападут. И ошибемся! Как вмажет по нам вермахт всей мощью, от Балтики до Черного моря. Сначала тысячи бомбардировщиков уничтожат на аэродромах нашу авиацию, обеспечат себе господство в воздухе. Диверсанты перережут связь. Танковые корпуса прорвутся в тыл, окружат наши неподготовленные соединения, а потом рванут по пустым дорогам к Москве, к Ленинграду… Погибнут миллионы советских людей. А виноваты в этом будем мы, работники Органов. И расстрелять нас тогда мало. Это же арифметика, Дорин! Целесообразно пожертвовать 82 жизнями, если это дает шанс спасти миллионы? Да или нет?

Прав был Октябрьский, что тут возразишь.

– Так точно, целесообразно…

– А если целесообразно, то почему у вас, товарищ младший лейтенант госбезопасности, кислая физиономия?

Шеф потрепал Дорина по ежику волос, и, поскольку жест этот был не уставной, а человеческий, то Егор и ответил не по-уставному:

– Людей жалко. Суббота, у многих короткий день. Ехали по своим делам… Каждого, наверно, кто-то любит. Ну, или почти каждого…

– Жалко. Но миллионы людей в миллионы раз жальчей. Не мысли микроскопно. Когда смотришь в микроскоп, невозможно увидеть всю картину. Когда разглядываешь одно дерево, не видишь леса. А лес-то огромный, от океана до океана. В нем прорубают магистрали, просеки, а от этого, естественно, летят щепки. По-другому не бывает.

– Да я понимаю. Просто обидно, когда ты – живой человек, и вдруг окажешься маленькой щепкой.

– А это смотря из какого материала ты сделан, – убежденно сказал на это старший майор. – Если ты из деревяшки, то да, щепка. А если ты из железа, дело другое. Помнишь у Тихонова:

«У кого жена, дети, брат –
Пишите, мы не придем назад.
Зато будет знатный кегельбан».
И старший в ответ: «Есть, капитан».

Егор кивнул:

– Помню. В школе учил. «Гвозди бы делать из этих людей. Крепче б не было в мире гвоздей».

– Это про моряков. А мы, работники Органов, должны быть не из железа, из стали. Не гвоздями мы с тобой станем, а несгибаемыми болтами, на которых держится огромная конструкция. Знаешь, что такое бессмертие? Это когда ты погиб, а конструкция стоит тысячу лет – благодаря тебе и таким, как ты.

Ты еще вот что учти, Дорин. Там, с германской стороны, болты тоже не деревянные. И конструкция у фашистов ого-го какая, тоже собирается тысячу лет простоять. Сшибемся мы с ними, обязательно сшибемся – не в сорок первом году, так в сорок втором, и устоит тот, у кого болты крепче. Вассеровского связника видел? Из крупповской стали был болт, самой высокой марки.

– Я, шеф, про него всё время думаю… – Егор почесал затылок. – Ну, что он стальной – это ладно. Мне другое покоя не дает. Ведь Селенцов этот, или как там его на самом деле, фашистюга был. Так? Но за детей прятаться не стал. А ведь мог. Как бы мы тогда его брали?

Октябрьский смотрел на младшего лейтенанта с веселым недоумением, будто Егор сболтнул глупость.

– А ты как думал? Если враг, то обязательно и сволочь? Это пускай агитпропработники населению мозги пудрят, а мы с тобой профессионалы, нам дурачками быть нельзя – так недолго и ошибку сделать. Нет, Егорка, фашисты такие же люди, как мы. И самоотверженные среди них есть, и добрые, и честные. Тут штука не в том, кто лучше, кто хуже. Вопрос – кто кого: мы их, или они нас. Потому что двум нашим конструкциям на земле места не хватит. Так-то, брат.

И потянулись вязкие дни, неотличимые друг от друга, как кильки в томате: точка-тире-точка-тире часы напролет, до красных кругов перед глазами. Иногда Егору казалось, что это он так молится божку, который безучастно мерцает черным лаком на стене в коридоре, глухой к мольбам и жертвоприношениям.

Телефон молчал. Неделю, вторую, третью…

Неужели Нарком с Октябрьским ошиблись, и у Вассера есть какой-то резервный канал связи? Тогда получается, что восемьдесят два человека погублены впустую?

По ночам Егору снилось, что он сплавляет по Волге лес и провалился в щель между стволами. Хочет вынырнуть, но бревна смыкаются над головой, только это никакие не бревна, а человеческие тела. Одно за другим они медленно скользят вниз, безвольно раскинув руки, и есть там женщины с красиво струящимися волосами, есть дети с широко раскрытыми невидящими глазами…

Еще снилось, что он сам – дерево, и настырный черный дятел почерком Степана Карпенки колотит ему по коже-коре своим острым клювом: пии-пии-пии, пи-пи, пи-пи, пи-пи, пии-пии-пии.

Степан один раз тоже приснился. Ничего жуткого не делал, просто сидел на полу, где пятно, смотрел на Дорина и всё повторял: «Вже скоро, вже скоро», а что́ скоро, не объяснял. То ли Вассер объявится, то ли что другое.

А Надя в снах младшего лейтенанта ни разу не появлялась, хотя наяву он думал о ней постоянно, мысленно разговаривал – всё больше корил, резал правду-матку, а когда она, устыдившись, начинала просить прощения, то иногда поворачивался и уходил, а иногда прощал. По настроению.

Тоскливое было время, хотя вроде бы май, сияет солнышко и с каждым днем заходит всё позднее. Только что Егору было проку от весны? У него в комнате крутились бобины, мигала лампочка на передатчике, по стеклу ползала полусонная муха. Тюремная камера, да и только.

И, как в тюрьме, ежедневно часовая прогулка, главное событие суток. Если за домом следят, то ни в коем случае не должны подумать, будто Карпенко сидит под присмотром. Агенту положено изучать топографию местности: схему движения общественного транспорта, проходные дворы и прочее. Вот Егор и изучал.

Однажды во время очередной «топографической разведки» дошел до Солянки, а оттуда ноги сами собой вынесли на Радищевскую улицу, к больнице имени Медсантруда. Почему бы агенту Абвера не исследовать и этот район? Чем он хуже других?

А как оказался у больничной ограды, неудержимо захотелось взглянуть на Надю, хоть одним глазком. И надо же так случиться, что как раз угадал на конец ее дежурства. Повезло. Или наоборот – это как смотреть.

За решеткой Дорин расположился по всем правилам конспирации: двор как на ладони, самого не видно.

Десяти минут не прождал – выходит из дверей Надежда. Одета по-летнему: широкая юбка, на голове береточка, на ногах белые носочки, туфли-лодочки. И показалась она ему ужасно красивой – может, из-за нарядной одежды или потому что соскучился.

А может, и в самом деле была она ужасно красивая, просто он раньше этого не замечал.

Сначала Егор только ее и видел, что понятно: в глазах потемнело, и здо́рово застучало сердце. А потом разглядел, что Надежда не одна. Идет с ней какой-то долговязый ферт, в шляпе, в галстуке, при длиннющем носе. И молодой, гад. Главное, сразу было видно, нравится она ему ему – Егор этот мужской взгляд хорошо знал, поганую эту улыбочку.

Дылда наклонялся к Надежде, будто хотел тюкнуть ее своим клювом, в глаза ей заглядывал, а она смотрела на него снизу вверх, доверчиво так, серьезно. Потом этот что-то пошутил, и она засмеялась.

Весело ей, значит, горько подумал Дорин. А про долговязого предположил: наверняка это и есть талант Маргулис, которым она и ее папаша восхищались. Или Моргулис, черт его знает.

Дальше – хуже.

Подвел Маргулис-Моргулис чужую девушку к кремовой «эмке», галантно распахнул дверцу. Надя села, и они уехали, а Егор остался, так ею и не замеченный.

Машину ему советская власть выдала, а сам наверняка тоже против нее фырчит, по царским временам вздыхает, несправедливо и голословно подумал Егор про длинноносого доктора. Но сейчас было не до справедливости. У Дорина в груди был вулкан, как поется в песне «Кукарача».

Значит, я у вас, Надежда Викентьевна, первый и последний? Эх вы, женщины…

Пока она еще не вышла, был у Егора план. Подойти, поговорить по-доброму, без мелодрам. Чуть-чуть приоткрыть, каким делом занимается – не со своими гражданами воюет, как энкавэдэшники, а с немецкими шпионами. Хотел даже про скорую войну рассказать, чтоб осознала: он Родину защищает. Но после Моргулиса с его «эмкой» Егор откровенно разговаривать с Надеждой передумал. Потому что на этот раз обиделся смертельно, до гробовой доски.

Шел на Кузнецкий широким, злым шагом.

Микроскопная интеллигентская психология, дешевое чистоплюйство. Можно себе представить, что было бы с Надей, если б узнала про троллейбус. Закричала бы: «Изыди, прислужник Сатаны! Сгинь, нечистая сила!». А кто вас, таких чистеньких, добреньких, от фашистов защищать будет? Вот придет Гитлер со своим СС и гестапо, заставит вас сапоги ему лизать, на Моргулиса вашего желтую звезду прицепит, то-то завоете: «Ой, спасите! Ой, помогите!» Да поздно будет.

Вот какое горькое событие произошло с Егором в эти майские дни.

Было и еще одно событие, но уже не горькое, а радостное.

Как-то ночью (десятого мая это было, даже уже одиннадцатого, потому что после полуночи) вдруг позвонил Октябрьский – не по городскому телефону, а по специальному, проведенному в квартиру для служебных надобностей. «Немедленно ко мне в кабинет». Голос строгий.

Со всеми положенными по инструкции предосторожностями Дорин вышел на пустой Кузнецкий. Потягиваясь и позевывая, ленивым шагом двинулся в сторону Лубянки: вроде как решил прогуляться среди ночи – может, не спится человеку или, наоборот, проснулся и вышел пройтись.

Убедившись, что слежки нет, нырнул в подъезд нового корпуса, пристроенного к ГэЗэ во времена вредителя Ягоды.

На улице в этот поздний час не было ни души, а на Лубянке кипела самая работа. По лестницам и коридорам ходили сотрудники. Лица сосредоточенные, походка деловитая. Если б Егор видел это впервые, то подумал бы, что случилось какое-нибудь чрезвычайное происшествие общенаркоматовского масштаба, но это был обычный режим работы. Как пошутил однажды Октябрьский, у ЧК вся жизнь сплошное ЧП.

Старшего майора Егор встретил на седьмом этаже – выходящим из кабинета.

– Семь минут, товарищ младший лейтенант. Заставляете себя ждать, – сказал шеф вроде бы сурово, но в синих глазах поблескивали искорки, Егор сразу их приметил. Только истолковал неправильно, подумал – новости про Вассера. Внутри всё так и сжалось. Наконец-то!

– Я по инструкции, – начал он объяснять. – Нельзя же сразу, надо было проверить…

Не договорил. Из-за поворота выбежали двое: молодой мужчина в штатском и черноволосый майор. Ну, молодой еще ладно, а видеть бегущим солидного человека, с ромбами в петлицах, было удивительно.

– Слыхал? – крикнул майор Октябрьскому.

– Смотря про что, – ответил тот и пожал руку одному штатскому. С майором, наверное, уже виделся.

– Значит, не слыхал, – криво усмехнулся черноволосый. Говорил он с кавказским акцентом.

– Вы не поверите! – воскликнул молодой (этот по-русски изъяснялся без акцента, но как-то очень уж гладко – будто белогвардеец из кино про гражданскую войну). – Я сам бы не поверил, решил, что провокация. Если бы «Лорд» заранее не предупредил, что такое может случиться…

Тут он осекся, взглянув на Егора.

– Лейтенант Дорин, мой сотрудник, – представил шеф. – Это майор Лежава, это товарищ Епанчин.

Просто «товарищ» – ни звания, ни должности. Красивый парень, весь лощеный, и костюмчик – сразу видно, не «Мосшвея». Егору кивнул, больше на него внимания не обращал – очень уж был взволнован.

– Началось! – сказал Епанчин. – Только что поступило сообщение от «Лорда». Гесс приземлился в Шотландии.

– Брехня, – недоверчиво поморщился Октябрьский.

– Приземлился! В поместье герцога Гамильтона. Это один из заправил «Кливлендской клики». С Гессом он познакомился на Берлинской олимпиаде. Представляете, просто спустился на парашюте, и всё! Второй человек в Рейхе! Матвей уже у Наркома. Нас тоже вызвали. И вам наверняка сейчас позвонят.

– А ты, Октябрьский, говорил: чушь, – заметил кавказец – как показалось Егору, язвительно.

Но шеф на майора даже не посмотрел. Он напряженно размышлял: брови сдвинулись, лоб пересекла глубокая морщина.

– Какой ход, – пробормотал он – показалось, что с восхищением. – Какой ход… – И рассеянно Епанчину. – Что, не отпускают обратно? Задерживают?

Тот с улыбкой ответил:

– Да я особенно и не рвусь. Я ведь фактически на Родине впервые. Всё внове, всё интересно…

Шеф его не слушал.

– Значит, Фюрер пошел ва-банк. Войска собраны в кулак. Может ударить и на Восток, и на Юг. В зависимости от исхода миссии Гесса. На месте Черчилля я бы…

Он покачал головой.

Из кабинета донесся телефонный звонок. Необычный – короткими, требовательными сигналами. Его было хорошо слышно даже из-за обитой кожей двери.

– Ну вот и до тебя добрались. – Майор махнул шефу рукой. – Ладно, увидимся у Самого.

Октябрьский вошел к себе, Егор за ним.

– Слушаюсь, товарищ Нарком. Сейчас буду.

Вот и весь разговор.

Застегнув ворот и прихватив со стола какую-то папку, старший майор скороговоркой сказал:

– Хотел в торжественной обстановке. Да видишь, не до того. Короче, Дорин, поздравляю с внеочередным званием. За операцию «Подледный лов». Сегодня прошло в приказе. На, это тебе подарок, товарищ лейтенант госбезопасности.

Он сунул остолбеневшему Егору две петлицы с малиновым кантом, в каждой по сверкающей шпале.

Хлопнул по плечу, вытолкал в коридор и побежал догонять Лежаву с Епанчиным.

По правде сказать, Егор почти ничего не понял. Только, что произошло некое важное, совершенно непредвиденное событие. Рудольф Гесс, заместитель Фюрера, зачем-то прилетел в Англию, с которой Германия уже второй год воюет. Чудно́. Но отчего коллеги так переполошились, Дорин сразу не врубился. Что значит «Фюрер пошел ва-банк»? Какая миссия? И что бы сделал старший майор, окажись он на месте Черчилля? Про лорда тоже неясно, но тут уж не младшелейтенантского и даже не лейтенантского ума дело. Главное, что есть в Британии какой-то полезный для нашего дела лорд, вовремя поставляющий ценные сведения. От разговора в коридоре у Дорина общее впечатление (возможно, под влиянием новеньких шпал) сложилось скорее оптимистичное: не только на немецком направлении работает наша разведка, товарищи из других отделов тоже не дремлют.

Это уж когда о фантастическом перелете Рудольфа Гесса напечатали во всех газетах, Егор призадумался всерьез. Тон сообщений был странный: то ли Гесс переметнулся к англичанам, то ли сошел с ума. Вообще-то ТАСС эту историю особо не комментировал. И о переговорах между Гессом и Черчиллем тоже ничего не сообщал.

Потом Октябрьский разъяснил, в чем тут штука. Оказывается, Германия предприняла дерзкую попытку замириться с Англией, сыграв на противоречиях между британскими политиками. Заместитель Фюрера вылетел к своему британскому знакомому будто бы по собственной инициативе, так сказать, по зову души. Мол, сердце у него разрывается наблюдать, как два великих нордических народа истекают кровью в борьбе друг с другом. Лорд Гамильтон, в поместье которого приземлился Гесс, принадлежит к так называемой «Кливлендской клике», аристократическому кружку, который терпеть не может Черчилля и хотел бы заключить с Германией мир на почетных условиях.

Если бы ловкий маневр Гесса удался и немцы с англичанами замирились, тогда всё, сказал Октябрьский. Спецгруппу «Затея» можно было бы распускать, а всех сотрудников переводить прямиком во фронтовую разведку. Вопрос о немецком нападении прояснился бы. Занимай оборону, все силы на передний край – и ни шагу назад. Однако есть в Англии наши люди, и свое дело они знают. Сорвали гитлеровскую авантюру, не допустили перемирия. В результате Черчилль проявил твердость, с посланцем Фюрера встречаться не стал. Пришлось немцам сделать вид, будто никаких мирных инициатив не было, а просто у Гесса от непосильной нагрузки мозги набекрень съехали.

– Героям невидимого фронта, сумевшим защитить нашу Родину в кулуарах британской политики, вечная благодарность и высокие правительственные награды, а наша спецгруппа продолжает работу, – заключил Шеф. – До истории с Гессом я оценивал вероятность скорой войны процентов в семьдесят-восемьдесят, теперь – максимум в пятьдесят. Фюрер – мужчина обидчивый, он англичанам такого афронта не простит, будет их дожимать. Но наше дело маленькое: ловим Вассера.

Группе Григоряна, и без того уставшей от долгого ожидания, эти слова энтузиазма не прибавили. Во-первых, Вассер ловиться явно не желал. Во-вторых, если войны в этом году скорее всего не будет, то это совсем другое дело. Ну а, в-третьих, очень уж было скучно.

Дорин хоть почерк отрабатывал, а остальным троим была вовсе тоска. Григорян-Демидыч не мог даже радио включить, потому что глухой. Васька Ляхов замучился сидеть у окна, идиотически пучить глаза. Галя Валиулина для правдоподобия поторговала немножко мороженым и снова засела на больничном.

Однажды Егор ночью вышел на кухню, попить воды, и застукал, как Ляхов с Валиулиной целуются взасос. Оно и понятно: оба молодые, здоровые, три недели взаперти.

Она ойкнула, убежала в комнату, а Васька ничего, только язык на сторону свесил и слюну пустил – мол, что с меня идиота взять.

Это маленькое происшествие развлекло Егора на пару дней. Во время очередной прогулки он зашел в «Педкнигу», купил «Словарь иностранных слов» и брошюрку Уголовного Кодекса РСФСР.

Помнил, что есть какое-то такое особенное слово. Полистал, нашел:

«ИНЦЕСТ– кровосмесительная связь между близкими родственниками: родителями и детьми или братьями и сестрами. В СССР это уродливое явление, вызываемое деградацией семейных отношений в эксплуататорском обществе, полностью искоренено».

Обвел красным карандашом и подложил словарь Галине на кухонный стол. В тот день остался без щей, но потеря была небольшая.

Назавтра как бы случайно забыл в уборной УК. Брошюрка была открыта на статье «Насильственные действия полового характера», пункт «Принуждение к половому акту лица, признанного умственно неполноценным и находящегося в опеке».

– Дурак ты, Дорин, – сказала ему Валиулина и надулась всерьез – перестала разговаривать, только про служебное.

Так и жила коммуналка на Кузнецком Мосту до 16 мая.

А шестнадцатого всё закончилось.

В тот вечер Егор решил вместо прогулки сходить в кино. Почему бы немецкому шпиону не посмотреть «Валерия Чкалова»? Должен же он прикидываться нормальным советским человеком. Сеанс был в 20.40, так что на квартиру Егор вернулся около одиннадцати, думая: смог бы он, как Чкалов, пронестись на истребителе под мостом? Теперь, наверно, уже не рискнул бы – давно все-таки не летал. Часов десять-двенадцать налетать, тогда другое дело.

И вдруг стало ужасно жалко, что судьба разлучила его с небом. Это в фильме говорили таким языком, красиво.

Гонял бы себе на И-Шестнадцатом или «чайке» над облаками. Еще, говорят, новый штурмовик Ил-2 – мировой самолет. Не ломал бы себе голову над муторными вопросами: зря утопили троллейбус или не зря. И Надежда нос бы не воротила…

Только сунул ключ в скважину – дверь рывком распахнулась сама.

В коридоре теснилась вся группа и сам Октябрьский впридачу. Лица такие, что Егор вмиг понял без слов.

– Где тебя черти носили? – втащил его внутрь старший майор. – Ладно, башку я тебе потом откручу. Звонили. Дважды. Ровно в десять и в пол одиннадцатого. Мужчина. Вроде бы с акцентом. Галя сказала, ты обещался быть в одиннадцать.

На часах было без трех минут. У Егора сразу пересохло во рту.

– Первый раз звонили от Никитских ворот, из уличного автомата. Второй раз – из автомата возле

«Художественного». От обоих мест до немецкого посольства меньше десяти минут пешком... Да не дрожи ты! – Октябрьский схватил Егора за плечи, тряхнул за плечи и прошептал на ухо. – Про троллейбус помни. Признайся: думал – зря?

Прямо на этих словах зазвонил телефон, поэтому закончил шеф скороговоркой:

– В тот район отправлено несколько групп захвата. Приказ – брать. Твоя задача – растянуть разговор, чтобы успели определить место и подъехать. Всё, Валиулина, давай! – махнул он Гале, напряженно застывшей над телефоном.

Та быстро схватила трубку, однако заговорила лениво, сонно:

– Але... Чтоб он провалился, твой Степан. Ночь на дворе! ...Да пришел, пришел, куды он денется. Щас позову. Тьфу!

Октябрьский держал возле уха трубку спецтелефона. Глаза были устремлены на циферблат часов.

– ...Сорок секунд. Больше нельзя. Давай!

– Кто это? – настороженно спросил Егор и шмыгнул носом.

Октябрьский кивнул: всё нормально, так держать.

– Карпенко, это вы? – спросил неуверенный голос, пожалуй, что и вправду с легким акцентом. – Я от Петра Семеновича. Почему так долго шли?

– Есть, засекли, – одними губами прошептал старший майор. – Тяни время!

– Я долго? – зло зашипел в трубку Дорин. – Сижу тут чуть не месяц! Ящик отобрали, сами исчезли!

Не знал, что и думать. Гроши кончаются, соседи пристают – чего не работаешь…

– Спокойно, спокойно, – перебил его неизвестный.

Хотя неизвестный ли? Поразительная вещь: этот голос Егор вроде бы уже где-то слышал. Но где?

– Вы что, меня не узнаете? – спросил Вассер (наверняка это был он) и кашлянул. – Мы же с вами…

Не договорил – на том конце лязгнуло, и разговор прервался.

Егор растерянно оглянулся на шефа. Тот поднял ладонь в перчатке: тихо, не мешай.

В спецтелефоне что-то заурчало, и Октябрьский шлепнул рукой по стене, но не с досадой, а триумфально.

– Ко мне его, живо! – сказал он кому-то. – Не нашумели? Уверены? Ну, молодцы.

Широко улыбнулся Егору и остальным:

– Взяли! Отлично сработано. И вы, товарищи, тоже молодцы.

Два раза «молодцы» от шефа – это что-нибудь да значило.

Дорин едва успел вытереть рукавом испарину со лба, а Октябрьский уже тащил его на лестницу.

– Живо, за мной!

Пока шли в ГэЗэ (проходными дворами, с оглядкой), Егор успел рассказать о голосе – вроде бы знакомом, только не вспомнить, откуда.

Октябрьский бросил:

– Не мучайся. Через десять минут мы эту тайну пещеры Лейхтвейс разгадаем.

Разгадали.

Сначала в кабинет заглянул старший группы захвата (Егор видел этого сотрудника впервые). Гордо доложил:

– Шеф, прикажете заводить?

– Давай, Барыкин, предъявляй, – велел старший майор, садясь на край стола.

Дорин встал рядом, приготовился смотреть.

В дверь под руки ввели какого-то тощего, белобрысого. Голова его была опущена, так что Егор разглядел лишь хрящеватый нос и какую-то дулю, торчащую изо рта.

– Это я ему кляп резиновый засунул, чтоб не орал, – объяснил Барыкин. – Я, шеф, его как взял? Там в автомате верхнего стекла нету, так я его, голубу, прямо снаружи пальцами за горло – на парализующий захват. И сразу кляп в пасть. Чисто сработали, ей-богу!

В это время арестованный дернул подбородком – и Егор его узнал. Фон Лауниц это был, агент Эфир. Вот тебе и пещера Лейхтвейса!

На Октябрьского было страшно смотреть – так побелело и застыло его лицо.

А Барыкин перемены, произошедшей с начальником, не заметил:

– Вокруг никого не было, мы проверили. Этот, как очухался, особо не бултыхался, только мычал всю дорогу…

– Вынуть кляп! – приказал старший майор. – Ключ от наручников! И всё, Барыкин. Свободен.

– Шеф, да мы его толком еще не обшмонали! Вдруг оружие спрятано, яд? Или накинется.

– Свободен! – гаркнул Октябрьский – и Барыкин, отдав Егору ключ, поспешно ретировался в коридор.

– Можно воды? – осипшим голосом попросил Эфир, едва избавившись от кляпа. А когда осушил стакан, рассказал следующее.

Нынче вечером его внезапно вызвали к полковнику Кребсу, для выполнения срочного задания. Он должен позвонить радисту и, если узнает голос, передать инструкции. Предварительно протелефонировать господину Октябрьскому не решился – предполагал, что Кребс на всякий случай мог установить за ним слежку. Думал, сразу обо всем доложит после разговора с радистом и рапорта полковнику. Вдруг выяснятся какие-нибудь дополнительные сведения. А инструкцию он должен был передать такую...

– Вы когда обязаны отрапортовать Кребсу? – перебил его шеф.

– Сразу же после разговора с радистом.

Октябрьский аж застонал от досады.

– Про инструкцию потом. Звоните! Скажете: с радистом всё в порядке, приказ передал. Вон по тому аппарату. Живо!

Фон Лауниц схватил трубку, набрал номер.

– Это я, – сказал он по-немецки. – ...Только с третьего звонка... Говорит, гулял, надоело на месте сидеть... Нет, не думаю, что врет... Да, голос его, никаких сомнений...Во сколько? – Эфир посмотрел на стенные часы. – Десять минут назад, в 11.10... Сразу доложить не мог, возле автомата появился человек. Скорее всего, ему просто был нужен телефон, но я рисковать не стал, нашел другой...

Да, слово в слово… Слушаюсь. Как только вернусь, всё подробно изложу.

Он положил трубку и выжидательно посмотрел на шефа, который слушал разговор по отводу.

– Хорошо, – похвалил его старший майор. – Правдоподобно. Теперь про инструкцию. Что вы должны были передать радисту?

– Сейчас. – Фон Лауниц достал из кармана сложенную бумажку. – «Немедленно выходите из дома. Ничего с собой не берите. Из подворотни налево, сворачиваете на улицу Дзержинского, потом идете по Сретенке, через Колхозную площадь, и по Первой Мещанской до Ржевского вокзала. Всё время держитесь левой стороны. Возле пригородных касс к вам подойдут и спросят: «Молодой человек, вас звать Володей?» Идти небыстро, с заданного маршрута не сворачивать. Выполняйте!»

– Всё?

– Всё.

– Тогда до свидания. И спасибо. – Шеф крепко пожал немцу руку. – Вы убедитесь, что мы умеем награждать ценных агентов. У подъезда вас ждет такси, отправляйтесь к полковнику Кребсу писать отчет.

Вышел с фон Лауницем за дверь, но через каких-нибудь пол-минуты бритая голова снова появилась в проеме:

– Бегом, Егор! Время!

Они вдвоем неслись по длинным коридорам, потом по лестнице. Встречные сотрудники смотрели на бегущих без интереса: торопятся – значит, так надо.

– Маршрут запомнил? – говорил шеф. – Тот же фокус, что в прошлый раз. Только теперь сопровождать тебя не сможем. Ночь, улицы пустые. На то и расчет… На вокзал, конечно, людей пошлю, но тебя, скорей всего, перехватят где-нибудь по дороге. Как тогда. Егорка, работаешь один. Всё теперь зависит от тебя. Парень ты сообразительный, ориентируйся по ситуации. Эх, готовились-готовились, а даже канала экстренной связи не предусмотрели. Нá гривенников для автомата. И, главное, будь осторожней.

– Что, могут кокнуть? – бодро спросил Дорин, ссыпая монетки в карман.

Прежде чем ответить, Октябрьский немного подумал.

– Вряд ли. Зачем? Вассера ты не знаешь. Ни с кем не связан. Нет, ты им нужен живой. И мне, между прочим, тоже.

Перед самым выходом он отобрал у Дорина пропуск и пистолет, коротко обнял, толкнул в спину:

– Ну, катись. Я в тебя верю.

До угла Егор припустил бегом, чтоб хоть немного наверстать упущенные минуты. Вряд ли немцы затеяли слежку прямо возле ГэЗэ – побоятся мозолить глаза охране, ночью-то. От Сорокового гастронома перешел на шаг, сначала быстрый, потом помедленней.

В прошлый раз, перед встречей с Селенцовым, времени собраться с мыслями не было, зато теперь, под мерный стук каблуков, думалось ясно и четко.

Слюнтяй ты, Дорин, со своими переживаниями и сомнениями. Микроскопный человечек, маловер. Уже готов был осудить Наркома за троллейбус и восемьдесят две жизни. Не зря пали эти советские граждане. Они стали гвоздями, укрепившими бастион нашей будущей победы. Вассер все-таки клюнул! Теперь, если он сорвется с крючка, виноват в этом будет не Нарком, а исключительно лейтенант Дорин. На тебя и только на тебя ляжет тяжкая ноша ответственности за погубленных людей. Сейчас все они смотрят своими мертвыми глазами на то, как ты идешь по ночной улице, и шепчут: «Гляди в оба, Егор. Не допусти, чтобы наша смерть оказалась напрасной».

Но с такими мыслями хорошо идти в атаку – вскипеть священной яростью и вперед с криком «Ура! За Родину!». Егору же сейчас требовалась не ярость, а холодная голова. Поэтому он заставил себя думать не о страшной ответственности, а о делах практических.

Если Нарком – великий стратег, то шеф – великий тактик. Рассчитал точно: Вассеру позарез нужна связь. Терпел без нее сколько мог, но в конце концов был вынужден пойти на риск. Конечно, он устроит «радисту» проверку. Не выдержишь ее, провалишься – убьет. И не то беда, что одним дураком-лейтенантом на свете меньше станет. За дело обидно.

Сделалось Егору разом и страшно, и азартно. Я – стальной болт, сказал он себе, и шаг стал тверже, походка увереннней.

У Сретенских ворот из подворотни навстречу качнулась тень, за ней вторая.

Уже, так скоро?

Их было двое. Поднятые воротники, сдвинутые на глаза кепки. По виду – шпана шпаной, но после Селенцова Егор был готов ко всякому.

Он ждал, что спросят про Володю, однако сиплый тенорок попросил:

– Эй, корешок, дай закурить.

И вправду шпана, самая обычная. Разозлившись на зря скакнувшее сердце, Дорин огрызнулся:

– Да пошел ты!

Глупо, конечно. Только потасовки ему сейчас не хватало. Но, видно, было в его тоне что-то такое, отчего те двое шарахнулись назад, в темноту.

– Жлобина, – обиженно донеслось вслед.

Лейтенант даже не оглянулся.

Перебежал улицу перед носом у пустого трамвая, зашагал по Сретенке. Миновал один переулок, второй и вдруг услышал сзади:

– Молодой человек, вас не Володей зовут?

Голос женский.

Обернулся – под табличкой «Колокольников пер.» стояла девушка. Стройная, высокая, в сером пальто такого же оттенка, что угол дома – поэтому, проходя мимо, Егор ее и не заметил.

Почему-то на этот раз сердце повело себя прилично. Наверное, постеснялось испугаться женщины. Хотя, конечно, и представительница слабого пола запросто может разрядить в упор обойму. Тем более что руку незнакомка держала в кармане.

Обернулся – под табличкой
«Колокольников пер.» стояла девушка.

Егор медленно подошел.

Прядь темных волос из-под косынки. Черные брови вразлет. Взгляд прямой, неженский. Лицо странное, будто застывшее.

– Ну, – настороженно сказал Дорин. – Дальше что?

Она вынула руку из кармана, протянула. Пожатие было крепкое, неженское, да и ладонь широкая.

– Идемте, – сказала девушка и, не дожидаясь, первой пошла по переулку.

– Куда?

– Увидите.

Егор догнал ее, посмотрел сбоку.

Профиль был четкий, как у статуи. Вообще сбоку она показалось ему красивей, чем спереди.

– Так все ж таки, куды зараз идем? – повторил он.

– Решено перевести вас на более безопасную квартиру. Там и поговорим.

Грохнуть, что ли, хотят, подумалось Егору, и он внутренне сгруппировался. Боксера с хорошей реакцией врасплох застать трудно. Еще посмотрим, кто кого.

Они прошли сто метров, двести. Освещенная улица осталась сзади. Темные, будто неживые дома сдвинулись теснее. Самое подходящее место для мокрого дела.

Но девушка подозрительных движений не делала, вокруг тоже было тихо – ни шорохов, ни металлических щелчков.

Дорин немного расслабился. Если и будут кончать, то, похоже, не на улице.

Он приготовился, что они теперь будут долго петлять по лабиринту сретенских переулков, но девушка свернула направо, где за пустырем торчал прямоугольник трехэтажного дома с осевшей крышей и выбитыми стеклами. На стене белой краской выведено «ПОД СНОС».

Земля была засыпана мусором, щебенкой. Приходилось смотреть под ноги, не то навернешься.

Неразговорчивая Дорину досталась спутница. Октябрьский, наверное, сразу бы начал ее пульпировать, а Егор молчанию был рад. Хоть и затвердил легенду назубок, а все-таки нервничал: спросит что-нибудь неожиданное, и поплывешь. Отсрочка ключевого разговора была кстати.

С другой стороны, настоящий Карпенко вряд ли отмалчивался бы.

– Кем решено-то? Насчет другой квартиры? – спросил он, надеясь услышать в ответ: «Вассером».

Но незнакомка сказала:

– Центром.

И вдруг показала на заколоченную досками дверь подъезда:

– Сюда.

Егор моментально вновь мобилизовался. Пришли!

Девушка выдернула гвоздь, сняла доску. Внимательно оглянувшись на окна соседних домов (темные, лишь в одном за шторами оранжево светилась лампа), толкнула дверь и скрылась в черной щели.

Спокойно, велел себе Дорин. Двум смертям не бывать, а одной не миновать.

– Ну что же вы! Быстрей! – раздалось из проема.

Вздохнул поглубже, шагнул.

В подъезде пахло пылью и мышами.

Что-то щелкнуло, и Егор уж хотел метнуться в сторону, но девушка всего лишь зажгла фонарик.

Вверх вела лестница. На выщербленных ступенях какой-то хлам, засохшие кучи дерьма.

– Дуже поганая квартирка, – сказал Егор, изображая весёлость. – На Кузнецком Мосту мне нравилось больше.

– Нам туда, – посветила вниз девушка.

Лестница, оказывается, вела не только наверх, но и в подвал.

Спустившись на полпролета, незнакомка поскрежетала ключом в железной двери. Открыла.

Егор увидел небольшое помещение без окон. Наверно, когда-то тут жил дворник или истопник.

Из обстановки – лишь стол со стулом и голая железная кровать.

Зато имелось электричество: девушка щелкнула выключателем, и под низким потолком зажглась сильная лампочка.

Теперь можно было рассмотреть посланницу Вассера получше.

Черты лица правильные, но какие-то безжизненные, только черные глаза поблескивают злыми огоньками – но это, может, из-за лампочки кажется. Вдоль рта две жесткие складки. Не юная, под тридцать.

– И чего я буду робить в этой кутузке? – спросил Егор, оглядывая неказистую комнатенку.

– Работать. Рацию собрать сумеете?

От этого вопроса Дорина впервые по-настоящему отпустило.

Ага, рация им нужна! Значит, убивать не будут!

– Надо – соберу, – сказал он небрежно. – Только детали нужны.

Она достала из кармана блокнот и карандаш.

– Диктуйте.

– Та я лучше сам куплю. Вы перепутаете.

– Диктуйте, – повторила она. – Вам отсюда выходить нельзя. Приказ Центра.

– Как же я из подвала буду сеанс вести?

– Вот антенна, – показала девушка на свисающий из отверстия в потолке провод. – Она выведена на чердак.

Тут Дорин призадумался. Если его будут здесь держать безвылазно, как же он свяжется с шефом? Ну да ничего. Ушла бы эта Несмеяна (так он окрестил про себя неулыбчивую девицу), тогда можно сбегать на Трубную площадь, там телефонные автоматы.

– Вас как звать-то? – спросил он, вспомнив о пульпировании.

Она вообще кто, эта брюнетка? Связная Вассера, вместо Селенцова? Помощница? А может, любовница? С этакой сушеной мымрой не всякий путаться захочет.

– Завтра познакомимся, – бесстрастно ответила Несмеяна. – Диктуйте, я к утру всё достану.

Такое развитие сюжета Дорина устраивало, поэтому дальнейшие препирательства он прекратил.

– Ну шо будемо собирать… – задумчиво протянул он. –Шо-нибудь простенькое, навроде SE 100/11.

И забормотал как бы сам себе, нарочно погуще сыпя техническими терминами:

– Три модуля: приемник, передатчик, источник питания. Эге ж… Источник питания – це просто, подключимся к сети… Антенна есть… Значит, так. Пишите: ключ Морзе, аккумуляторная батарея, головные телефоны, съемные катушки, кварцевый резонатор… Ай, дайте я сам.

Он вырвал у нее блокнот, изображая нетерпение. Ну-ка, нет ли каких-нибудь полезных записей?

Увы. Блокнот был совсем новый, чистый.

Закончив со списком деталей, Дорин покровительственно сказал:

– Всё это можно купить в любом магазине «Радиолюбитель». Никто не удивится. В Советах полно радиокружков. Зараз дайте продавщице цей список, и будет гарно.

Непонятно было, благодарна Несмеяна за этот совет или нет. Она посмотрела в блокнот, спрятала.

– Завтра всё получите. Отдыхайте. Никто не будет знать, что вы здесь. Я запру вас снаружи и заколочу доской дверь подъезда.

Вот это в планы Дорина никак не входило.

– Э, э! – запротестовал он. – Да шо мне тут робить, в этой яме!

– Спать. Матрас и подушка вон там, под столом. Еду принесу утром. Захотите пить – в кране есть вода.

– А если не пить? Если наоборот?

Она молча ткнула пальцем куда-то в угол, и Егор увидел, что там, в полу, чернеет дыра.

– Некультурно, – обиделся он.

Девушка отрезала:

– Чем богаты, тем и рады.

Не прощаясь, вышла. В замочной скважине лязгнул ключ.

Да это же натуральная тюрьма, только теперь дошло до Егора. Посадили под замок – значит, настоящая проверка еще впереди. Может, в ихнем Центре собираются проверить его почерк? Тогда бояться нечего.

Он внимательно осмотрел помещение, но ничего примечательного не обнаружил. Встав на корточки, рассмотрел дырку в полу – благо еще не успел использовать ее по назначению. Кажется, под полом находился подвал. Но для экстренной эвакуации дыра не годилась. Будь Дорин не спортсмен, а какой-нибудь худосочный хлюпик, может, как-нибудь и протиснулся бы, а с такими плечищами нипочем.

Он расстелил на койке матрас, улегся и приказал себе спать легко и чутко. Организм выполнил распоряжение наполовину: в сон погрузился моментально, но вот насчет чуткости…

Короче, проснулся Егор оттого, что чья-то рука теребила его за плечо.

Открыл глаза – вчерашняя девушка. Только не в пальто, а в шелковой блузке – наверное, потеплело.

Сегодня Несмеяна показалась Дорину очень даже ничего. На любителя, конечно, но в целом девка видная. Опять же вдруг взяла и улыбнулась. Не очень это у нее получилось: губы раздвинулись, а глаза остались холодными. Но все-таки прогресс.

– Дрых, как сурок, – жизнерадостно сообщил ей Егор, садясь на кровати.

Ночью он не раздевался, так что стесняться было нечего.

– Пожрать принесли?

Она показала на бумажный пакет, лежащий на столе:

– Да, вот ваш завтрак. Но сначала вы соберете передатчик и проведем сеанс. Я принесла всё, что вы просили.

И пододвинула ногой маленький фанерный чемоданчик.

Хорош разведчик, мысленно обругал себя Дорин. Открыла ключом железную дверь, пакетом шуршала, чемоданчиком этим об пол шваркала – ни хрена не слыхал.

– Ну-ка, поглядим...

Он разложил на столе детали.

Действительно, всё достала. Даже раздобыла где-то четырехламповый супергетеродин, которого в магазине «Радиолюбитель» не купишь. Значит, кумекает у них кто-то в радиоделе. Вассер? Сама Несмеяна? Еще кто-то?

Пока он работал, девушка стояла у него за спиной. Ни слова не произносила и даже не шевелилась. Когда Егор пробовал с ней заговорить, отвечала:

– Не отвлекайтесь.

Получила инструкцию никаких разговоров до проверки не вести, предположил Дорин. Когда же объявится сам герр Вассер? Ведь должен он удостоить своего радиста аудиенции: расспросы-допросы, пульпация и всё такое.

Поскольку шеф велел ориентироваться по обстановке, у Егора на случай появления Вассера уже выработался план, очень хороший.

Не тратить времени на разговоры – сразу вырубить в нокаут. Если рядом будет девка, её тоже – не до джентльменства. Дело ерундовское: рраз левой, рраз правой, и готово. Потом связать и позвонить товарищу старшему майору. Принимайте товар, шеф. А если что не так, извините.

За приятными размышлениями время пролетело незаметно.

Егор выдернул из сети паяльник, подключил собранную рацию. Готово!

– Хоть принимать, хоть передавать, – довольно сообщил он, оборачиваясь. – Спасибо обер-лейтенанту Штиру, учил на совесть.

Имя квенцгутского преподавателя радиодела обронил как бы ненароком, и показалось, что Несмеяна навострила уши. Проверь, лапушка, проверь, мысленно посоветовал ей Дорин.

Она взглянула на часики.

– Без шести минут одиннадцать. Попадаем. Настраивайтесь на волну. Она вам известна.

Так точно, известна, покойник Карпенко сообщил. Она сказала «попадаем»? Надо полагать, в заранее обусловленный временной зазор.

– Передавайте позывные.

Абверовский Центр отозвался сразу. Выходит, в самом деле ждали.

– Теперь передавайте текст.

Цифры Несмеяна диктовала по бумажке. Егор шустрил ключом, радуясь, что столько времени проработал с магнитофоном. Сверяйте сколько угодно – от Карпенкинского почерка не отличите.

Он шевелил губами, беззвучно повторяя цифры. Мало ли что – может, у него привычка такая. На самом деле пытался запомнить. Память у лейтенанта Дорина была первоклассная.

– Передают, что сообщение принято, сеанс окончен, – сказал он, снимая наушники. – Теперь-то хоть покормите?

– Теперь покормлю.

Ого! Девушка снова улыбнулась, причем не так, как в прошлый раз, а масштабно, даже зубы показала. Взгляд все равно остался минус двадцать по Цельсию, но это уж, видно, такие в Абвере служат ледышки.

Все равно видно было, что довольна.

Достала из пакета бутылку кефира, французскую булку.

– И всё? – возмутился Егор. – Я вам что, мышонок? Не, голуба, так не пойдет. Сейчас выйду в магазин, куплю колбаски, сыра плавленого, хлеба полбуханки. Потом запрете меня обратно.

А сам уже прикидывал, что поведет ее в продуктовый на Трубную. Может, удастся хоть на пару минут оторваться.

– Позавтракайте этим, – сказала девушка. – А в магазин сходим позже, перед обедом. Покажете мне там, что вам покупать. На будущее.

Голос ласковей, не то что вчера. В общем, кое-какое улучшение в отношениях наметилось. Пожалуй, можно приступать к пульпации.

Егор налил в стакан кефиру. Спросил:

– Когда сведете с самим?

Имя «Вассер» произносить не стал. Ну-ка, что она ответит?

– Вы ешьте, ешьте. Потом поговорим.

Что ж, ладно.

Он откусил хрустящую горбушку. Запил.

Чудно́. Кефир был вроде холодный, а, попав в пищевод, будто закипел.

Егор удивленно прижал ладонь к охваченной пламенем груди, опустил голову – и увидел, что пол стремительно несется ему навстречу.

Когда глаза снова открылись, перед ним был не пол, а потолок – облупленный, грязный, со свисающим лоскутом масляной краски.

Егор хотел пошевелиться – и не смог.

Он лежал на кровати, руки вытянуты вверх и пристегнуты к изголовью ремнями. Щиколотки – тоже, к изножью.

Попробовал крикнуть – не открылся рот. Кажется, он был залеплен пластырем.

Единственное, что двигалось – шея.

Повернув голову, беспомощный лейтенант Дорин увидел Несмеяну. Она стояла возле раковины и медленно, тщательно мыла стакан.

Обернулась на скрип кровати, спросила:

– Очухался, предатель?

Как изменилось ее лицо! Оно и прежде-то было не из приятных, а теперь сделалось открыто враждебным. Черные глаза смотрели на Егора с холодной ненавистью. Как брезгливо ее пальцы протирали стакан, из которого Дорин напился отравленного кефира!

Чем он себя выдал? Откуда она знает?

– Ich bin kein Vertreter, – попробовал промычать он сквозь пластырь. – Sie irren sich![1]

Ремни, которыми он был пристегнут к кровати, оказались хитрыми: толстые, прочные, с несколькими делениями. Зачем деления, непонятно, но сейчас Егору было не до этого.

– Wer sind Sie? Was wollen Sie?[2]

Он изо всех сил двигал челюстью, пытаясь придать своему мычанию хоть какую-то членораздельность.

– Ме-е, ме-е, – усмехнулась девушка. Тонкие губы искривились. – Заблеял, баран.

– Wer sind Sie? Вы кто? – повторил Егор, отказавшись от второго вопроса, слишком длинного.

– Кто я? – догадалась она и коротко, зло рассмеялась.

Ответить и не подумала.

Тщательно вытерла идеально чистый стакан платком, налила воды до краев, стала медленно, с наслаждением пить.

И здесь Дорин, наконец, понял.

---

[1] Я не предатель! Вы ошибаетесь! (*нем.*)

[2] Вы кто? Что вам от меня надо? (*нем.*)

Замерев, он смотрел, как молодая женщина пьет воду из стеклянного стакана.

На подбородок стекла тонкая, прозрачная струйка.

Wasser!

Глава десятая

ПИСЬМА В НИКУДА

Ведь говорил же шеф, что Вассер может оказаться женщиной! Правда, сказано это было между прочим, чтобы, как выразился Октябрьский, «не зашориваться». Егор пропустил тогда эту версию мимо ушей, да и во всех последующих обсуждениях сотрудники группы говорили про Вассера исключительно в мужском роде. Хоть в современной разведке женщины встречаются не столь уж редко, всерьез предположить, что важный агент, которого немцы так тщательно оберегают, ходит в юбке, было трудно.

В том-то и штука! Ну кому придет в голову, что эта модно одетая, модельно подстриженная фря, возможно, владеет ключом к тайне, от которой зависит судьба двух могучих государств! Вот ведь знал Егор, что вызвать на встречу его может только Вассер, а увидел перед собой женщину – и даже в голову не пришло. Сто раз мог взять ее, запросто. Но Вассер оказалась хитрее...

– Намычался? – презрительно спросила шпионка. – Ладно, подыши. Но учти: одно слово – и заклею обратно.

Она подошла, рывком отодрала пластырь. Егор чуть не взвыл от боли – за ночь на лице отросли волоски.

Он ждал, что сейчас она ему что-то скажет. Устроит допрос, станет грозить или просто глумиться: что, мол, скотина чекистская, думал Абвер вокруг пальца обвести?

Вышло хуже.

Вассер просто повернулась и вышла. И только услышав, как в замке поворачивается ключ, Дорин понял, что никаких допросов и объяснений не последует.

Оставшись один, он попробовал ворочаться.

Возможности были, мягко говоря, ограниченны. Он мог двигать кистями рук сантиметра на три – дальше не пускали ремни. Ноги были пристегнуты чуть свободней, но что от них толку?

Попытался дотянуться зубами до запястья. Куда там!

Ухватился за прутья спинки, подошвами уперся в противоположную решетку. Стал трясти кровать в надежде, что она развалится. Захрипел от напряжения, весь изошел потом, но ничего не добился.

Кровать была выкована на совесть и к тому же прикручена к полу.

Яростные рывки привели лишь к тому, что кожа на запястьях и щиколотках покрылась ссадинами.

Ременная конструкция была придумана с умом. Наверняка какой-нибудь доктор гестаповских наук потрудился.

– Помогите! – заорал тогда Егор, во всю грудь. – Эй, кто-нибудь!

И кричал долго, пока не понял: никто его снаружи не услышит. Иначе разве Вассер сняла бы пластырь?

Лишь обессилев, ободравшись и охрипнув, Дорин занялся тем, с чего хорошему разведчику следовало бы начать, – анализом сложившейся ситуации.

Анализ получался такой, что хоть волком вой. Предполагалось, что волк – это Вассер, а Егор – охотник. Но зверь перехитрил ловца, и тот угодил в собственный капкан. Теперь можно выть сколько угодно – никто не услышит.

Как нагло, как точно провела она свою партию! Да, ей очень нужен радист, но играть с судьбой в угадайку Вассер не стала. Она просто заманила радиста в ловушку, заставила его собрать передатчик, проверила, работает ли связь, а потом захлопнула капкан. Ей, в сущности, наплевать, перевербован Степан Карпенко чекистами или нет. Да и на самого Карпенку тоже. Он будет вынужден делать то, что ему говорят: передавать и принимать шифровки, смысла которых не понимает. А когда Вассер выполнит свое задание и надобность в радисте отпадет, она его просто прикончит.

Как говорится, просто и гениально.

Всё вышеизложенное относилось к категории негатива. Теперь следовало найти в ситуации хоть какие-то проблески позитива.

Совершенно очевидно, что сам по себе шеф никогда и ни за что не отыщет своего сотрудника в этом чертовом подземелье, но, может быть, перехватят и запеленгуют радиосигнал?

Если сеансы будут такими же короткими, как первый, то навряд ли. Опять же, самый центр Москвы, тут в эфире сигналов полным-полно, самых разных. А главное, шефу в голову не придет, что Дорин выходит на связь с немецким Центром, не дав об этом знать своему начальнику.

В общем, никакого позитива Егору вычленить не удалось, даже самого маленького.

И тем не менее, от анализа полагалось переходить к оргвыводам.

Как действовать дальше?

Вариантов вырисовывалось три.

Первый: отказаться выполнять приказы. Не передавать шифровок, и точка. Правда, это будет означать, что Вассер своего пленника немедленно выведет в расход.

Второй: передавать не то, что она диктует, а какую-нибудь белиберду. То же самое с приемом. Это опять неминуемая смерть, только с маленькой отсрочкой. Вассер придет к себе, проверит по коду – и всё, кранты. Вернется в подвал. Пиф-паф, ой-ё-ёй, умирает зайчик мой.

Третий вариант: делать, что говорят, и выжидать, не совершит ли Вассер какой-нибудь ошибки. Граф Монте-Кристо вон не из какого-то подвала – из замка Иф сбежал. Правда, у него ушло на это четырнадцать лет. У лейтенанта Дорина столько времени не будет.

Третий вариант Егору понравился больше, но, скорее всего, по недостатку твердости. Помирать было неохота, особенно вот так, сразу. Однако работать на рации – это пособничать агенту Вассер в ее черном деле, не известно каком, но вредном и, возможно, даже смертельно опасном для Родины. Кто знает, что было в шифровке, которую Егор уже передал, и что будет в следующих? Может, у Вассер задание перед самым началом войны взорвать Кремль вместе с Вождем или ЦК ВКП(б)? Что ж, помогать в этом фашистам?

Зайдя в тупик с вариантами, Дорин поставил вопрос иначе: как бы в этой ситуации поступил Октябрьский?

Ну, во-первых, старший майор в такое позорное положение нипочем не угодил бы. Он сразу же догадался бы, что женщина – не связная и не мелкая абверовская порученка, а Вассер собственной персоной. Вычислил бы по жесткому взгляду, по волевой складке у рта, по психофизике. Уж шеф бы не попался, как кур в ощип. Представить себе Октябрьского прикрученным к железной койке было трудно. Но если бы такое и произошло, ясно одно: он не сдался бы, он бы продолжал бороться.

Значит, будем бороться, сказал себе Егор, и ему впервые стало чуть-чуть легче. Паники больше не было, мозг заработал четче.

Можно, конечно, навредить шпионке, оставить ее без связи, пускай ценой собственной жизни. Только сильно ли ей этим напакостишь, вот в чем вопрос. Передатчик-то ведь уже собран. В конце концов стучать морзянку, через пень-колоду, можно научиться и по самоучителю, дело не столь хитрое. Опять же, если Егор погибнет, ниточка к агенту Вассер оборвется, теперь уже навсегда. И болт по имени лейтенант Дорин вместо того, чтобы укрепить своей гибелью советскую конструкцию, покатится по полу бесполезной железкой.

Значит, все-таки вариант три. Он – радист Степан Карпенко. Испуган, понимает, что находится на подозрении и мечтает только об одном: реабилитироваться. Поэтому приказы будет выполнять беспрекословно, и за страх, и за совесть. А тем временем нужно смотреть в оба и дожидаться момента, чтоб нанести ответный удар. Как говорили древние, пока живу – надеюсь. На победу.

Трудное решение было принято, и Егору захотелось, чтобы Вассер поскорее вернулась. Но ждать пришлось долго.

От лежания на спине с вытянутыми руками и ногами затекло всё тело. Кое-как Егор повернулся на бок. Руки при этом оказались вывернутыми, и скоро пришлось менять позу.

Невыносимей всего, что шеф и ребята сейчас сходят с ума, разыскивая Дорина. Думают, его похитили: посадили в машину или сунули в багажник, увезли куда-нибудь. Может быть, пытают. Или уже убили. И невдомек им, что он находится всего в десяти минутах ходьбы от ГэЗэ! От досады Егор аж заскрипел зубами.

Спокойно, спокойно, расслабься, уговаривал он себя, подавляя бешеный позыв рваться, корчиться, биться, рычать – только бы освободиться от пут. Всё равно не освободишься, лишь еще больше обдерешь кожу…

Он кое-как совладал с истерикой, попробовал спать и даже уснул, но, кажется, ненадолго. Во-первых, накануне выспался, а во-вторых, очень уж неестественной была поза.

Уходя, Вассер погасила свет, в комнате было темно. Глаза привыкли к мраку и различали контуры стола, кроватной спинки, но не более. Который теперь час, было непонятно. Изогнувшись, Дорин посмотрел на запястье – часы у него были хорошие, со светящимися стрелками, бывшая собственность Степана Карпенки. Пять минут десятого, секундная не движется. Стоят. Значит, после завода миновало более 36 часов. Пружину Егор подкручивал вчера утром, стало быть, уже как минимум вечер 17 мая…

Неудивительно, что, несмотря на все потрясения и переживания, ужасно подвело живот. Последний раз Дорин ел перед сеансом в кинотеатре «Метрополь», сутки с лишним назад. Откушенная горбушка не в счет.

Где-то там, на столе лежала булка. Приподняв голову, Егор даже разглядел на столе светлое пятнышко. Да что проку?

Ничего, сказал он себе. Человек может обходиться без пищи две недели. Если этой подлой Вассер нужен радист, будет кормить, никуда не денется.

Но вскоре муки голода отошли на второй план, вытесненные напастью похуже.

Дорину нужно было в уборную, и чем дальше, тем сильнее. Не в штаны же дуть – советский чекист никогда до такого не унизится. Лучше сдохнуть, чем доставить этой абверовской сучке такое удовольствие!

И сразу вспомнилась история про собаку, еще саратовская, когда в школе учился. У Егорова одноклассника была хорошая псина, овчарка по кличке Индус. Умная, дисциплинированная – не хуже, чем у пограничника Карацупы. Однажды Витька (так звали одноклассника) и его родители отравились грибами и всей семьей загремели в больницу. Индус остался дома один. Потерпел сутки, потерпел вторые, а на третьи сдох – мочевой пузырь лопнул.

Вот и лейтенант Дорин, похоже, был на том же пути.

Пришлось снова мобилизовать волю. Егор укусил себя за язык. Больно, до соленого вкуса во рту. И помогло.

Потом начал считать. Дойдет до тысячи, и переворачивается на правый бок. Еще раз до тысячи – и на левый. Третий раз – и на спину. Потом снова. И снова. И снова.

От беспрерывного счета накатило оцепенение. Сон не сон, дурман не дурман, только в темноте что-то заколыхалось, и из мрака полезла всякая чертовщина: то померещится, будто на столе сидит человек и тонко, протяжно воет; то заскрипит дверь, и в проеме зажгутся два зеленых глаза.

Егор вскидывался, по лицу стекал липкий, противный пот.

Бес его знает, сколько всё это продолжалось, но долго. Очень долго.

Когда дверь лязгнула и стала открываться, Егор посмотрел на нее вяло – думал, опять какая-нибудь небывальщина мерещится. Не слишком заинтересовал его и силуэт, прорисовавшийся в проеме. Но свежий воздух, которым повеяло в комнату, присниться никак не мог. Дорин жадно втянул его ноздрями, только теперь ощутив, как сильно страдал от духоты.

Щелкнул выключатель, и лейтенант ослеп от яркого электрического света.

По полу простучали каблучки, остановились возле кровати.

Это была она. В кокетливой шляпке, в светлом прорезиненном плаще, забрызганном дождем. Лицо надменное, властное.

Судя по тому, что дверной проем за ее спиной не чернел, а серел, сейчас был день.

– В уборную, – прохрипел Егор, у которого от крика совершенно сел голос.

Она молча залепила ему рот пластырем.

Зачем, почему? Демонстрирует, что все равно не поверит ни единому слову?

А Дорин заготовил целую речь: про свою верность великой Германии, про готовность ответить на любые вопросы, выдержать какую угодно проверку.

Зря старался. Слушать его она не собиралась. Для нее Карпенко – недочеловек, Untermensch.

По-прежнему не произнося ни слова, Вассер поколдовала над ремнем, державшим левое запястье Дорина, просунула иголку в другую дырочку. Теперь рука могла отодвинуться от решетки сантиметров на двадцать. То же самое шпионка сделала с левой рукой. Потом пристегнула одно запястье к другому, и лишь после этого отсоединила оба ремня от спинки.

Егор, застонав, сел на кровати. У него отчаянно ныли плечи, локти, кисти, и всё же держать руки перед собой, согнутыми было настоящим наслаждением.

Пока он сгибал и разгибал суставы, Вассер сцепила ему ноги, отстегнув их от противоположной решетки.

Сначала Дорин сел на кровати, потом встал. Покосился на женщину, подумав, что можно было бы неплохо врезать ей даже и сцепленными кулаками. Но Вассер бдительности не теряла – всё время держалась сзади и чуть сбоку.

Она подтолкнула его в спину. Егор понял – к дырке в полу.

Идти он мог только крошечными шажками. Расстегнул ширинку, промычал: мы-мы-мы-мы-мы-мы, что означало «отвернулась бы хоть».

Вассер поняла, но глаз отводить не стала, только скривила губы.

Мучительно покраснев от унижения, Егор промычал как можно отчетливей: му-ма («сука»).

– Давай-давай, – сказала она. – Для меня существует только один мужчина. А ты для меня – мышь.

Какой такой мужчина? Наверно ихний Фюрер, подумал Егор.

– Руки мыть. – Она толкнула его к умывальнику, когда он закончил.

Вот гнида немецкая! Еще культурности учит!

Допрыгав до раковины (семенить Егор счел ниже своего достоинства), он не только вымыл руки, но сунул под струю голову. Потом напился. Какое, оказывается, счастье обычная водопроводная вода.

– Есть, – пихнула его к столу Вассер.

Кроме давешней надкусанной булки никакой еды там не было.

Может, объявить голодовку протеста, заколебался Дорин, еще не опомнившийся после перенесенного унижения. Нет, Карпенко голодовку объявлять бы не стал.

– Одно слово – и снова залеплю. Останешься без хлеба, – предупредила Вассер, прежде чем отодрать пластырь.

Он очень старался есть не жадно, но всё же проглотил зачерствевшую булку в три укуса.

– Хорошо проведешь сеанс, получишь вторую, свежую.

Вассер достала из сумки еще одну булку, сунула под нос – понюхать. У Егора от запаха теплого хлеба закружилась голова.

– Будешь работать?

Он кивнул.

Тогда она смахнула со стола крошки, пододвинула рацию. Сама надела ему наушники, всё время держась сзади.

Приемник тоже включила сама.

Минуту спустя в телефонах запищали позывные немецкого Центра:

– 7373, 7373, 7373.

Егор кивнул: есть, мол.

– Отвечай.

– 0009, 0009, 0009, – отстучал Дорин позывные Карпенки.

А Вассер уже подсовывала ему бумагу – записывать шифрограмму из Центра.

Выводя карандашом колонки семизначных цифр, Егор мысленно проговаривал их, пытался запомнить. Сам всё время следил краем глаза: вдруг она расслабится, наклонится над столом, чтобы лучше видеть, как он пишет. Воткнуть гадюке карандаш в глаз, насколько войдет. И, пока не очухалась от болевого шока, вышибить из нее душу. Не насмерть, конечно, – до потери сознания.

Когда сеанс закончился, Вассер забрала бумажку, дала Егору булку. Едва сунул в рот последний кусок – опять залепила рот. Тычками погнала к кровати, заставила лечь.

Пристегнула руки, потом ноги.

Сняла пластырь.

Погасила свет.

Вышла.

Егор снова остался в темноте один, на много часов.

И началась жизнь, которую невозможно было назвать жизнью. В ней не было дня и ночи, лишь мрак, перемежаемый редкими вспышками электрического света – когда узника навещала тюремщица.

Время утратило равномерность, оно двигалось рывками. Многочасовое ожидание сливалось в единую бесконечную паузу, где не было ничего кроме скрипа кровати, мысленных разговоров с самим собой да муторных полуснов-полувидений. Из происшествий – лишь поворот со спины на бок и обратно.

Но стоило ключу заскрежетать в дверной скважине, и мир преображался. Он наполнялся ослепительным светом и звуками, которые после долгой тишины казались Егору оглушительными. Время, судорожно встрепенувшись, пускалось вскачь, наверстывало упущенное.

Сеансы связи происходили не каждый день. Чаще всего Вассер просто давала пленнику поесть, попить, оправиться, немного размяться и, не произнеся ни слова, удалялась. Какие-нибудь четверть часа – и он снова оставался один, прикованным к своей ненавистной койке.

Поэтому, когда Вассер, накормив его очередной булкой, пододвигала передатчик, у Егора против воли радостно сжималось сердце. Лишние десять минут света и движения! Новая порция цифр для заучивания – а это означало, что будет чем себя занять во время ожидания: повторять текст десятки, сотни раз.

Ну и кроме того, всякий раз, когда радист принимал или отправлял шифрограмму, ему полагалась премия: кусок колбасы или сыра. В мире, в котором теперь существовал Дорин, это было очень большое событие.

Говорить с тюремщицей ему воспрещалось. Войдя, она сразу налепляла ему пластырь и снимала его только на время приема пищи. Однажды Егор успел произнести тщательно продуманную немецкую фразу: «Послушайте, нельзя так обращаться с людьми, преданными нашему общему делу». В результате остался без еды, на целые сутки.

Вассер открывала рот редко, исключительно во время сеансов: «Позывные. Есть? Принимай. Отправь вот это» – и всё. Говорила всегда по-русски. Должно быть, считала унтерменша недостойным внимать языку своего Фюрера.

Для нее Егор был не человек, а голая функция – уши, да пальцы на ключе. Она же, хотел он того или нет, заняла в кошмаре, из которого теперь состояла его жизнь, место Главного Персонажа. Даже единственного. Выражение ее лица, мимика, интонация – всё имело для него огромное значение. Какой хлеб она принесла – белый или черный? Что за бутылка у нее в сумке – с кефиром или с молоком? Зачем она посмотрела на рацию – просто так или будет сеанс связи?

Самое противное было то, что Егор понемногу приспосабливался к подвальному существованию.

Первым приноровилось брюхо. Желудок научился угадывать время кормежки, и примерно за полчаса до появления Вассер начинал исходить соком.

Потом сориентировались мочевой пузырь и кишечник. Они больше не терзали Егора бесплодными позывами, а давали о себе знать сразу после того, как просыпался желудок.

Затекшее тело ждало прихода Вассер, дрожа от нетерпения: сейчас можно будет расправить руки, сесть, сделать несколько шагов.

Отвратительней всего, что и сердце откликалось на лязг двери радостной барабанной дробью.

Вот что фашистские сволочи хотят сделать со всеми нами, скрежетал зубами лейтенант. Превратить в голую функцию, в рабочую скотину, в свиней, которые радостно хрюкают перед кормежкой.

Я уже не человек, я собака Павлова. Зажигается лампочка, и у меня сразу изо рта текут слюни.

От тяжелой, удушающей ненависти у Егора сводило кулаки. Ах, что бы он сделал с этой гадиной, если б не связанные руки. Или пускай связанные, только бы она хоть раз подставилась, чтоб можно было врезать ей снизу вверх, в подбородок. Или сбоку, в висок. Он вложил бы в этот удар всю свою силу, всю ярость!

Но проклятая шпионка была опытной дрессировщицей. Всё время настороже, всё время на расстоянии вытянутой руки. Сколько раз, ковыляя стреноженным к столу, Егор прикидывал: если резко развернуться, достанет он ее или нет? Получалось, что вряд ли. Когда садился, она сокращала дистанцию, но сидя разве размахнешься?

Да и сил с каждым днем оставалось всё меньше.

От скудной еды, от неподвижности, от духоты Егор стремительно слабел. Теперь, поднимаясь с кровати на ноги, он с трудом удерживал равновесие – от резкого движения перед глазами вспыхивали круги. Прыгать по полу он перестал, вместо этого мелко переступал. Не только из-за слабости, но и потому, что брюки на нем висели мешком, прыгнешь – свалятся. Ворочался на койке гораздо чаще, чем вначале. Это оттого, что выпирали кости.

Через какое-то время (счет дням Егор потерял быстро, потому что дней как таковых в его жизни больше не было) из темноты полезла уже не мелкая чертовщина, а самые настоящие, добротные галлюцинации. В основном, конечно, неприятные.

Однажды он вдруг увидел себя со стороны.

Глухое помещение без окон, на кровати, изображая собой букву Х, лежит грязный человек. Невидящие глаза уставлены в потолок.

Потом то же самое, но с расстояния. Стены, пол, потолок по-прежнему окутаны мраком, но в то же время прозрачны, и видно, что человечек лежит в одной из ячеек пустого, заколоченного дома. Над ним три этажа, под ним глухой подвал. В доме ни души, только бесшумно проносятся юркие мыши, да покачивается на сквозняке паутина.

В другой раз привиделось, что дом – живой. Этакое чудище вроде чуды-юды-рыбы-кит. Чудище наглоталось всякой дряни: мусора, сломанной мебели, битого кирпича, заодно сожрало человека на железной кровати, и теперь тяжело дышит, переваривает невкусную пищу.

Была и такая галлюцинация: будто на всех этажах, во всех комнатах полным-полно людей, все занимаются какими-то своими делами. Хозяйки стирают и варят, дети играют, мужчины пьют вино и забивают козла. Егор мог заглянуть в каждую квартиру, рассмотреть лица, его же не видел никто. Так выглядел дом до того, как из него выселили жильцов, догадался Дорин, и ему стало себя очень жалко: как же так, всех увезли, а его оставили?

Дом мучил, мучил своего пленника и в конце концов окончательно распоясался.

Спит Егор – вдруг чувствует, что у изголовья кто-то сидит. Сначала подумал: Вассер. Заспался он, не услышал, как вошла. Потихоньку приоткрыл глаз, посмотрел сквозь ресницы: что ей от него надо?

Она сидела, опустив голову, и лица было не видно, только силуэт опущенных плеч. Потом женщина подняла руку, погладила Егора по колючей щеке. Вздохнула.

Откуда-то засочился бледный свет – совсем слабый, но его хватило, чтобы Дорин смог разглядеть лицо своей мучительницы. Оно было печальным и очень красивым, совсем не таким, как наяву.

– Так вот ты какая на самом деле… – прошептал потрясенный Егор.

Она ласково прикрыла его рот пальцами, грустно улыбнулась, а дальше началось кошмарное. Глаза слегка раздвинулись и из черных сделались зелеными, нос заострился, губы округлились, кожа побелела, щеки втянулись – Вассер преобразилась в Надежду.

– Бедный ты мой, бедный, – прошептала Надежда, и Егор расплакался от жалости к самому себе.

Но когда химера рассеялась, его охватило бешенство.

Это уж была подлость, чудовищная подлость!

За всё время заточения он ни разу не позволил себе думать о Наде. Воспоминаниям о девушке, которую Егор любил и навсегда потерял, не место в мерзком, зловонном подземелье.

Но подвал забрал такую власть над воображением своего раба, что бесцеремонно вторгся в самую заветную область памяти, не спросив у Егора согласия.

Я уже не хозяин собственному мозгу, подумал он и здорово испугался: скоро, очень скоро он сойдет с ума, а это хуже смерти.

Однажды он вдруг увидел себя со стороны.

Нужно чем-то занять бесконечно долгие часы ожидания, иначе человек по имени Егор Дорин превратится в животное, а значит, перестанет быть.

Так были приняты два решения, спасшие его от безумия.

Во-первых, он разрешил себе думать о Надежде и даже обращаться к ней.

Во-вторых, начал писать письма.

Не пером и не на бумаге – морзянкой по спинке кровати.

Писал Егор попеременно то шефу (это были донесения), то Наде (эти послания относились к категории сугубо личных). Правда, иногда письмо, обращенное к одному, незаметно меняло адресата, но это не имело значения. Главное, что Егор теперь был не один. Галлюцинации кончились. И свиньей в свинарнике он больше себя не чувствовал.

Если бы кто-нибудь заглянул в темный и душный подвальный отсек пустого дома, предназначенного на слом, то увидел бы необыкновенную картину.

Отощавший, заросший щетиной человек с мерцающими глазами и рассеянной улыбкой лежал на кровати почти неподвижно, только палец без устали выбивал из железной стойки негромкие, гулкие звуки: точка, точка, тире, точка…

ВЫДЕРЖКИ ИЗ НЕОТПРАВЛЕННЫХ ПИСЕМ ЛЕЙТЕНАНТА ГОСБЕЗОПАСНОСТИ Е. ДОРИНА

...Шеф,я виноват, что не докладывал вам раньше. Если б додумался, то не сбился бы со счета времени, а так я даже приблизительно не знаю, сколько времени меня здесь держат. Две недели? Три? Месяц? Я раскис, утратил силу воли. Простите меня, больше этого не будет.

По крайней мере, я запомнил все отправленные и принятые шифровки. Вот они, для памяти я буду повторять их в каждом письме.

Первая отправленная(на второй день заключения, то есть 17 мая):

238795 383020 289292
365363 383839 373838
373839 393930 038539
479328 340538 450934
374595 349958 383940

Первая полученная (не помню, когда):

/Колонка семизначных чисел/
Вторая отправленная (не помню, когда):

/Колонка восьмизначных чисел/

Вторая полученная (не помню, когда):

/Колонка шестизначных чисел/

Третья отправленная (три дня назад):

/Колонка пятизначных чисел/

Четвертая полученная (сегодня. Жалко, не знаю число):

/Колонка семизначных чисел/.

Очевидно, шифр все время меняется. Группы то шестизначные, то семизначные, то пятизначные, то восьмизначные. Вы рассказывали, что у немцев есть какая-то хитрая математическая машина. Она способна создавать бесчисленное количество шифров и никогда не повторяется. Но может все-таки наши специалисты разберутся? Если только я выберусь отсюда и передам текст шифровок. Если только я выберусь отсюда. Если только я выберусь отсюда. Если только я выберусь отсюда. Если только я выберусь отсюда. Если только я выберусь отсюда. Если только я выберусь отсюда.

...Приметы агента Вассер такие. Рост где-нибудь метр шестьдесят семь-восемь. Лоб широкий, глаза поставлены узко. Радужная оболочка темная, почти черная. Разрез слегка миндалевидный, уголки чуть приподняты. Нос прямой, правильный. Рот широкий, тонкогубый. По сторонам выраженные носогубные

складки. Волосы черные, но я думаю, что крашеные. Потому что брови светло-русые.

Что я еще про нее знаю?

Она всё время одевается по-разному. У обыкновенной советской женщины ведь как? Один выходной наряд, плюс один, много – два повседневных. А эта без конца меняет юбки и платья. Иногда они модные, иногда совсем простые. Как будто ей все время приходится появляться в разной среде. Один раз она была в красной косынке и с КИМовским значком на блузке, будто на демонстрацию собралась. Или на митинг.

Пожалуй, ее можно назвать красивой женщиной. Особенно если накрасит губы и подведет глаза. Только выражение лица поганое. Будто касторку проглотила. Хотя, наверно, когда она на своих смотрит, у нее рот до ушей. Все равно, не завидую я тому, кого обнимает эта гадина.

Еще вспомнил, из области особых примет. Двигается она резко. Не то что б неуклюже, но скорее по-мужски, чем по-женски.

Про характер.

Волевая. Выдержанная. Каждое движение продумано. Жестокая. Это я заключаю из того, как она себя со мной ведет. Ей явно доставляет удовольствие обращаться со мной, как с недочеловеком.

Теперь про голос...

...Как мне жалко, родная, что я держался перед тобой надутым индюком, павлином в перьях. Непонятно, как ты вообще сумела что-то во мне раз-

глядеть. Ничего лучше тебя в моей жизни не было и, кажется, уже не будет. Посмотреть бы на тебя еще раз. Пускай как тогда, из-за решетки. Пускай ты даже будешь со своим Маргулисом. Зря я тогда на него окрысился. Мужик он наверно все же неплохой. Вон как на тебя смотрел. И талант к тому же. Будет новым Фраерманом. Или Фаерманом. Я не запомнил. Посмотреть бы, как ты идешь по улице. Как улыбаешься. Но только чтобы ты меня нынешнего не видела. Помни меня сильным, белозубым, чисто одетым. Представляю, во что я превратился, какой от меня запашок. Вассер, когда входит, держит у носа платочек, надушенный. Ничего, гнида, пускай нюхает. Я, шеф, еще вот про что забыл. Родинка у нее на левом крыле носа. Совсем маленькая, розовая...

...А если из этого подвала живым не выйду, получится, что жизнь у меня была совсем короткая. Но неплохая, грех жаловаться. И в небе летал, и настоящих людей видел, и про себя что-ничто понял. В 23 года, конечно, коньки отбрасывать рановато, но сейчас в мире почти всюду война, многие еще моложе меня умирают. В том числе даже дети. Я так думаю, шеф, не суть важно, сколько ты прожил. Главное, чтоб правильно. Одна у меня только мечта. Суке бы этой зубами в горло впиться. Или хотя бы вмазать напоследок. Хоть разок...

...Долго не было шифровок. Ни туда, ни оттуда. Последние десять раз Вассер приходила пустая.

Я только сидел, слушал эфир. Ничего. Такого перерыва еще никогда не было. А сегодня вдруг позывные Центра. Я отозвался. Пришла шифровка, очень короткая. Всего пять цифр, повторенных три раза. 22444. Что это может значить? Вассер, по-моему, тоже удивилась. Даже спросила меня: «Это всё?»

Лежу и думаю. Что такое «22444»?

Это письмо лейтенанта Дорина оказалось последним.

Глава одиннадцатая

ИЗЪЯТАЯ

Эта глава, описывающая некоторые события, произошедшие на рассвете 12 июня 1941 года, изъята по соображениям секретности и помещена в «Особую папку».

ЗАСЕКРЕЧЕНО

ЗАСЕКРЕЧЕНО

ЗАСЕКРЕЧЕНО

ЗАСЕКРЕЧЕНО

ЗАСЕКРЕЧЕНО

ЗАСЕКРЕЧЕНО

ЗАСЕКРЕЧЕНО

ЗАСЕКРЕЧЕНО

ЗАСЕКРЕЧЕНО

ЗАСЕКРЕЧЕНО

ЗАСЕКРЕЧЕНО

ЗАСЕКРЕЧЕНО

Глава двенадцатая

НЕИНТЕРЕСНАЯ ЖЕНЩИНА

В тот день приход Вассер впервые застал Егора врасплох. Живот не просигнализировал, сердце не подсказало – из этого следовало, что явилась она в неурочное время.

Дорин не спал и не отстукивал морзянку, а просто лежал на боку, когда слух, многократно обострившийся от привычки к тишине, уловил за дверью звук шагов.

Пленник встрепенулся. Может, в заколоченный подъезд попал кто-то посторонний? Любопытные мальчишки, пьянчуги, да пускай хоть шпана, только бы живые люди!

От волнения перехватило в горле, и Егор испугался, что не сумеет крикнуть. Но кричать не пришлось. Раздался знакомый скрип ключа, и на пороге появилась она.

Он сразу почувствовал: что-то не так, что-то изменилось, и дело даже не в нарушении установленного графика.

Сам не смог бы объяснить, что именно его насторожило. В голове мелькнуло: наверное, точно так же собака моментально чует настроение хозяина. От такой мысли Егор жутко разозлился: это ты, сука гитлеровская, собака. А я человек.

Может, померещилось?

Вид у Вассер был такой же, как всегда. И вела она себя обычным образом: зажгла свет, поставила на стол сумку.

Дорин по привычке попытался угадать, что там сегодня. Кормили его скудно, но всякий раз что-то в рационе менялось. Иногда кроме хлеба она приносила пучок весенней зелени, иногда кусок масла или, скажем, пару кусков сахара. Ясное дело, не чтоб его побаловать, а чтобы совсем не обессилел.

Со временем Егор научился почти безошибочно определять, какая еда в сумке.

Сегодня, судя по контуру, там была только большая, литра на полтора, бутылка, и больше ничего. Как так – ничего?

У него застучало в висках. Тревога! Тревога! Тревога!

Вчера небывало короткая шифровка из Центра, а нынче никакой еды? И непонятная бутылка?

Он втянул носом воздух. От скудости подвальных запахов обоняние, как и слух, у Дорина здорово обострилось.

Кажется, от сумки тянет керосином.

Неужели всё, конец?!

Сейчас выстрелит, потом обольет горючим, подожжет…

Не подавать виду, что догадался! Ни в коем случае!

Он притворно зевнул, делая вид, будто только-только проснулся.

И чуть не всхлипнул от облегчения, когда Вассер достала из кармана кусок пластыря. Значит, еще поживем!

И всё вроде бы пошло, как обычно.

Она залепила ему рот, сцепила руки и ноги, отстегнула их от кровати. Правда, Егору показалось, что сегодня она особенно осторожна, но, может быть, он это напридумывал.

Усадила за стол.

И тут начались сюрпризы.

– Отправить. Срочно. Еда потом, – сказала Вассер и положила перед ним листок.

Пододвинула рацию.

А еды-то никакой нет, он это точно знал!

И шифровка была необычная, состоящая из четырехзначных групп. В конце же только две цифры: 22.

У Дорина выработалась своя система запоминания текстов – не слуховая, а зрительная. Он придумал для каждой цифры свой цвет: единица – красный, двойка – белый, тройка – синий, четверка – зеленый, пятерка – желтый, шестерка – оранжевый, семерка – черный, восьмерка – коричневый, девятка – фиолетовый, ноль – хаки. Запоминал сочетания, так что шифрограмма оставалась в памяти, как набор разноцветных флажков. Зажмуришься – и видишь их перед собой.

Ключом сегодня работал медленней обычного. Во-первых, тянул время. Во-вторых, приглядывался.

Вассер, как всегда, стояла слева и сзади, но Егор всё же сумел скоситься и заметил такое, отчего сердце заколотилось еще быстрей.

Она держала правую руку в кармане плаща. И было у нее там что-то тяжелое.

Уже отбив шифровку и получив из Центра подтверждение вкупе с сигналом о конце связи, он еще какое-то время гнал точки-тире впустую. Правое запястье по привычке лежало на левом, иначе сцепленные руки было не пристроить.

Дальнейшее развитие событий сомнений не вызывало. Как только он промычит, что сеанс окончен, она всадит ему пулю в затылок. Потребность в радисте у Вассер исчерпана, это ясно.

«На старт, внимание, марш!» – мысленно скомандовал себе Дорин.

Резко вскочил на ноги и двинул сдвоенными кулаками туда, где должен был находиться висок шпионки: сначала нанес удар, а взглядом проводил уже потом, в следующую долю секунды. Лучше было попасть неточно, чем позволить ей отскочить в сторону.

Размаха настоящего не вышло, да и ослаб Егор за время заточения, но всё же приложил увесисто, звонко. Вассер отлетела в сторону, шмякнулась затылком о стену и даже осела.

Радость и досада – вот чувства, которые испытал Дорин в это мгновение. Ну, радость – понятно, а что касается досады, то это обидно стало, отчего он заразу раньше не пришиб, когда сил было больше.

Отчаянным прыжком лейтенант скакнул вперед, чтобы окончательно вырубить полуоглушенного врага, но Вассер сама качнулась ему навстречу и, развернувшись боком, ударила Дорина носком в пах. Когда он согнулся от боли, припечатала ребром ладони по шее, по четвертому позвонку – Егор ткнулся носом в пол и на несколько секунд потерял сознание.

Очнулся оттого, что саднила щека, оцарапанная об торчащий из линолеума гвоздь. Это Вассер волокла его за ножной ремень. Дорин попробовал согнуться, чтоб достать до нее пальцами, однако получил удар каблуком по скуле – искры не искры, но огненные точки из глаз так и посыпались.

Кажется, Вассер намеревалась втащить его на кровать. Зашла сзади, подхватила взбунтовавшегося пленника под мышки. Он попытался дотянуться до ее лица, горла – куда получится.

Безуспешно.

Она отскочила, наставила на него пистолет:

– На кровать!

Пластырь болтался у краешка рта, наполовину отклеившийся, так что у Егора была возможность ответить:

– Хрен тебе! Так стреляй!

Глаза ее на мгновение сузились, и он был уверен, что сейчас грянет выстрел. Но женщина не выстрелила. Потерла скулу, на которой розовел след от удара, зло ощерилась и спрятала оружие.

– Догадался, ублюдок, – процедила она. – Тебе же хуже. Хотела по-быстрому, чик и готово. А за это, – она снова потрогала набухающий синяк, – я тебя поджарю, как цыпленка в духовке.

Когда она наклонилась, Егор попытался двинуть ей пыром в солнечное сплетение, но силы его были на исходе, удар получился вялый.

Вассер перехватила его руки, вцепилась в ремень и рывком подтащила Дорина к ножке кровати. Пристегнула на крайнюю дырку, вплотную к железному столбику. Потом взялась за ножной ремень, прикрепила его к стойке с противоположной стороны. Теперь Егор был совершенно беспомощен.

Он молча смотрел, как высокая, угловатая женская фигура мечется по комнате. Вытащила из сумки бутыль с желтой жидкостью. Чмокнула резиновая пробка, потянуло резким запахом. Дело пахнет керосином, пронеслось в голове у Дорина. Странное у него было ощущение. Будто он не участник происходящего, а наблюдатель.

Вассер вылила керосин на пол, бутылку отшвырнула. Та ударилась об стену, но не разбилась, укатилась в угол. Егор заинтересованно проводил грохочущий и посверкивающий предмет взглядом.

Снова посмотрел на Вассер – в самый раз, чтоб увидеть, как она зажигает спичку.

Огонек прочертил дугу, коснулся растекшейся на полу лужи, и лужа вспыхнула праздничным сине-желтым пламенем.

– Все равно тебе, паскуда, не жить. И делу вашему поганому, – сказал Егор в спину женщине, выбегающей за дверь.

Лязг железа, поворот ключа.

Дорин остался один в помещении, где с каждой секундой делалось всё светлее и жарче. Снизу повалили клубы едкого черного дыма – это занялся линолеум.

Сгореть заживо не успею – раньше задохнусь, подумал Егор. Дышать и сейчас уже было трудно.

Разорвать ремни невозможно, он уже пытался, причем был тогда гораздо сильнее, чем теперь. Перегрызть?

Кое-как, натянув ножной ремень до предела, достал до кожаной полосы зубами. Крепкая, зараза! Если бы жевать ее час или два, может, и удалось бы. Но времени у Егора была минута, много две.

Пылающий ручеек медленно полз в эту сторону. Воздух приходилось хватать ртом. Очень скоро кислорода в комнате вообще не останется.

Нужно отодрать ножку кровати от пола, вот что.

Он рванул раз, другой, но шурупы держали намертво.

Зарычав от ярости, Дорин вцепился в ножку руками и затряс кровать, что было сил.

Подается? Или показалось?

Шляпка одного шурупа на миллиметр вылезла из пола, и тут Егор впал в остервенение. Не замечая, что бьется о железную скобу затылком, не чувствуя боли в плече, он уперся руками в пол, спиной надавил на лежак.

Хруст, треск. Есть! Ножка отделилась от пола.

Высвободив руки, все еще сцепленные одна с другой, Дорин расстегнул ножной ремень.

В глазах всё плыло, по лицу лил пот, легкие обжигало жаром.

Поднялся, в два прыжка подлетел к двери.

И только теперь понял, что всё было впустую.

Замок закрыт, а дверь такая, что не вышибешь: во-первых, железная, а во-вторых, открывается внутрь, согласно ГОСТу.

В отчаянии он подергал ручку.

Согнулся в приступе мучительного кашля. Глаза слезились, рассмотреть что-либо сквозь подрагивающую пелену было трудно.

И все же самым уголком зрения он заметил в углу, по ту сторону пылающей лужи, черную дырку – ту самую, которую использовал по нужде.

Дорину сейчас было не до брезгливости. Он с разбега перемахнул через пламя и сунулся головой в отверстие. Известно: пролезет голова – протиснется и тело.

Голова-то вошла, но застряли плечи. Накачал Дорин мускулатуру на свою беду. Если б не долгая голодовка, превратившая крепкого парня в доходягу, нипочем бы не втиснулся. Но когда пламя лизнуло щиколотку, Егор взвыл от боли и так рванулся, что рухнул вниз, в вихре горящей трухи и пыли.

Падать было невысоко, метра полтора, не расшибешься. Шлепнулся в зловонную грязь, но чистоплюйничать было некогда – требовалось погасить тлеющую штанину.

Покатавшись по кирпичному полу, Егор кое-как сбил пламя и только тогда огляделся.

Один подвал под другим – это в старых московских постройках бывает часто, потому что испокон веку строили на одном и том же месте, поверх прежних фундаментов. Видно, и этот дом был поставлен на старинной опоре.

Наверху, в дырке с неровными краями, ярко полыхало, и от этого в подвале было не сказать чтоб совсем темно. Егор разглядел груды хлама, сломанные стулья, тряпье. Под потолком чернели канализационные трубы.

Тут из огненной дыры вниз пролилась золотая струйка, вспыхнула какая-то ветошь, и в подвале стало светлее.

Увидев, как споро занялась от керосина куча мусора, а за ней вторая, Егор понял, что радоваться рано. Сгореть преотлично можно и здесь, в нижнем подвале.

Он кинулся прочь от пламени.

Где-то обязательно должна быть дверь.

Вот, есть!

Деревянная, из рассохшихся досок.

Снаружи на ней, кажется, висел замок, но это была ерунда.

Дорин разбежался, двинул плечом – и вместе с вышибленной дверью рухнул на пыльный пол, под лестницу.

Лестница была та же самая, по которой Вассер когда-то, давным-давно, привела его в темницу. Полупролетом выше виднелась знакомая железная дверь. Пробегая мимо, Дорин коснулся ее рукой и вскрикнул – обжегся о раскаленный металл.

Вход в подъезд оказался незаколочен. Видно, шпионка поленилась. Знала, что скоро дом все равно запылает, как спичка.

Здесь, с лестницы, пожара было не видно, но его близость чувствовалась. Здание словно подрагивало, жарко вздыхало, издавало странные охающие звуки.

Егор выскользнул за дверь и чуть не задохнулся от свежего ночного воздуха. Ноги подкосились, не захотели идти.

Ночь, собственно, уже почти закончилась, небо сочилось серыми тонами рассвета.

Если сейчас июнь, то часа четыре. Если июль, пол пятого – пять, подумал Дорин.

В глубине дома что-то ухнуло, со стены посыпалась штукатурка, и лейтенант пополз прочь от опасного места.

Возле приземистого сарайчика решил дать себе отдых. Всего на минутку.

Сел, привалился спиной, шумно задышал ртом.

Это он правильно придумал. Можно сказать, повезло Дорину, в очередной раз. Прежде, чем истекла эта самая минутка, в окнах первого этажа запрыгало пламя, осветив весь двор. И тогда стало видно, что в тени дома напротив стоит высокая женщина. Она не отрываясь смотрела на пожар. Руки держала в карманах.

Егор так и вжался в стенку сарая.

Вот ведь дотошная немчура! Хочет лично убедиться, что радист похоронен под обломками.

Если б он вышел из подъезда в полный рост, а не выполз на карачках, наверняка заметила бы. И пристрелила бы, можно не сомневаться.

Когда первый испуг прошел, Дорин сказал себе: отлично, дотошность вас и погубит, драгоценная фрау Вассер. Руки бы только освободить.

Он пошарил по земле, нашел половинку кирпича с острым изломом. Зажал между колен, стал тереться об край ремнем, который все еще стягивал его запястья. Трет и вертит головой: то направо, на силуэт в подворотне, то налево, на горящий дом.

Там уже пылали все три этажа. Пустая, высушенная сквозняками постройка занялась азартно, весело. Выбитые окна гулко хлопали рамами, с крыши валились куски жести.

Окрестные жители мало-помалу просыпались, разбуженные шумом.

Вот уже заголосила какая-то баба, загудели мужские голоса.

Во двор высыпали растрепанные, полуодетые люди.

Где-то вдали завыла пожарная сирена и уже не умолкала.

Теперь Егор смотрел только на Вассер. Не упустить бы момент, когда станет уходить.

Она шагнула назад и скрылась в густой тени, когда дверь горящего дома слетела с петель, вышибленная столбом пламени. Теперь из подъезда уже никто не смог бы выйти – там бушевал огненный смерч.

Отшвырнув кирпич, Дорин побежал догонять. Дотереть ремень он не успел, пришлось крутить кистями на бегу – может, удастся порвать?

Вот она, голубушка! Быстро идет вниз по переулку.

Было уже почти совсем светло, и Егор успокоился: теперь не уйдет.

Не оглянулась бы только.

На всякий случай он перемещался зигзагами. Даст ей отойти – и сделает перебежку, от дерева до крыльца, потом от крыльца до водосточной трубы.

Вот Вассер дошла до угла, повернула на бульвар.

Там было пусто, ни души, и обзор хороший. Поэтому соваться дуриком Егор не стал. Остался на выходе из переулка. Смотрел, как Вассер спускается к Трубной площади и, чтоб не терять времени, быстро-быстро тер ремень о каменный угол дома. Кажется, оставалось совсем чуть-чуть.

Дальше так, соображал лейтенант. Сбежать по спуску на площадь. Посмотреть, куда повернет Вассер. И позвонить из автомата шефу.

Черт, как надоел проклятый ремень!

Дорин уперся локтями в стену, прижал истончившуюся кожаную ленточку к углу, собрал все силы и, крякнув, рванул.

Вышла незадача.

То ли ремень держался на последнем волоконце, то ли сил у Егора осталось больше, чем нужно, но кожа лопнула, и лейтенант с размаху приложился лбом о каменное ребро дома.

Перед глазами полыхнул яркий свет, потом сразу погас и стало совсем-совсем темно.

– Гляди, горе мое, будешь учиться на двойки, таким же ханыгой станешь, – сказал где-то наверху женский голос.

Егор открыл глаза, увидел над собой толстуху с мелкими кудряшками и с ней мальчишку лет двенадцати. Женщина смотрела на Дорина с отвращением, парнишка с боязливым любопытством.

Потом мамаша дернула сынка за руку, и они исчезли из Егорова поля зрения, осталась лишь стена дома, упирающаяся прямо в голубое небо.

Ныла ушибленная голова, на лбу запеклась кровь.

Приподнявшись, Егор обнаружил, что лежит на тротуаре. Время уже не раннее, вовсю светит солнце. Мимо идут люди, неодобрительно косятся на оборванца с разбитой мордой. Одни просто морщатся, другие качают головой, а некоторые и высказываются. Народ в Москве, как известно, отзывчивый – не в смысле жалости, а в смысле что любит отозваться на антиобщественные явления.

Отзывы были такие:

– Ишь, залил зенки, с утра-то.

– Что, герой, утро вечера мудренее?

– Господи, когда только советская власть до вас, алкашей, доберется?

– Стыдно, гражданин. Появляясь на улице в таком антисанитарном виде, вы становитесь разносчиком инфекции!

Ругаться ругались, но не останавливались. Утро, все спешат по делам.

Наконец, нашлась бабка, которой торопиться было некуда. Понаблюдав, как Егор поднимается, держась за стенку, как мотает башкой, чтобы стряхнуть одурь, старушка сплюнула:

– У, лохмотник. Житья от вас нет. Щас вот милицанера приведу, он тебя в околоток-то доставит.

И потрусила вниз, к площади.

Бабкина идея Дорину понравилась. Постовой – это то, что надо. Сразу и мысли прояснились Чем идти до Лубянки, пугая граждан своим кошмарным видом, правильнее будет позвонить шефу из отделения.

Едва отстегнул обрывки ремней, едва стер рукавом кровь с лица, а сознательная пенсионерка уже была тут как тут. Вела за собой мордатого, насупленного милиционера в белой летней гимнастерке.

Дорин так и кинулся ему навстречу. Наклонился к самому уху, прошептал:

– Товарищ, я из органов. Где у вас отделение? Далеко? Срочно отведите меня к телефону!

Постовой от него шарахнулся.

– Куда лезешь, рвань?

Не расслышал, что ли?

Рядом остановились несколько любопытных граждан, бабка и вовсе крутилась у самого локтя, а дело было секретное.

Егор взял непонятливого за локоть, снова придвинулся:

– Товарищ, время дорого. Вы не глядите, что я в таком виде, это я выполняю ответственное...

– Ррруки! – заорал постовой. – Гимнастерку запачкал, падлюка!

И так пихнул в грудь, что Дорин едва на ногах устоял. Но милиционеру и этого показалось мало. Он двинул настырного пьянчугу сапогом по бедру, хотел еще раз, но этого Егор уже не стерпел. Уклонился от удара и, скакнув вперед, смазал гада правым хуком по дубленой морде. Вроде не так сильно, однако защитник правопорядка бухнулся на тротуар, фуражка отлетела на мостовую.

Зеваки брызнули врассыпную, а какой-то шкет в тельняшке крикнул:

– Фартово уронил легавого! Тикай, братуха, пока не замели!

Совет был своевременный.

«Уроненный» милиционер отчаянно дудел в свисток, и с двух сторон уже бежали люди в фуражках.

Теперь точно слушать не станут. Отметелят до полусмерти, кинут в кутузку, и сиди там неизвестно сколько.

Дорин шарахнулся влево, вправо и решил, что рванет через ограду, на ту сторону бульвара. Там, в переулках, оторваться легче. Опять же направление правильное, в сторону Лубянки.

Он скакнул с тротуара на проезжую часть, больше не раздумывая и не оглядываясь. А оглянуться бы следовало. С горки, от Сретенки, по бульвару летел длинный, сияющий лаком ГАЗ 61-40, с открытым верхом. Тормоза у кабриолета были хорошие и покрышки новые – только это Дорина и спасло от верной гибели или тяжелого увечья.

Раздался душераздирающий скрежет, колеса прочертили по асфальту две густых черных полосы, но столкновения все-таки избежать не удалось. Хромированный капот ударил Егора в бок, и многострадальный лейтенант покатился по мостовой.

На этот раз сознания он не потерял, но пришлось обеими руками упереться в землю – очень уж несолидно она себя вела: качалась и норовила встать на попа. От этой качки смотреть по сторонам никакой возможности не было, но, что вокруг говорят, Дорин слышал. Тем более, вокруг не говорили, а орали.

– Куда ты, трам-тара-рам, под колеса?! – вопил кто-то визгливый. –Товарищ генерал, ну честное слово! Товарищ милиционер, вы видали?!

Кричал и знакомый Егору постовой:

– Всё нормально, товарищ генерал! Этот сам виноват! Мы его сейчас заберем! Вы сами-то как, не ушиблись?

С тротуара еще голосили какие-то женщины. В общем, шумно было.

А потом Егор услышал голос, совсем негромкий, но такой уверенный и отчетливый, что было слышно каждое слово:

– Типаж. Максим Горький, пьеса «На дне», рассказ «Челкаш». А ты, Стеценко, все ж таки не лихачил бы по городу. Сколько раз говорить.

– Сами «с ветерком», а сами ругаете, – обиженно загундосил шофер, но Дорин его слушать не стал, а повернулся, чтобы рассмотреть генерала. Очень уж знакомой показалась Егору интонация. И тембр.

Генерал оказался авиационный, настоящий орел: хоть маленького роста, но ладный, подтянутый, в желтых перекрещенных ремнях и с золотой звездой на груди.

Не веря своим глазам, Егор вылупился на курносое лицо героя.

– Петька... Петька, ты?!

Сомнений быть не могло. Кто еще кроме Петьки Божко так потешно морщил переносицу, так по-петушиному покачивался с каблука на носок. То есть, это

Не веря своим глазам, Егор вылупился на курносое лицо героя.

раньше, в училище, казалось, что по-петушиному, а теперь, при генеральских лампасах и со звездой Героя Советского Союза, Петькина раскачка смотрелась вальяжно, даже величественно.

Вот это да!

С тех пор, как бывшие соученики и сослуживцы расстались (Петька отправился в Испанию, Дорин – в Школу особого назначения), они ни разу не виделись. Писем тоже не писали. Из Испании это, наверно, было непросто, а курсанту ШОНа переписываться со знакомыми вообще запрещалось. В общем, потеряли друг друга из виду. В позапрошлом году Егор видел в «Красной звезде» приказ о награждении летчиков за бои с японцами на Халхин-Голе, была там и фамилия капитана П.Божко. Позавидовал, конечно, но не очень сильно, ибо в ту пору состоял на интересной работе, в Немецком отделе, и не подозревал, что отдел скоро расформируют, а сам он загремит в спортклуб, кулаками махать.

Но одно дело капитан-орденоносец, и совсем другое генерал, Герой Советского Союза! Петька был летуном классным, как говорится, от Бога, и всё же это походило на сказку.

Божко сощурился, вглядываясь в потрепанную физиономию забулдыги.

– Егорка? Егорка Дорин? Ёлки-моталки, не может быть!

Хотел обнять, но втянул носом воздух и передумал.

– Ну, у тебя видок. Никогда бы не подумал, что наш перец-колбаса может спиться. Или случилось что?

– Ты генерал-майор? – тупо спросил Егор, завороженно глядя на ромбы. – Как это?

– Да так, – довольно расхохотался Божко. – После Халхин-Гола из капитанов через звание скакнул. Подполковников тогда еще не ввели, так я прямо в полковники угодил. Повезло! У меня тогда на личном счету уже 12 самолетов было. В Финскую сбил еще шесть, дали героя. А после истории с «юнкерсом», как всё наше начальство пересажали, назначен замкомандующего ВВС Киевского округа. Ромбы вдогонку кинули, только что. Опять мне повезло. Полгода бы назад – и был бы один ромб, а теперь комбригов больше не дают, так мне сразу два повесили. Как Наполеон, ёлки-моталки – в 24 года генерал, а?

– Здорово! – восхитился Дорин. – А что за история с «юнкерсом»?

Петька удивился.

– Не слыхал, что ли? Вся Москва про это болтала. Хотя в газетах, конечно, не было... – Он оглянулся на милиционеров, на зевак. – Поедем – расскажу. Только я тебя, засранца, в таком виде в машину не пущу. Мне ее только-только выдали, новенькая. Не автомобиль – мечта. Эй, милиция, тут сортир где-нибудь есть?

– Так точно, товарищ генерал, в конце бульвара имеется общественный туалет, – отрапортовал постовой.

– Пойдем, Егорка, хоть умоешься. А то тебя ни обнять, ни обнюхать. Эй, Стеценко, я знаю – у тебя в багажнике и кожан имеется, и сорочка, и галифе запасные. Давай-давай, не куркулься!

Петька забрал у шофера сверток с одеждой, потащил Дорина вниз по бульвару, к домику уборной.

Всё время, пока Егор натирался огрызком общественного мыла и сверху донизу обливался холодной водой, новоиспеченный генерал трещал без умолку.

– Как же ты про «юнкерс» не знаешь? У нас вся авиация на ушах стоит. Три недели назад, прямо на аэродром у стадиона «Динамо», среди бела дня, вдруг опускается «Ю-52», транспортный. Представляешь? Ни пограничники его не засекли, ни ПВО, ни наземное наблюдение. Пилот-немец порет чушь – типа, на спор вызвался. Но дело не в пилоте. Так осрамиться перед фрицами! Они и так принюхиваются, где у нас оборона послабже. Что ни день разведчики над границей чешут. А тут «юнкерс» запросто профигачил пол-страны и сел чуть не на Красную площадь. А если б это бомбардировщик был, да по Кремлю шандарахнул? Шухер начался, мама родная! Вся верхушка загремела, с музыкой. За халатность, разгильдяйство и подрыв престижа советских ВВС. У нас ведь знаешь как – если начнут рубить, то под корень. Много хороших командиров сняли, большинство вообще ни при чем. Но зато молодой смене зеленая улица. Мне вот подфартило.

И Петька, задрав коленку, любовно похлопал себя по голубому лампасу.

К Киевскому Особому военному округу приписано десять авиадивизий! Какой из тебя к лешему замкомандующего, хотел сказать ему Дорин. Однако промолчал – очень уж большая у них с Божко теперь образовалась дистанция.

– Ты чего квасишь-то? – спросил Петька. – Из армии поперли?

Егор помотал намыленной головой.

– Служишь? Это хорошо. А в каком звании?

– Лейтенант.

Про то, что «госбезопасности» прибавлять не стал.

– Эх, – расстроился Петька. – Какого летчика зажимают. Ты хоть летаешь или на штабной?

– Не летаю. Слушай, а какое сегодня число?

– Та-ак. Допился. 12-ое.

– А какого месяца?

Круглое лицо генерал-майора посерьезнело.

– Я смотрю, Егор, ты вообще в штопоре. Запойный, да? Поэтому и к полетам не допускают? Двенадцатое июня сегодня. И, добавлю на всякий случай, 1941 года.

Только 12 июня? Значит, он просидел, то есть пролежал в подвале всего четыре недели. Думал, гораздо дольше…

– Выкинь к черту, – брезгливо показал Божко на трусы и майку. – Надевай штаны прямо на голую задницу, всё лучше будет… Ну вот, теперь можно и обняться.

Обнялись, крепко.

– Я тебя в человеческий вид верну, – пообещал старый приятель, хлопнув Дорина по плечу. – Только ты мне слово дай, что с пьянкой завяжешь. Лады?

– Лады, – пожал Егор протянутую руку.

– Ни капли? Честное слово?

– Честное.

– Вот это правильно. Сорвался, с кем не бывает. Наверно, была причина. Потом расскажешь. Ты вот что, ты иди ко мне в округ служить. Перевод я организую, не проблема. Обещаю: сразу в небо отправлю. Мы сейчас несколько новых «яков» получили, на обкатку. Золото, а не машина. Ты же летал классно. А какой стрелок был! Мне ценные кадры пригодятся. – Он подмигнул. – Ну и тебе невредно иметь наверху мохнатую лапу. Поехали, отметим. Мне в Москве казенную квартиру выделили, чтоб не в гостинице останавливался. По должности положено.

– Через Лубянку проедем? – спросил Дорин, разглядывая себя в зеркале.

Неужели это он? Ввалившиеся щеки, белобрысая борода, запавшие глаза, а кожа пористая, синюшная.

– Хочешь – проедем. А что там, дело какое?

Егор сделал вид, что не слышал вопроса.

– Говоришь, наглеют фрицы? Как там у вас вообще, на западе?

Они вышли из туалета. Лимузин поджидал неподалеку, ослепительно сверкая на солнце.

– Хреново. Так и роятся вдоль границы. Но приказа на боевую готовность не было. Наоборот, строго-настрого велено: не провоцировать. Проявлять бдительность, но не задираться. За пальбу по нарушителям воздушного пространства – трибунал. Но я сейчас в наркомате и Генштабе с людьми потолковал – мнения разные. Кто говорит, не сегодня-завтра дадут готовность номер один. А замнаркома по секрету шепнул: ни хрена не будет, через недельку начинай отпускать людей в отпуска. Политика, брат. Не моего ума дело.

До площади Дзержинского долетели в минуту. Напротив ГэЗэ Егор попросил:

– Скажи шоферу, пусть тормознет на минутку.

Когда автомобиль остановился, Дорин вылез на тротуар. Обернувшись, сказал:

– Спасибо, Петь. Гладких тебе взлетов и мягких посадок. Увидимся.

И побежал через улицу.

Божко, высунувшись, закричал что-то вслед, но Егор лишь махнул ему рукой.

Дел было невпроворот. Неотложных, сверхважных.

И только уже оказавшись в главном подъезде, у проходной, Дорин сообразил, что без пропуска никто его внутрь не пустит. Позвонил Октябрьскому в кабинет – никого.

Ах да, рано еще. Ответственные работники после ночной службы только-только спать легли. Домашний телефон старшего майора Егор не знал. Как быть? Ждать, пока не появится кто-то из знакомых? Ехать к шефу домой, в Дом на набережной? А если его там нет, только зря время потратишь?

От этих колебаний оживление как-то увяло, на смену ему пришла неуверенность. А какие такие важные сведения намерены вы сообщить шефу, товарищ лейтенант? Что остались живы и ужасно радуетесь свежему воздуху, чистоте, свободе?

Задание вы провалили. Более того, почти месяц прослужили радистом у немецкой шпионки. При этом саму шпионку упустили, с концами. То-то шеф обрадуется вашей высокой результативности.

Под суд тебя надо, вот что, сказал себе Дорин и совсем скис.

На работу густо шли сотрудники, время было без пяти минут девять. Показалось и знакомое лицо – Галя Валиулина, с которой сидели в засаде на Кузнецком. Скользнула взглядом по лицу Егора, не узнала. Немудрено. А он до того пал духом, что не окликнул ее.

За Галей шли еще две женщины, обе в военной форме. Предъявили пропуска, прошли мимо контроля. Одна, с короткими черными волосами, выбившимися из-под пилотки, зацепилась юбкой за стойку и сердито обернулась.

Егор схватился руками за колонну.

Это была она, Вассер! В защитной гимнастерке, в сапогах, с петлицами сержанта госбезопасности.

Выругалась («Вот зараза!»), дернула юбку и скрылась за поворотом коридора.

Больше всего на свете старший майор Октябрьский не любил необъяснимых явлений. Заметьте, не тайн, которые вызывают желание поломать голову и найти разгадку, а именно необъяснимостей, когда происходит то, чего никак не может быть. И непонятно, почему.

С годами подобные казусы в его жизни встречались все реже. Октябрьский научился почти безошибочно понимать скрытый механизм любых событий и логику человеческих поступков. Тем сильнее он нервничал, когда происходило что-нибудь, не укладывающееся ни в какие рациональные рамки.

Накануне ночью он был у Наркома с аналитическим отчетом, который готовил без малого месяц. После провала операции «Вассер», которая могла бы дать ответ на самый главный вопрос, начальнику спецгруппы «Затея» пришлось пойти обычным путем: сводить агентурные сведения, данные армейской разведки и показания перебежчиков, проверять и перепроверять источники – и, как говорили во времена юности старшего майора, отделять зерна от плевел.

Информация шла двумя противоположными потоками.

С одной стороны, дислокация германско-венгерско-румынских войск на западных рубежах СССР была завершена. Сила собрана такая, какой в истории войн еще не бывало. Разведки приграничных округов засыпáли Москву паническими донесениями: немцы готовы, вот-вот ударят.

Но стратегическая разведка, работающая в глубоком тылу, а стало быть, обладающая бóльшим охватом, доносила: в немецком Генштабе разрабатывают план по молниеносной переброске огромных масс войск и техники на юг. Имеется некий сверхсекретный план «Баязет», предусматривающий вторжение в Турцию с последующим выходом на Ближний Восток. Все части и соединения срочно укомплектовываются переводчиками – не с русским языком, а с арабским и турецким. Для этого экстренно мобилизованы студенты всех востоковедческих факультетов. По данным Второго, контрразведывательного, управления НКГБ действия Абвера на территории Советского Союза многократно активизировались, но в специфическом направлении: идет интенсивная переброска агентов в Закавказье и Среднюю Азию. Часть из них затем переходит турецкую и иранскую границу.

Нарком торопил Октябрьского с итоговым докладом, а на Наркома, само собой, наседал Вождь. Но старший майор медлил, сознавая меру ответственности.

За апрель, май и начало июня командование РККА потихоньку перебросило на Запад до 170 дивизий, однако пока их не разворачивало. Чтобы привести соединения в полную боевую готовность, требовалось минимум 48 часов, а лучше 72. Иначе огромное скопление людей, скученная техника, нерассредоточенные склады горючего и боеприпасов будут не более чем удобной мишенью для массированных бомбардировок и танковых рейдов.

Старшему майору была известна точка зрения Вождя.

Руководитель советского государства считал германского рейхсканцлера выдающимся стратегом и в беседах с Наркомом неоднократно восхищался тем, как ловко Фюрер использует свое географическо-политическое положение, а также главный козырь Вермахта – исключительную мобильность. Немцам одинаково удобно сделать бросок и на Восток, и на Юг. Сортируя поступающую из Берлина информацию, Вождь сам определял, что в ней заслуживает доверия, а что нет. Так, неделю назад Октябрьский получил из Кремля расшифровку агентурного разведдонесения, в котором сообщалось, что в ставке Фюрера существует две фракции, антибританская генерала Гальдера и антисоветская фельдмаршала Кейтеля, каждая из которых пытается склонить Гитлера на свою сторону, так что вопрос о направлении удара пока остается открытым. Это место было обведено знаменитым синим карандашом, на полях приписано: *«Как в ставке микадо!»*, а внизу еще имелась и резолюция:

«Т.т. НК обороны, ВМФ и ГБ:

Ни в коем случае не провоцировать немцев! Не лить воду на мельницу шайки Кейтеля!»

И тем не менее, взвесив и проанализировав весь объем данных, Октябрьский пришел к выводу, что немцы свой выбор уже сделали. Удар будет нанесен на Восток, причем в течение ближайших двух недель.

Об этом он и докладывал Наркому минувшей ночью.

За окнами спал огромный город, маятник стенных часов бесстрастно отмахивал секунды, на столе перед Наркомом дымился, а потом перестал дымиться нетронутый чай.

Старший майор говорил сдавленным от волнения голосом, то и дело вытирал платком бритый череп. На лбу у Наркома тоже блестели капли пота. По тому, как редко Сам перебивал докладчика вопросами, было ясно: с выводами согласен. Да и вопросы были не скептические, а уточняющие.

Сначала Октябрьский изложил тщательно проверенную и отсеянную информацию, поступившую из трех наркоматов – госбезопасности, внутренних дел и обороны, от коминтерновских товарищей, из сотни иных источников. Излагал без подробностей и деталей, один сухой остаток, но отчет занял полтора часа. А на формулировку вывода, ради которого и была проведена вся эта гигантская работа, хватило одной минуты.

Немцы собрали на востоке своего Рейха пятимиллионную армию не для того, чтобы, как следует припугнув Советский Союз, совершить бросок к южному Средиземноморью. Всё ровно наоборот: продемонстрировав Британии, что без большого труда может перерезать ее топливно-сырьевые артерии (и тем самым укрепив позиции своих английских доброжелателей), Фюрер оставляет план «Барбаросса» в силе. Удар будет нанесен по России. И счет идет на дни.

Когда Октябрьский закончил, Нарком встал у окна, сцепив руки за спиной, и долго, минут пять, смотрел вниз, на площадь.

Наконец заговорил – не оборачиваясь, сбивчиво:

– Завтра к Вождю. Поедете со мной… Если мы с вами ошибаемся, история нам не простит. И не только история… Но вы правы. Тянуть больше нельзя.

Октябрьский перевел дыхание, это «мы с вами» дорогого стоило. И взглянул на часы – непроизвольно отреагировал на слово «история».

Пять минут третьего. Одиннадцатое, то есть уже двенадцатое июня.

В эту секунду на столе вкрадчиво запищал аппарат без наборного диска – это звонили из секретарской.

– ...Что за срочность? – недовольно сказал Нарком в трубку. – Пусть после зайдет, я занят... Даже так? – Он усмехнулся. – Ну, хорошо. Раз такая таинственность, пускай пройдет в малую приемную. Сейчас выйду.

Крепко пожал Октябрьскому руку.

– Идите. Утром, в восемь позвоню и скажу, куда ехать – ко мне сюда или прямо в Кремль. Попробуй поспать перед завтрашним разговором. Если сможешь. – Нарком улыбнулся краем рта. – Я-то точно не смогу...

Глаза за пенсне были усталые, к ночи на щеках пробилась черная щетина. Не такой уж он железный, подумал Октябрьский.

И поехал домой – спокойный, с чувством выполненного долга. Принял горячий душ, с аппетитом съел оставленный домработницей ужин, выпил чаю. Что уснет, не сомневался. Жизнь у старшего майора в последнюю четверть века складывалась до того нервная, что бессоница была бы непозволительной роскошью.

Перед тем, как закрыть глаза, он велел организму пробудиться ровно через пять часов. И проснулся, как штык, в двадцать минут восьмого.

Постоял под душем (утренним, то есть холодным). Не спеша, со вкусом побрился. Завтракать не стал, как перед боем.

Логика действий Наркома старшему майору была понятна. Отстаток ночи Сам наверняка перепроверял данные, представленные Октябрьским. Можно было не сомневаться, что у Наркома имелись для этого альтернативные ресурсы. Но тут Октябрьский был спокоен, в своих фактах и выводах он не сомневался.

Скребя опасной бритвой по выпуклому черепу, старший майор размышлял не о своем вчерашнем докладе, а о времени, выбранном Наркомом для встречи с Вождем.

Всем известно, что Вождь работает по ночам, принимает посетителей почти до рассвета. Потом до полудня спит. Решение Наркома позвонить Вождю в 8 утра приводило Октябрьского в восхищение. Если уж кидаться в прорубь, так лихо, одним махом. Сама беспрецедентная дерзость такого звонка придаст разговору особую, экстраординарную важность и срочность.

Без одной минуты восемь Октябрьский уже стоял у телефона в перчатке на искалеченной руке, в фуражке.

Аппарат молчал.

Так прошло десять минут, двадцать, сорок.

Без четверти девять, не выдержав, старший майор позвонил в секретариат сам. Ему ответили, что Наркома нет на месте.

Поколебавшись, Октябрьский позвонил Наркому домой, в особняк на улице Качалова. Начальник охраны, с которым у старшего майора были давние приятельские отношения, ответил, что Сам не ночевал.

Это было странно. Хуже, чем странно – необъяснимо.

Октябрьский промаялся еще минут десять и поехал в ГэЗэ, дожидаться Наркома на месте.

С каждой минутой складка на лбу старшего майора делалась всё резче.

В здание он вошел не через шестой подъезд, как всегда, а через главный вход – так было ближе в приемную.

У проходной, возле внутренних телефонов, по обыкновению, ждали посетители – кто в военной форме, кто в штатском. Октябрьский туда не посмотрел, погруженный в тревожные мысли.

Вдруг услышал радостный возглас:

– Товарищ старший майор! Шеф!

Повернул голову и не сразу узнал в тощем, обросшем клочковатой бородой субъекте лейтенанта Дорина, который месяц назад пропал без вести в ходе неудачной операции «Вассер».

Увидев, что абверовская шпионка Вассер носит чекистскую форму и запросто проходит в Главное Здание, Дорин в первый миг одеревенел. Крик, конечно, не поднял и вдогонку не бросился – на это-то ума хватило.

Но в общем и целом ум лейтенанта, что называется, зашел за разум.

Ну, сильна немецкая разведка! Внедрила агента в святая святых советского государства, на Лубянку. Искали-искали неуловимого агента Вассера, а он, то бишь она, всё это время была прямо под носом!

Когда же первоначальное потрясение миновало, Егор воспрял духом. Теперь всё менялось. Он был уже не жалкий неудачник, приползший с бездарно проваленного задания, а лихой разведчик, который вернулся из-за линии фронта с бесценной добычей. Вот вам, товарищ старший майор, пресловутый агент Вассер. Заказной бандеролью.

Не упустить бы только. Вдруг она не постоянная сотрудница, а вызвана из какого-нибудь периферийного подразделения? Ищи ее потом.

А еще пришла в голову тревожная мысль: что если она выйдет через другой подъезд? Хотя если периферийная, то вряд ли.

В любом случае нужно было спешить.

Егор еще раз набрал номер Октябрьского.

Телефон молчал.

Тогда, набравшись храбрости, позвонил прямо в приемную Наркома. Ситуация позволяла.

– Секретариат. Слушаю вас.

– Говорит лейтенант Дорин. Я должен срочно доложить товарищу генеральному комиссару об очень важном деле.

– Какой лейтенант? Откуда? – недовольно откликнулась трубка.

– Из спецгруппы «Затея».

Сказал – и испугался: вдруг спецгруппу за это время расформировали?

– Почему не докладываете по начальству?

– Не могу найти товарища старшего майора, а дело не терпит отлагательства. Честное слово!

Эх, несолидно прозвучало, прямо как «честное пионерское».

– Наркома пока нет. Позвоните через полчаса.

Что же делать? Егор в волнении переступал с ноги на ногу. Пропуска нет, телефона других сотрудников «Затеи» он не знает.

Пойти к дежурному по городу?

Волынка, конечно. Видок у него подозрительный – мало ли к дежурному за день психов ходит. Пока втолкуешь, в чем дело, пока установят личность. За это время Вассер запросто может уйти.

Вот в романе «Петр Первый» писателя Алексея Толстого описано, как в древние времена любой человек мог крикнуть: «Слово и дело государево!» – и его сразу вели в Тайный приказ к самому главному дьяку. Если наврал человек, обеспокоил органы из-за пустяков, шкуру спустят. А если дело вправду важное – ему сразу давали ход.

В общем, заколебался Егор: то ли «Слово и дело» кричать (в смысле, к дежурному ломиться), то ли оставаться на посту – стеречь шпионку.

Всё за Дорина решила судьба.

В высокие двери быстрой походкой вошел высокий человек в генеральской форме, с маленькими усами и решительно выпяченной челюстью.

Егор чуть не всхлипнул от радости, от неимоверного облегчения.

– Товарищ старший майор! Шеф! – И, уже шепотом, добавил. – Она здесь!

На них таращились. Зрелище и вправду было необычное: мятый тип в кожаной куртке, отчаянно жестикулируя, нашептывал что-то на ухо представителю высшего комсостава. Тот слушал, и густые брови карабкались по лбу всё выше и выше.

– Иди ты! – один раз воскликнул командир, словно не веря.

Потом:

– Да ты что?!

Дослушав про главное, шеф не стал тратить времени на второстепенные вопросы.

– Детали потом, – сказал он, оттаскивая Егора в сторону. – Ты мне вот что скажи: пропуск она предъявила бумажный или корочку?

– Не обратил внимания, – виновато ответил Дорин. – Растерялся.

– За мной! – махнул Октябрьский.

И на проходную – корешки разовых пропусков смотреть.

– В разовых сержанта с женской фамилией нет, – сообщил он, быстро пролистав бумажки. – Значит, постоянная. Пятнадцать-двадцать минут назад кто был на контроле? Вы? – спросил он у начальника караула.

– Так точно.

– Женщин – сержантов госбезопасности пропускали?

– Само собой, товарищ старший майор. Девять часов, начало смены. Народу навалом. В транспортном женщин много, в главной канцелярии, в административно-хозяйственном...

– Меня интересует брюнетка, – перебил его Октябрьский. – Молодая. Рост под метр семьдесят. Ну, лейтенант, шевелите мозгами. Вас ведь не зря сюда поставили, у вас должна быть профессиональная зрительная память.

– Сержант, молодая, брюнетка, высокая, – медленно повторил караульный. – Таких было две. Обеих видел раньше. Одна из 3-го отдела. Фамилия на «П» и кончается на «ович» или «евич». Вроде «Петревич», «Петрункович», точнее не припомню. А вторая из шифровального, интересная такая женщина. Насчет фамилии только… Виноват.

Егор дернул шефа за рукав:

– Интересная! Точно она!

– А из 3-го отдела что, неинтересная? – спросил Октябрьский.

– Дело вкуса, товарищ старший майор. Есть любители, кто худых уважает. Но лично я считаю, что баба, то есть женщина, должна быть в достатке. – Лейтенант показал округлыми жестами, что он имеет в виду.

– Не из шифровального! – крикнул Дорин. – Наша – которая неинтересная!

Но шеф уже сам понял – сорвался с места, пришлось догонять.

Третий отдел НКГБ ведал обысками, арестами и наружным наблюдением. В кабинет начальника, майора Людвигова, Октябрьский ворвался без стука, коротко разъяснил суть дела, и майор, человек грузный, немолодой, стал хватать ртом воздух.

– Ты мне только с инфарктом не бухнись! – прикрикнул на него Октябрьский. – За то, что шпионку прошляпил, после ответишь, и не мне – Наркому. А сейчас дело, Людвигов, дело!

Через несколько минут на столе появилась папка – личное дело сержанта госбезопасности Петракович Ираиды Геннадьевны, 1913 года рождения, сотрудницы отделения НН (наружное наблюдение). С карточки на Егора смотрели хорошо знакомые глаза, только не враждебно прищуренные, как в подвале, а испуганно вытаращенные – именно так обычно глядят на фотографа в момент вспышки.

– Артистка, – заметил Октябрьский по поводу снимка. – Дурочку валять умеет.

Дело пролистал наскоро, без интереса, и захлопнул.

– Ладно, легендой мы потом займемся. Что скажешь про нее, Людвигов?

– Да плохого ничего, непосредственным руководством характеризуется положительно. Универсалка – это, сам знаешь, редко бывает: может под студентку работать, под колхозницу, под дамочку. Тебе лучше с начальником отделения потолковать, – хмуро ответил майор. – У меня несколько сотен сотрудников. А она точно шпионка?

– Ты про это вон у Дорина спроси, – подмигнул Егору шеф. – Чего она там с тобой на койке делала, пока ты связанный лежал? Ладно-ладно, после расскажешь. Давай, Людвигов, зови свою красотку. Будем ее брать.

– А может, лучше установить слежку, выявить контакты? – рискнул предложить Дорин.

Октябрьский почему-то взглянул на часы, мотнул головой.

– Брать. И сразу трясти. Каждая минута на счету.

Людвигов уже набрал номер, буркнул в трубку:

– Стенькин? Сержант Петракович твоя сотрудница? ...Она на месте? ...Пришли-ка ее ко мне... Да нет, не по службе. У меня тут парторг сидит. Есть мнение твою Ираиду к работе в стенгазете привлечь... Ага, пускай дует сюда, да поживей.

Егору шеф велел встать за большим несгораемым шкафом, сам вынул из кобуры пистолет, сунул сзади за ремень. Майор тоже приготовился – спрятал свой ТТ под газету.

– Ничего, с одной бабой как-нибудь справимся, – резюмировал Октябрьский.

Минуту спустя в дверь постучали, и голос, от которого у Дорина непроизвольно сжались кулаки, спросил:

– Товарищ начальник, вызывали? Сержант Петракович. Разрешите войти?

– Входи, Ира, входи, – добродушно поманил ее Людвигов, откидываясь на спинку стула.

Майор совершенно переменился. Нервозности как не бывало, лицо так и лучилось мягкой улыбкой.

Вассер-Петракович взглянула на незнакомого командира, вытянулась по стойке «смирно». Дорина не заметила – он оказался у нее сзади.

Есть на свете справедливость, думал Егор, глядя на прямую спину своей мучительницы.

Октябрьский с любопытством разглядывал молодую женщину. Руки держал сзади – должно быть, на рукоятке.

– Bleiben Sie stehen, Wasser, – медленно произнес он. – Endlich treffen wir uns.[1]

Егор приготовился броситься на шпионку, скрутить ей руки, но Петракович не шелохнулась.

– Извините, товарищ старший майор, – удивленно сказала она. – Это по-немецки? Я на курсах польский учила.

Шеф чуть повел подбородком в сторону Дорина – тот понял.

Вышел из-за сейфа, прошептал (говорить не мог – горло перехватило):

– Ну здравствуй, сука.

Она дернулась в его сторону, и тогда, пока не опомнилась, он крепко взял ее за кисти рук, а ногами наступил на носки сапог, чтоб не брыкалась.

Глаза Вассер полезли из орбит, челюсть отвисла – любо-дорого поглядеть. Узнала погорельца.

Шеф подошел сзади, быстро обшарил арестованную, прощупал швы и воротник.

Женщина не мигая смотрела Егору в глаза, зрачки остекленели. Всё ее тело тряслось крупной дрожью.

– Всё, майор, – приказал Октябрьский хозяину кабинета. – Вы мне больше не нужны.

Людвигов безропотно вышел.

Тогда шеф снова обратился к шпионке:

– Wir sollten keine Zeit verlieren. Wollen wir reden?[2]

---

[1] Спокойно Вассер. Вот мы и встретились. (*нем.*)

[2] Ну что, не будем терять время попусту? Поговорим? (*нем.*)

Ох как хотелось Егору, чтобы Вассер задергалась, попробовала сопротивляться. Уж он бы ей показал пару-тройку болевых приемов, не посмотрел бы, что женщина. Тем более никакая она не женщина, а ядовитая фашистская гадина.

Даже нарочно хватку ослабил, чтоб могла вырваться.

Но Вассер стояла неподвижно, обмякнув всем телом. Уже и не дрожала. Будто окоченела.

Глава тринадцатая

ПОЛЕТ СОКОЛА

Допрос происходил здесь же, в кабинете начальника 3-го отдела. Октябрьский не стал тратить времени на конвоирование арестованной в следственный корпус – просто вызвал оттуда стенографиста и двух специалисток по личному досмотру.

Шпионку раздели донага и обыскали уже не наскоро, а как положено, но тайников ни в одежде, ни на теле не обнаружили.

Церемониться не стали – мужчины из комнаты не выходили и не отворачивались. Егор смотрел на голую Вассер в упор, всем своим видом демонстрируя, что она для него не человек, а мерзкая, склизкая гадина. Знал, что мстительность чувство недостойное, но все равно было приятно. Октябрьский тоже не сводил с задержанной глаз, но и старшего майора явно интересовали не женские прелести. Прикидывает, чем пугать, догадался Дорин.

Вопросы шеф начал задавать еще до того, как арестованной позволили одеться, и с этого момента допрос прерывался всего однажды. В половине одиннадцатого Октябрьский позвонил в приемную

Наркома, сообщил, где находится, и попросил немедленно дать знать, как только вернется Сам.

С точки зрения Егора, Вассер вела себя неумно, во всяком случае для агента такого уровня.

По-немецки говорить отказалась, утверждая, что не знает языка.

На вопрос про настоящее имя, ответила «Ираида Геннадьевна Петракович».

Когда спросили, с какого времени является сотрудницей Абвера, стала клясться, что советская патриотка и член КИМ.

Заявила, что Егора никогда раньше не видела. Что ее с кем-то перепутали. Что она награждена двумя почетными грамотами за успехи в борьбе с врагами социалистического отечества.

В конце концов у старшего майора лопнуло терпение.

– Не валяйте дурака, Вассер! – хлопнул он ладонью по столу. – Что за детский утренник вы нам тут разыгрываете! Мы знаем, что руководство Абвера дало вам задание особой важности, напрямую связанное с так называемым «Планом 21», иначе именуемым «Барбаросса». Вы похитили нашего сотрудника, – шеф кивнул на Егора, – потому что нуждались в радиосвязи. Ход был дерзкий и даже блестящий, отдаю должное. Но признайте и вы, что игра окончена. Вы же профессионал. Умейте проигрывать, черт бы вас побрал! Меня сейчас не интересуют подробности вашего внедрения в центральный аппарат НКГБ, мне не нужны ваши связи, шифры и прочая мелочь. Вопрос только один: когда? Вы понимаете, о чем я. Откровенный ответ сохранит вам жизнь. Если же будете продолжать представление, мне придется использовать спецметоды. Вы знаете, что за этим дело не станет. Ну, я жду!

Тут не выдержал и Дорин.

– Не надо спецметодов, шеф, – попросил он. – Вы меня просто оставьте с этой фрау минут на пять, на десять. За эти 27 дней мы с ней невероятно сблизились, у нее не будет от меня секретов.

Видно, сказал он это убедительно – Вассер так и вжалась в спинку стула.

– Я не знала, что он сотрудник органов, – пробормотала она.

– Само собой, – кивнул Октябрьский. – Вы были уверены, что это Степан Карпенко. Но это ничего не меняет. Прекратите вилять, Вассер. Отвечайте на вопрос. Или я немедленно переправляю вас на Варсонофьевский, в Спецлабораторию. Вам ведь не надо объяснять, что это за место.

Судя по тому как побледнела арестованная, объяснения и в самом деле были излишни. Все сотрудники центрального аппарата слышали, что в Варсонофьевском переулке находится некий строго засекреченный объект, про который лучше не говорить даже между собой. Слово «Спецлаборатория» если и произносилось, то исключительно шепотом. Егор очень туманно представлял себе, чем там занимаются, но наверняка делами нешуточными, про них знать лишнего не рекомендуется.

Но и теперь Вассер молчала.

Подождав с минуту, шеф обратился к Егору:

– Не будем больше терять времени. Я сейчас везу эту упрямую медхен в Спецлабораторию. Там она мне быстренько всё расскажет. А ты с группой дуй к ней на квартиру. – Он заглянул в личное дело. – Оболенский переулок, дом 9, квартира 36. Это в Хамовниках, ну ребята найдут. Обыск, засада – всё как положено.

Он поднялся и подал знак сотрудницам – те рывком поставили арестованную на ноги.

Лицо Вассер пошло красными пятнами. Она облизала пересохшие губы и вдруг хрипло сказала:

– Не надо в Спецлабораторию. Я расскажу. Всё, что знаю.

– Та-ак, – протянул Октябрьский. – Ну что ж. Итак: когда начнется война?

– Я не знаю… Я не немка. Не агент Абвера. Кто такой Вассер, понятия не имею… Постойте! – В ответ на нетерпеливый жест старшего майора шпионка заговорила быстрей. – Хорошо, хорошо, я знаю, кто это! Я выполняла его приказы. Меня действительно зовут Ираида Петракович. Никто меня не внедрял, я попала в органы по комсомольской путевке. Этот человек, которого вы называете Вассером, он… он завербовал меня. Я не знаю, где он живет, но я помогу вам его взять. Едем ко мне на квартиру. Там в тайнике рация и шифры. Я покажу, вы без меня не найдете.

Она говорит правду, она не Вассер, дошло до Егора. Он пораженно взглянул на старшего майора и понял: Октябрьский того же мнения.

Как же так? Получается, все эти четыре недели Егор принимал за важного немецкого агента мелкую предательницу!

Петракович, похоже, в самом деле приняла решение. Голос стал твердым, плечи расправились, и взгляд стал не ускользающим, а прямым, глаза в глаза.

– Вот это разговор, – одобрил Октябрьский. – Если поможешь нам взять Вассера, еще поживешь. Женщина ты молодая, умирать тебе…

На столе зазвонил один из телефонов. Не договорив, шеф быстро схватил трубку.

– Октябрьский слушает… Откуда, из Минска? – удивленно переспросил он. – И улетел в Киев? А вы ему передали, что я дожидаюсь? …Так и сказал?

Старший майор положил трубку. Лицо у него было озадаченное.

– Ну, в обычном режиме так в обычном режиме, – пробормотал он и тряхнул головой. – Ладно, Ираида, едем к тебе в гости.

По дороге в Хамовники арестованная опять скисла, на вопросы старшего майора отвечала односложно.

Нет, настоящего имени Вассера она не знает.

Внешний вид? Высокий брюнет, глаза карие, особые приметы отсутствуют.

Давно ли завербована? В конце апреля.

Чем ее купили или запугали?

Молчание.

Жила Петракович в ведомственной квартире, выделенной двум незамужним сотрудницам. Соседка, младший лейтенант госбезопасности, третий месяц отсутствовала – находилась в командировке, ее комната была заперта навесным замком.

Дом был недавней постройки, шестиэтажный. Без лифта, но с газом и даже ванной. Откуда только в комсомоле берутся такие паскудины, думал Егор про изменницу. И работу ей ответственную доверили, и жилплощадь вон какую дали, а она против Родины пошла.

Пока специалисты производили обыск (к соседке на всякий случай тоже вошли, невзирая на замок), Егор разглядывал фотографии на книжной полке.

Вот ее родители: усач отец хорошего трудового вида, мать в платке, сестра-фэзэушница, маленький братишка. Вот она сама в десятом классе – славная такая дивчина, с косой через плечо. А это уже с товарищами по службе: волосы острижены, глаза холодные и знакомая жестокая складка у рта.

Не разглядели начальники в сержанте госбезопасности червоточину. И ответят за это, уж будьте уверены. Откуда в человеке гниль заводится? Может, появляется на свет определенный процент нравственных уродов, и ничего с этим не поделаешь? Вот бы научиться их распознавать еще в детстве, пока они не успели обществу напакостить! Академик Лысенко открыл, что если зерно на ранней стадии развития подвергнуть яровизации (это какой-то там агротехнический процесс), то оно может начисто поменять свои видовые признаки. Вот и с нравственными уродами тоже наверняка можно какую-нибудь моральную яровиза цию изобрести.

– В сторонку, – сказал Дорину сосредоточенный человек в пиджаке и белом полотняном картузе. Отодвинул лейтенанта от полки, принялся ловко перелистывать книжку за книжкой, прощупывая и даже продувая корешки.

Егор отошел к столу, где сидела Петракович.

Рацию, которую собрал Дорин, она отдала сама – просто вынула из-под кровати хозяйственную сумку, а в ней передатчик. Слабовато для тайника.

С шифрами же что-то тянула. Сказала:

– Они у меня в блокноте, синем таком. Куда же я его засунула? Сейчас, дайте вспомнить.

И уже минут десять сидела, вспоминала.

Октябрьский молча смотрел на нее, начинал хмуриться.

– В плаще, точно! – встрепенулась арестованная.

Отвели ее в коридор, дали порыться в карманах плаща – конечно, под присмотром.

– Нету… – развела она руками. – Странно. Сейчас, минутку…

Тут в дверь позвонили – два раза коротко, один длинно.

– Кто? – шепотом спросил старший майор, его глаза напряженно сузились.

Петракович тоже перешла на шепот:

– Ой, это Шурка. Племянник. Он всегда так звонит. Я обещала ему велосипедный насос.

Не похоже было, чтобы звонок ее встревожил.

– Насос? В два часа дня? – Октябрьский взял женщину двумя пальцами за горло. – Не расстраивай меня, Ираида.

– Нас всегда в середине дня отпускают, – сдавленно просипела она. – А к шести назад, на службу. И потом допоздна…

Шеф разжал пальцы. Это было правдой. Многие подразделения, следуя примеру начальства, перешли на раздвоенный график работы: утреннее присутствие и, после дневного перерыва, вечернее.

– Не беспокойтесь, товарищ, то есть гражданин начальник. Я буду честно сотрудничать. Хочу искупить вину, – сказала Петракович, потирая шею.

Замучишься искупать, криво усмехнулся Егор, вспомнив про бутылку с керосином. Но вслух, конечно, ничего такого говорить не стал.

В дверь позвонили еще раз, нетерпеливо.

Шеф кивнул:

– Я тебе, Ираидочка, верю. Значит, так. Идешь к двери, отдаешь насос… Где он кстати?

– Вот, на галошнице.

– Отдаешь насос и говоришь: «Я из ванной, Шурка. Бери и катись». Плечо ему покажи в щель, голое.

Петракович с готовностью кивнула. Сдернула гимнастерку.

– Сапоги! – показал Октябрьский.

Скинула и сапоги.

Егор, не дожидаясь команды, прокрался в прихожую и встал так, чтобы створка, распахнувшись, его прикрыла.

Громко шлепая по линолеуму, арестованная направилась к двери. Голову наскоро обмотала полотенцем.

– Шурка, ты чего растрезвонился? – крикнула она. – Я из ванной!

Егор ждал, что она приоткроет дверь и высунется, но вместо этого Петракович зачем-то повернула в замке ключ, вынула его и отшвырнула в сторону, а сама как заорет:

– Беги! Милый, беги! Здесь заса...

В ответ дверь взорвалась грохотом и щепками. На дерматиновой обшивке густо, одна к одной, вспучились неряшливые дырки.

Дах-дах-дах-дах-дах!

Женщину кинуло к стене, на вешалку. Сверху посыпалась одежда, шляпки, перчатки.

– Егор! – отчаянно закричал из кухни шеф. – Не упусти!

Дорин рванул дверь, но замок держал крепко, а ползать по полу за ключом было некогда – с лестницы донесся звук убегающих ног.

Тогда Егор взялся за ручку обеими руками, дернул что было сил – и створка вылетела из пазов за милую душу, вместе с половиной косяка.

Когда лейтенант выскочил на площадку, там уже никого не было.

Без колебаний Егор одним прыжком преодолел весь пролет, больно ударился плечом и грудью о стену, но не задержался ни на секунду.

Точно таким же манером прыгнул через еще один пролет – там, на нижнем этаже, площадка была просторнее, и Дорин каким-то чудом сумел удержаться на ногах.

Развернулся – и увидел спину несущегося по ступенькам мужчины.

Спина была военная – защитного цвета, с портупеей.

Егор сиганул вниз в третий раз, теперь уже на плечи бегущего.

Егор сиганул вниз в третий раз, теперь уже на плечи бегущего.

Влетел в него всей массой, с хрустом впечатал лицом в стену и сразу, пока тот не опомнился, заломил руки.

Выпавший пистолет звонко крутился на плиточном полу. Но неизвестный не попытался дотянуться до оружия. Он не брыкался, не пробовал расцепить Егорову хватку. Вместо этого дернул подбородком книзу, вгрызся зубами в воротник.

Яд! – пронеслось в голове у Дорина.

Он отвел правую руку и коротко, но мощно двинул по крепкому рыжеватому затылку – чтоб без сотрясения, но в нокаут.

Мужчина ткнулся лбом в пол, затих.

Сверху по лестнице бежали остальные. Но Егор не стал дожидаться – скорей прощупал воротник задержанного. Под петлицей точно что-то было, похоже ампула.

– Ну, Дорин, это был не прыжок, а полет сокола, – сказал старший майор, опускаясь рядом на корточки.

Этажом выше и этажом ниже высыпали жильцы. Еще бы – и пальба была, и ор, и грохот.

– Граждане! Немедленно вернитесь в свои квартиры! – кричали оперативники.

А Октябрьский улыбался.

– Ну, показывай, кого заклевал, сталинский сокол. Уж это точно Вассер. Сколько ждали этой встречи.

Егор и самому не терпелось. Он взял бесчувственное тело за плечи, перевернул.

Увидел оскаленный рот, закатившиеся глаза. Лицо довольно молодое, с бледными веснушками. На малиновых петлицах три шпалы – капитан госбезопасности, на груди сверкает свежей эмалью орден Красного Знамени.

Хорошо еще орден Ленина не навесил, сволочь, подумал Дорин и поглядел на Октябрьского.

Тот больше не улыбался. Пальцы в перчатке судорожно оттягивали ворот.

Похоже было, что капитан ему знаком.

Глава четырнадцатая

ПРОБЛЕМА ОТКРОВЕННОСТИ

Комната была совершенно белая: стены, потолок, занавески, даже оконные стекла замазаны белилами. В высоком кресле сидел рыжий человек со срезанным воротником, с дыркой на месте сорванного с френча ордена, так туго пристегнутый к подголовнику, подлокотникам и ножкам, что не мог пошевелить ни единым членом. Егор смотрел на него и думал, что примерно в таком же состоянии он провел почти месяц. Однако с ним не делали того, через что предстояло пройти рыжеволосому. Что именно это будет, Дорин пока не знал, но заранее настраивал себя на твердость и выдержку.

Кроме него и арестанта в помещении находились шеф, двое охранников и начальник Спецлаборатории доктор Грайворонский, очень приличного вида гражданин в очках и с бородкой. Егору доктор сразу понравился – может, оттого, что был похож на Надиного отца. Вот ведь странная штука: при общении колючий Викентий Кириллович вызывал у Дорина раздражение, а теперь вспоминался с симпатией. Там, в Плющеве, за зеленым забором, был совсем другой мир, очень далекий от настоящей жизни, но такой желанный, бесконечно далекий от того, что должно было сейчас случиться в этой жуткой белой комнате.

– Ну что, Зиновий Борисович? – нетерпеливо спросил Октябрьский. – Время, время!

– Минутку терпения, батенька. – Грайворонский позвякивал чем-то в металлическом ящичке. – Вы бы проверили, в порядке ли ваша адская машина.

Доктор кивнул на магнитофонный аппарат, подготовленный к записи.

Схваченного капитана сначала допросили прямо в квартире. По лестнице его тащили в восемь рук, по узкому коридору волокли за ноги – пришлось только приподнять над телом застреленной Ираиды Петракович.

Пока рыжему совали под нос нашатырь, Егор заглянул через плечо оперативника, который изучал служебное удостоверение, изъятое у арестованного.

Коган Матвей Евсеевич, капитан госбезопасности, Разведупр НКГБ.

Документ был сработан чисто, не подкопаешься: и штамп, и подпись начальника управления кадров – точно такая же, как на корочке у Егора, с характерными завитушками.

– Давно? – вот первое, что спросил шеф, когда рыжий захлопал светло-голубыми глазами.

– Что давно? – облизнул губы «капитан Коган».

Не больно-то он был напуган, даже усмехнулся, наглец.

– Давно на Абвер работаешь? Чем они тебя купили, мразь? Какими деньгами? Ведь они твою нацию под корень извести хотят – то ли на остров Мадагаскар сослать, то ли попросту перерезать!

Лишь когда рыжий вдруг заговорил по-немецки, на самом что ни на есть рафинированном хохдойче, Егор поверил, что это и есть Вассер.

– Ошибаетесь, герр генерал, – сказал арестованный. – У нас в Абвере национал-социалистические глупости не в моде. Мы профессионалы и служим Германии, а не ее временным правителям.

– Ах вот как, – перешел на немецкий и шеф. – «У нас в Абвере». Стало быть, вы никакой не Коган, вы подкидыш. Отличный камуфляж, Вассер. И легенда первоклассная. Вы в самом деле профессионалы. Только служите вы все-таки не Германии, а своему сумасшедшему Фюреру. Однако про идеологию мы как-нибудь после подискутируем. А сейчас у меня только один вопрос: когда начало войны? Какого числа?

Вассер слегка поморщился.

– Послушайте, генерал. Вам повезло, что вы меня взяли. Полагаю, по чистой случайности. Меня подвела аккуратность. Решил перед уходом концы зачистить. Глупышка Ираидочка так и не поняла, на кого она работала. Думала, выполняет особо секретное задание по радиоигре с захваченным немецким радистом. Противная была девчонка, но расторопная. И на всё готовая ради карьеры и кое-чего другого. – Он криво улыбнулся, философски пожал плечами. – Но всё это несущественно. Не лезьте, генерал, в большую политику. Доложите о моем аресте Наркому. Разговаривать я буду только с ним.

– Разговаривать будешь со мной и сейчас, – отрезал старший майор по-русски. – Повторяю вопрос: какого числа?

– Ich kann Ihnen nur meinen Dienstgrad sagen, – сухо отчеканил Вассер. – Korvettenkapitan, Abwehr-1. Schluss damit![1]

– Sie sind hier kein Kriegsgefangener, sondern ein Spion. Und ein Mörder noch dazu. Es sollte Ihnen klar sein, dass ich Sie nicht mit Samthandschuhen anfassen werde[2]. – Последнюю фразу Октябрьский произнес с особым нажимом. – Ишь, Гаагскую конвенцию вспомнил.

Абверовец оценивающе посмотрел на него и, кажется, понял, что имеется в виду.

– Да пошел ты, – вполголоса пробормотал он. – Говорить буду только с Наркомом.

Прикрыл веки, и лицо стало неподвижное, будто мертвое.

Крепкий орешек, ничего не скажешь.

И сделалось тут Егору стыдно, что он дуру-девку, немецкую подстилку, принимал за матерого агента. У двери, перед тем как грянули выстрелы, она крикнула «милый». И в подвале тогда говорила, что для нее существует только один мужчина. Теперь ясно,

---

[1] Вам я могу сообщить лишь свое звание. Корветтенкапитан, управление Абвер-1. И точка! (*нем.*)

[2] Вы не военнопленный, а шпион. К тому же убийца. И церемониться я с вами не буду. (*нем.*)

как Вассер ее завербовал. Что ж, мужик видный, одна ямочка на подбородке чего стоит.

Поведение Петракович тоже окончательно прояснилось. В подвале она избегала разговоров, потому что ей Коган так велел. Только ошибается он насчет ее мотивов. Не ради карьеры служила ему Ираида Петракович. Наверное, к концу уже догадывалась, что дело нечисто – чего стоил один приказ убить «радиста» и сжечь труп. Ничего, не дрогнула. Когда же ее арестовали и она поняла, в какую историю вляпалась, думала только об одном: не про Родину, а как бы не заложить своего хахаля. Что он шпион, ей было наплевать. Не Спецлаборатории она испугалась, а того, что группа поедет к ней на квартиру и Вассер угодит в засаду. Знала, что он придет в два. Вот и решила его предупредить, любой ценой. Все-таки влюбленная баба – это особая статья. Теперь, задним числом, Егору эту змеюку Петракович даже стало жалко. Она за любовника жизни не пожалела, а он к ней явился, чтобы «концы зачистить». И ведь зачистил…

Пока арестованного шмонали, шеф с Егором вышли в коридор перекурить.

– Этого на испуг не возьмешь, – сказал Октябрьский. – Не будем попусту сотрясать воздух.

– Может, пускай его правда Нарком допросит? Если Вассер готов с ним говорить, а?

– Нет Наркома, – покачал головой Октябрьский. – Сказали, срочно вылетел в штабы западных округов. Когда вернется, неизвестно. Мне приказано заниматься текущей работой. Вот я и занимаюсь. И доведу ее до конца, будьте уверены. Ничего, Егорка, через час Вассер у нас соловушкой запоет.

У Дорина внутри ёкнуло, но он постарался, чтобы вопрос прозвучал небрежно, по-профессиональному:

– Глаза или яйца?

– Физметоды в данном конкретном случае не помогут. Экземпляр исключительной твердости. Если б не твоя боксерская реакция, он бы проглотил яд, это точно. Сейчас закончат обыск – повезем в Варсонофьевский. Поглядишь, какими щипцами раскалывают крепкие орехи.

Лейтенант солидно кивнул, а у самого на сердце кошки заскребли.

Однако ничего ужасного в Спецлаборатории пока не происходило.

Начальник оказался человеком интеллигентным, прямо доктор Айболит. Арестованного именовал «пациентом», старшего майора «батенькой», Егора «молодым человеком».

Когда охранники пристегивали Вассера к креслу, он был напряжен, но спокоен. Головой шевелить уже не мог, но следил глазами за действиями человека в белом халате.

Вот доктор достал из ящичка шприц, иголка брызнула тоненькой струйкой. Егор в этом ничего особенно зловещего не усмотрел – ожидал чего-нибудь пострашнее, но Вассер вдруг зарычал, заскрипел зубами и рванулся из кресла так яростно, что ремешок, стягивавший ему грудь, лопнул.

Охранники были тут как тут. Навалились, прижали, порванный ремень заменили двойным. Немец, как мог, мешал врачу сделать инъекцию – выворачивал запястье, дергался, но Грайворонский свое дело знал: обмотал руку «пациента» резиновым жгутом и попал в вену с первой же попытки.

Тут Вассер сразу угомонился. Уставился в потолок, беззвучно зашевелил губами, будто молился или что-то себе внушал.

Егор смотрел во все глаза. Предполагал, что шпион сейчас завизжит от невыносимой боли, тогда-то и начнется допрос.

Вышло совсем наоборот. Вместо того чтоб закричать, Вассер вдруг обмяк, опустил ресницы, изо рта повисла нитка слюны.

– Что вы ему вкололи? – спросил Октябрьский. – Это непохоже на «КС», хлор… как там его?

– Хлорал-скополамин. Для поставленной вами задачи он не годится. – Доктор наклонился, приподнял шпиону веко. – Надо немного подождать… Если я правильно понял, вам нужны от пациента откровенные показания неодносложного типа. «КС» же слишком сильно подавляет волю. Функции коры головного мозга настолько затормаживаются, что человек способен отвечать лишь «да» или «нет». Поэтому я применил нашу новую разработку, препарат

«Кола-С», решающий проблему откровенности более радикальным образом.

– «Кола-эс»?

– Да. Это соединение фенамин-бензедринового типа. Если объяснять упрощенно, его действие прямо противоположно эффекту хлорал-скополамина. Мы не притормаживаем, а, наоборот, искусственно перевозбуждаем кору мозга. В результате пациент впадает в эйфорию и ажитацию, им овладевает безудержная разговорчивость. В этом состоянии он органически неспособен на ложь. Ваше дело – поворачивать беседу в интересующее вас русло и правильно формулировать вопросы. Единственная опасность – он может вас, что называется, заболтать, слишком углубиться в тему. Будьте с этим осторожней, вовремя обрывайте. Видите ли, сеанс откровенности до такой степени истощает мозг, что может продолжаться 15, максимум 25 минут – у самых выносливых. Затем пациент теряет сознание, и следующий сеанс возможен не ранее, чем через 30-36 часов.

– Ничего, – уверенно сказал старший майор. – Для первой беседы и пятнадцати минут хватит. Один вопрос – один ответ. Остальное может подождать. Ну что, не пора?

Грайворонский снова оттянул арестанту веко.

– Вот теперь можно.

И как хлестнет скованного по щеке – Дорин от неожиданности даже вздрогнул.

Вассер беспокойно пошевелился, захлопал глазами. Они у него теперь были не голубыми, а черными. Егор не сразу понял, что это так расширились зрачки.

– Ну беседуйте, беседуйте, – благодушно покивал старшему майору доктор. – А я пойду, не стану мешать.

– Нет уж, вы лучше останьтесь!

– Благодарю покорно. Мне, батенька, лишние секреты ни к чему, своих хватает. Да вы отлично и без меня справитесь. Будет забалтываться – влепите пощечину, это его остановит. А если что-нибудь экстренное, нажмите вот эту кнопочку. Я сразу приду.

И начальник лаборатории поспешно скрылся за дверью.

Октябрьский навис над агентом, взял его за плечи и громко, отчетливо спросил:

– Когда – Германия – должна – напасть – на – Советский – Союз?

Немец впился зубами в нижнюю губу, словно хотел лишить ее подвижности. Рот задергался, пошел судорогами, губы вспучились, и из них сам собой хлынул поток слов. Смотреть на это было жутко.

– Про это говорить нельзя. Я не имею права. Это государственная тайна. Но вам я скажу. Война начнется через десять дней. На рассвете 22 июня. Представляете? Через каких-то десять дней всё здесь переменится! – Вассер возбужденно хихикнул. – У нас в ГэЗэ все забегают, как ошпаренные тараканы. Усатый Вождь и толстозадые вождишки забьются в щели. В небе над Москвой будут кружить сотни «юнкерсов». План удара составлен лучшими стратегами Генерального штаба и Верховного командования. Группа армий «Север» через Прибалтику ударит на Ленинград. Группа армий «Центр» – на Москву. Группа армий «Юг» – на Киев. Расстегните ремни, я нарисую.

– Потом, – ошарашенно пролепетал Октябрьский. – Не сейчас.

Егор же и вовсе одеревенел – и от страшного известия, и от того, как легко, буквально в секунду был получен ответ на вопрос, над которым столько времени билась и спецгруппа «Затея», и все развед-структуры Советского Союза. Ай да Спецлаборатория! Ай да доктор Грайворонский!

– Я был прав! – пробормотал старший майор. – Всего десять дней! Не понимаю Наркома...

– А? – спросил Дорин.

– Бэ. Не твоего ума дело.

Вассер прыснул:

– Смешно! Он вам «А?» А вы ему «Бэ»! Ой, не могу...

И так зашелся, что из глаз потекли слезы.

– Прекратите! – Шеф хлопнул его по щеке. – На меня смотреть! Когда вас внедрили? Я вот чего не пойму. Матвея Когана знают многие старые сотрудники. Чуть не с детства! Лежава рассказывал, что вас, то есть Когана, в Органы привел сам Менжинский! Как вы сумели стать Матвеем Коганом? Отвечайте!

– Ой, это очень интересная история, – охотно откликнулся Вассер. – Только ее надо долго рассказывать. С папочки. Вы знаете, кто мой отец? Нет? Ну как же! Генерал Йозеф фон Теофельс, заместитель начальника Абвера, лучший специалист по России. Для друзей – просто Зепп.

Старший майор вздрогнул, и это вызвало у корветтенкапитана новый взрыв веселости.

– Вы знаете моего папочку! И он вас знает. Вы старые друзья!

– Про папочку в другой раз, – перебил его шеф, взяв себя в руки. – Рассказывайте про внедрение!

– Хорошо, но без старины Зеппа рассказа не получится. Папочка всю жизнь занимается Россией. И меня к этому готовил, с детства. Нянька у меня была русская, Арина Семеновна, почти как у Пушкина. Ха-ха-ха! Домашние учителя тоже русские. О-о, я был бойкий мальчуган. И смелый. У меня было две мечты. Я хотел стать моряком, чтобы плавать по всем морям. И разведчиком, чтобы сражаться против русских большевиков. Дети ведь глупые. Я считал вас ужасными злодеями. Это потом я понял, что все хороши – и наши, и ваши. Но наши все-таки лучше. Потому что привыкли мыть руки перед едой и каждое утро чистить зубы. Ну и воруют меньше, это очень важно...

Хлоп! На щеке Вассера вспыхнуло пятно от новой пощечины.

– Про внедрение!

– Да-да, извините. Я был, наверное, самым юным нелегалом в истории разведки. Четырнадцати лет от роду я попал в «дети Дзержинского» – стал беспризорником. Милый папаша не пожалел свое чадо. Прямо из Германии, из чистенького особнячка, меня перевезли сначала в Ригу, потом в Ленинград и швырнули, как щенка в речку: плыви или тони. Теофельсы, знаете ли, весьма специфическая семья, с диковинными традициями воспитания. Про моего предка Хайнца фон Теофельса, жившего во времена Фридриха Великого, рассказывают, что…

Пощечина.

– Про внедрение!

– Извините. Столько всего хочется рассказать. Я не утонул. Я выплыл. Это было настоящее приключение, мне понравилось. Я попал сначала в детприемник, потом в коммуну «Юный ленинец». Прожил там три месяца, а потом сбежал. Беспризорники часто давали драпу, обычное дело. Но они обычно укатывали в Ташкент, погреться на солнце и пошамать дынь и урюка. А я рванул на ленинградскую явку, откуда меня переправили обратно к папочке. Задание-то я выполнил, крючок закинул.

– Какое задание? Какой крючок?

– Над нашей коммуной шефствовал сам лучший друг детей товарищ Дзержинский. А когда его железное сердце остановилось, эстафету принял верный друг и соратник Первого Чекиста товарищ Менжинский. Был он у нас в «Юном ленинце» на шефском концерте. И я, славный такой веснушчатый пацаненок, выступал перед высоким гостем. Читал стихотворение Маяковского, бил чечетку, художественно свистел. Старался, чтобы председатель ЧК-ОГПУ меня запомнил. Полгода спустя написал ему письмо, трогательное такое, подростковое. Лучшие специалисты русского отдела сочиняли. «Дядинька Менжинский, пишит вам Мотька Коган каторый помните чичотку плясал и вы мне ищо руку жали по плечу хлопали подарили вечную ручку со стальным пиром и наказывали хорошо учица...»

Здесь Вассер подмигнул.

Егор слушал и поражался. До чего же хитры враги СССР! Как изобретательны, дальновидны! Это сколько же нужно знаний, опыта, проницательности, чтобы оберегать от черного воронья социалистическую родину!

– Что вы думаете? – с удовольствием продолжил свой рассказ корветтенкапитан. – Ответил сироте Вячеслав Рудольфович – люди этого сорта часто бывают сентиментальны. Время от времени я писал ему и дальше, а наша резидентура пересылала. Вот мол, товарищ Менжинский, я стал юнгой на настоящем пароходе. Потом – матросом, плаваю по морям. Между прочим, правду писал – я действительно закончил Морской корпус и не раз ходил в плавания. А в 33-ем отец говорит: пора. Забросили меня в Союз по второму разу. Устроился мотористом на китобойную базу «Парижская коммуна», полгода поплавал. Пишу дорогому Вячеславу Рудольфовичу: так, мол, и так, имею мечту охранять Советскую Родину от подлых врагов, прошу взять меня на службу в наши доблестные Органы. И взяли! Одной записочки от Менжинского хватило, чтоб дать хороший толчок моей чекистской карьере. В Иностранный отдел на загранработу я попал в...

– Хватит про это! – шеф, дернувшись, взглянул на часы. Видно, вспомнил, что сеанс ограничен по времени. А жалко – Егор слушал бы и дальше. Здорово все-таки немецкая разведка работает, ничего не скажешь. Это ж надо так легенду для агента выстроить!

– Довольно истории. В чем состоит ваше нынешнее задание? Оно связано с планом «Барбаросса»?

И снова Вассер попытался прихватить зубами непослушные губы.

Не вышло.

– Да. Самым непосредственным образом. Более того, мне отведена ключевая роль в программе по дезинформации советского руководства.

– Про это подробней! – приказал шеф.

– Моя задача – убедить ваше правительство, что в этом году нападения не будет. Что удар будет нанесен по английским коммуникациям, через Малую Азию и Ближний Восток. Это многокомпонентная, или, как у нас называют, каскадная операция, разработанная моим отцом. Старина Зепп – настоящий гений разведки. В шестнадцатом году по заданию Людендорфа он…

– С удовольствием про это послушаю, но не сейчас. Я не понимаю, на что вы рассчитывали. Хоть и с опозданием, но мы разгадали ваши ребусы. Я уже подал рапорт. Нарком срочно вылетел в пограничные округа. До 22 июня вся наша оборона будет приведена в полную боевую готовность. Вы чего-то не договариваете!

– Как мы с Гессом-то, а? – перебил его Вассер, которому, кажется, было физически тяжело молчать – так его распирала словоохотливость. – Это папочкина заготовка. Одним выстрелом двух зайцев!

– Каких зайцев? – заинтересовался старший майор. – В чем был смысл акции с перелетом Гесса в Англию?

– Гесс всем надоел. Кичился своей близостью к фюреру. Возомнил себя гениальным стратегом, чуть ли не соправителем Рейха. Гейдрих предлагал устроить ему авиакатастрофу, и фюрер уже согласился. Но нашлась идея получше. Гесс – англоман, мечтает поделить мир между Британией и Германией? Так пусть летит к своим англичанам. Во-первых, он устроил у них в курятнике нешуточный переполох. А во-вторых, укрепил мою позицию перед завершающим ударом. Ведь «Лорд» заранее предупреждал о демарше Гесса. Никто моему источнику не поверил, а он оказался прав. Его акции после этого подскочили до небес. Вы меня про «Лорда» спросите, – засмеялся немец, – про этот кладезь бесценной информации.

– А что «Лорд»? – вскинулся Октябрьский, не поспевая за зигзагами Вассеровых признаний, одно сногсшибательней другого.

– Да то, что нет никакого «Лорда». Пузырь это, который мы надули и вам преподнесли. Нарком «Лорду» алмазную звезду отправил – за срыв переговоров Гесса с англичанами. – Вассер фыркнул. – Она теперь у папочки в коллекции, эта ваша звезда. И меня, грешного, наградой не обошли: орден Красного Знамени отвалили плюс внеочередное звание. Я у вас сделал карьеру успешней, чем в Германии: тут капитан госбезопасности, то есть, по-армейски, полковник, а там всего лишь капитан третьего ранга. Может, мне к вам перейти? Отличная идея. Ха-ха-ха!

Шеф тряхнул гогочущего агента за шиворот.

– Для чего пожертвовали Гессом? Вы сказали: это должно было укрепить ваши позиции перед завершающим ударом. Что это значит?

– Мне требовалось полное доверие… – Голос корветтенкапитана дрогнул, веки стали опускаться. – Абсолютное доверие… всей информации, которая поступает от «Лорда»… И самое главное… гарантия… прямого… выхода…

Веки сомкнулись. Голос умолк.

Выругавшись, Октябрьский обрушил на лицо Вассера целую серию звонких пощечин.

– Что за удар? Какой выход? На кого? Или куда?

Но всё было напрасно – шпион потерял сознание.

Прибежал доктор, пощупал пульс, развел руками:

– Чего же вы хотите? Он и так продержался 23 минуты. Исключительно сильная воля. Надеюсь, он не пытался навязывать вам темы для разговора?

Октябрьский нахмурился.

– Неужели вам не хватило времени? – удивился Гайворонский. – Вы же говорили, вас интересует только один вопрос. На него-то он ответил?

Лицо старшего майора просветлело.

– Ответил. И это главное.

– Вот и отлично. А остальное выясните на следующем сеансе. Думаю, к послезавтрашнему утру пациент отойдет от шока, и можно будет повторить.

В ГэЗэ возвращались пешком – как говорится, усталые, но довольные. Время на прогулку было. Октябрьский еще раз позвонил в секретариат и уже не попросил, а потребовал, чтобы его немедленно связали с Наркомом, речь идет о деле чрезвычайной важности. Ответили, что генеральный комиссар вылетел из штаба Прибалтийского военного округа в штаб Западного. Прибудет туда через час. Пусть товарищ старший майор дожидается у себя в кабинете – соединят.

– Шеф, а зачем вообще применять методы физвоздействия, если можно сделать укольчик, и готово? – спросил Дорин.

– Дорогое удовольствие, – невесело улыбнулся Октябрьский. – Кости переломать дешевле.

Еще Дорина волновало вот что:

– А нашим точно хватит времени, чтобы подготовиться? Целых три группы армий!

– Теперь хватит. Достаточно трех суток, чтобы рассредоточить авиацию по резервным аэродромам, вывести артиллерию на огневые позиции, развернуть танковые части, провести минно-саперные работы. Я бы на месте нашего Генштаба потрепал фрицев в приграничных боях и постепенно отошел бы на оборонительную линию 39-го года. Если навязать немцам позиционную войну, они через три месяца мира запросят. Эх, с полководцами у нас неважно. Умных всех перестреляли, одни конники остались, им бы только шашку наголо и «Ура! Даешь!».

Егор вспомнил про генерала Петьку, рассказал.

– Вот-вот, – хмуро кивнул Октябрьский. – Я уверен: немцы этот подлый трюк с «юнкерсом» нарочно устроили, чтоб советские ВВС обезглавить. Знают наше чудесное обыкновение – из-за нескольких сорняков всё поле выкашивать. Было уже такое, в 37-ом, когда они нам дезу про заговор военных подбросили. Эх, нам бы сейчас Тухачевского с Уборевичем...

Лейтенант аж споткнулся. Оглянувшись по сторонам, шепотом спросил:

– А что, Тухачевский не был враг народа?

– Врагов народа в природе не существует, – спокойно ответил старший майор. – Как ты себе это представляешь? Живет на свете сволочь, которая скрежещет зубами и говорит себе: «Ух, народ, до чего же я тебя ненавижу»? Нет, Егорка, свой народ любят все, даже белогвардейцы и троцкисты. А «врагами народа» наша власть называет людей, которые могут оказаться для нее опасны. В 36-ом году у нас в ЦК здорово напугались путча в Японии. Если б микадо тогда не проявил жесткость, военщина захватила бы власть. Так что немецкой фальшивке про военный заговор наши поверили, очень уж вовремя подоспела. А подлецы с дураками и рады стараться. Японский император после путча для острастки 19 человек повесил. Но у нас натура широкая, гад Ежов десять тысяч лучших командиров на распыл пустил. То-то немцам радость. Между прочим, идею «Заговор красных маршалов» разрабатывал «папочка» нашего Вассера, Зепп фон Теофельс. Я тебе про этого господина как-нибудь отдельно расскажу. Помяни мое слово: наши с ним дорожки еще не раз пересекутся.

Отстаток дороги шли молча, и лица у обоих были уже не довольные, а озабоченные, хотя каждый думал о своем.

В отсеке, где располагалась спецгруппа «Затея», на доске «Они погибли при исполнении долга» Егор увидел свою фотографию в черной рамке. Карточка висела напротив окна и с середины мая успела выгореть. Вот и всё, что от меня осталось бы, подумал Егор, и эта мысль настроения не улучшила.

До связи с Наркомом оставалось еще больше получаса, поэтому сели в кабинете пить чай. Дорин разломил печенье – отложил. Повозил ложечкой, размешивая сахар, – отодвинул.

– Ты чего нос повесил? – пытливо взглянул на него старший майор. – По той же причине, что я?

– А вы, шеф, из-за чего?

– Я первый спросил. Сначала ты скажи, потом я.

Егор помолчал, подбирая слова. Не очень-то они подбирались.

– Я вот думаю.. У нас самая лучшая страна на свете, так? Самое справедливое общество. Мне про это в школе говорили, в училище – везде. И я верю. Нет эксплуатации, буржуев с помещиками, и всё такое. Но ведь хорошее общество для чего существует? Чтоб человек становился лучше, правильно? Тогда объясните мне, почему наши советские люди – ну вот которые по улицам ходят, в трамвае ездят, в очередях собачатся – такие... несимпатичные, что ли. Почему с интеллигенцией и всякими старорежимными осколками и разговаривать приятней, и ведут они себя... как-то более по-человечески, а? Вы говорили, что подлецы с дураками всегда были. Но я по истории что-то не помню, чтобы при царе десять тысяч офицеров перестреляли, а еще ведь в лагерях у нас сколько народу сидит. При царе, конечно, тоже каторга была и ссылка, но Ленин вон в Шушенском на охоту ходил, невеста к нему приезжала, Надежда Константиновна. По-нашему, прямо курорт… Что же это получается? У нас в Советском Союзе подлецам с дураками больше раздолья, чем до революции, так что ли?

Последний вывод выскочил как-то сам собой, и Егор даже испугался. Умолк.

Октябрьский присвистнул.

– Эвон ты о чем. Да, брат, паршивая у нас в стране жизнь, это точно. Правда, это смотря как считать и с чем сравнивать. Бывшим привилегированным-образованным, которые слушали Моцарта и кушали марципаны, конечно теперь живется хуже. Только их, таких высококультурных, до революции было максимум 10 процентов населения. Мы, Егорка, с тобой материалисты, в чудеса не верим, лишь в научные законы, так? Про закон сохранения массы помнишь? Если у 10 процентов отбирают богатство и делят между остальными 90 процентами, что происходит? Все становятся богатыми? Шиш. Все становятся бедными. Но зато исчезают нищие, и это главное завоевание нашей революции. Жить в тесных коммуналках и давиться в очередях унизительно, согласен. Только еще стыдней, когда одни слушают Моцарта, а вокруг вши, сифилис, голод и неграмотность. Советская власть, между прочим, дает всем детям образование, и не такое плохое. Конечно, оно хуже. чем гимназическое, но сколько было в России тех гимназий? На всю страну несколько сотен. И про детскую смертность, кстати, тоже не забудь. Раньше каждый второй ребенок до десяти лет не доживал, а теперь худо-бедно и полечат и, если надо, в санаторий за государственный счет отвезут… Ну а про расстрелы и лагеря я тебе так отвечу. Если бы у царских министров были мозги, они бы страну до гражданской войны не довели. Поделились бы богатствами – глядишь, и кровь бы не пролилась. Когда льется много крови, люди от ее запаха звереют и дуреют. Революция штука жестокая. Если уж грянула, то продолжается не год, не два, а десятилетия. И правила у революции простые, грубые – на выживание. Есть закон целесообразности: что эффективно, то и нравственно. Есть закон больших чисел: интересы миллиона человек всегда важнее интересов тысячи человек. Но про это мы с тобой уже толковали. Понятна тебе моя логика?

– Понятна. Я про это еще подумаю, – медленно произнес Дорин.

– Вот-вот, подумай. – Старший майор вздохнул. – Ты вон о философиях размышляешь, а меня другое гложет. Мелкое такое сомненьице. А что если я из Вассера самого главного все-таки не выдавил?

– Как так? Ведь он же ответил: будет война, 22 июня.

– Да знаю, знаю… – Октябрьский сердито задвигал бровями. – Не могу объяснить. Говорю же: не сомнение, а сомненьице. Странное такое ощущение, будто обдурил он меня, обвел вокруг пальца.

– Ничего, спрóсите его на следующем сеансе. Соврать он не сможет.

Шеф засмеялся:

– Устами младенца. Так и сделаю. Ты прав, Егорка. Главный результат получен, остальное потом... Однако час прошел. Позвоню-ка в приемную...

По телефону шефу сказали что-то такое, от чего он залился сердитым румянцем и закричал:

– Вы передали про экстренную важность?!

Потом сник:

– Вот как? Ясно. Сделаю.

Шмякнул трубкой об аппарат и длинно, заковыристо выругался.

– Уже звонил! Говорить со мной не стал. Некогда. Велел изложить письменно и оставить у него на столе. Ночью прилетит – прочтет. Пяти минут пожалел! Как будто Октябрьский станет по пустякам дергать...

– Шеф, Нарком ведь все равно поехал лично беседовать с командующими округов. Чтоб были готовы к нападению, – стал утешать начальника Егор. – Пускай он еще не знает про 22-ое, это ничего. Завтра утром узнает. И скорректирует указания.

Старший майор засмеялся:

– Ты у меня сегодня прямо Василиса Премудрая. Не горюй, Иванушка, утро вечера мудренее. А я вот как сделаю! Не желает слушать меня, пускай Вассера послушает.

И шеф размашисто написал на листе бумаге:

«Тов. нарком, прошу срочно прослушать запись допроса Вассера.

Ст. м-р Октябрьский»

– Вот и весь рапорт, – с удовлетворением сказал он, засовывая в пакет бобину с магнитной пленкой. – Думаю, нахальство тона подействует. Разве что…

Придвинул листок и быстро приписал еще несколько строчек, но Егору уже не показал.

Потом встал, сладко потянулся, так что захрустели мышцы всего его плотно сбитого тела.

– Хоть начальство нас и не ценит, сегодня мы с тобой, Егорка, одержали большущую победу. Скажем об этом без ложной скромности. Не знаю, как тебя, а меня после победы всегда переполняет радость жизни. Которая требует выхода. – Он подмигнул Дорину синим глазом. – Ты понимаешь, о чем я? Сейчас занесу в кабинет Наркома пакет и отбуду. Пойдем-ка, проводишь меня до лифта.

Они вышли из кабинета. Октябрьский вышагивал по длинному коридору, напевая про любовь, у которой как у пташки крылья. Бодрится, подумал Егор. А самому, конечно, обидно.

– Между прочим, еду к известной тебе особе, – улыбнулся Шеф. – Привет передать? Ты ее видел. В ресторане гостиницы «Москва».

– Увели? – ахнул Егор. – У тех франтиков? Саму Любовь Серову! Вот это да!

– Замечательная, между прочим, оказалась женщина. – Шеф на ходу надел фуражку, проверил, симметрично ли сидит на голове. – Нежная, страстная. Не семи пядей во лбу, но с ней же не в шахматы играть. А ты куда? Видок у тебя – краше в гроб кладут. Неужто помчишься к своей Дульцинее? Не отъевшись, не отоспавшись?

Лейтенант насупился:

– Нету у меня больше никакой Дульцинеи.

– Куда ж ты тогда? Комнату в общежитии отдали другому сотруднику. Твое удостоверение, кстати, у меня в ящике стола лежит. Забери, а то тебе не войти, ни выйти... Слушай, Егор, нахальство, конечно, с моей стороны. После всего, что ты перенес… – Старший майор остановился, не очень старательно прикинулся, что ему совестно. – Может, подежуришь у меня в кабинете, а? На случай, если Сам вернется и станет меня разыскивать. А чего? Деваться тебе все равно некуда. Хоть поспишь по-человечески, на диване. Он мягкий, кожаный. До вечера гуляй где хочешь. В столовку сходи, к Ляхову с Григоряном загляни. Порадуй, что жив и что мы Вассера взяли. Про допрос, само собой, молчок – сам понимаешь. Можешь с ними умеренно выпить. Но к двадцати двум ноль ноль быть на месте, – плавно съехал Шеф с товарищеского тона на командирский. – Дрыхнуть можешь, отлучаться ни-ни. Если со мной захочет говорить Нарком, запомни телефон: Д-65421. Это квартира Любочкиной подруги, она уехала на съемки, а ключи нам оставила. Недалеко, в Безбожном переулке, в случае чего за десять минут долечу. Ну, а коли я Наркому не понадоблюсь, то пошло оно всё… – Октябрьский сердито махнул рукой. – Объявлю лежачую забастовку, прямо до 22 июня.

Старший майор снова запел, теперь уже не про любовь. а про красных кавалеристов и нырнул в лифт. Дорин же поплелся назад.

Время было только половина восьмого. Зайти к Ваське Ляхову, конечно, неплохо бы. но заноза, засевшая у Егора в голове после того, как шеф сказал про Дульцинею, саднила все сильней.

Телефонный номер больницы имени Медсантруда он помнил еще с тех пор, когда звонил туда с Кузнецкого.

Походил по кабинету.

Снял трубку, набрал две первых цифры.

Передумал.

Еще походил.

Потом, как в омут головой, быстро накрутил: Ж2-23-25.

– Алё. Больница Медсантруда слушает, – откликнулся строгий мужской голос – похоже, тот самый, который в апреле обещал передать Наде про Егорову «командировку», да не исполнил.

– Надежда Сорина, санитарка из Хирургического, на работе? – спросил лейтенант с замиранием сердца.

Загадал: если у Нади вечерняя смена, это судьба. В Плющево и обратно до десяти вечера не обернешься, а на Радищевскую запросто.

– Справок про медперсонал не даем, тем более про низший. Санитарку ему, ишь чего захотел! – грубо ответил дежурный.

Пока он не положил трубку, Егор быстро сказал:

– Представьтесь! С вами говорят из наркомата государственной безопасности.

На том конце шумно запыхтели.

– Я вот сейчас про тебя, сопляка, сообщу куда следует. Они номер в два счета определят. Такой тебе наркомат пропишут.

– С вами говорит лейтенант госбезопасности Дорин, – официальным тоном объявил Егор. – А телефон мой определять не надо. Можете перезвонить мне сами. Записывайте: К4-09-60, это коммутатор, добавочный у меня…

– Не надо добавочный, товарищ лейтенант! – испуганно закудахтала трубка. – Я верю! Про сопляка это я для порядку сказал, извините. А то, знаете, бывают умники. Сам бабе звонит, сестричке или там санитарке, а сам форсу напускает. Петюрников я. Петюр-ни-ков, старший вахтер ночной смены. Меня в райотделе НКВД знают. С хорошей стороны.

– Так на работе Сорина или нет? – перебил его Дорин.

– Сейчас уточню, товарищ лейтенант… Так точно, заступила с шести вечера и до шести утра.

Значит, судьба.

– Вот что, Петюрников. Я сейчас приеду. Про мой звонок ни гу-гу.

– Обижаете, товарищ лейтенант. Что я, без понятия? Вы справьтесь про меня в райотделе, у сержанта Зозули, он вам ска…

Егор повесил трубку.

Решено!

Верил бы в бога – перекрестился.

Петюрников оказался плотненьким плешастым мужчинкой, который сначала взглянул на вошедшего Дорина волком, а увидев красную книжицу, сразу заулыбался и даже закланялся, будто холуй из кино про дореволюционную жизнь.

– Пока вы ехали, собрал все данные. Не беспокойтесь, внимания не привлек. Докладываю, – зашептал он Егору на ухо. – Не зря вы заинтересовались гражданкой Сориной, особа крайне подозрительная. Не комсомолка, общественной работой не занимается, политинформации игнорирует. В субботниках, правда, участвует. Но на груди под платьем носит крестик. Сам не видал – нянечка Будькова рассказала, она старушка глазастая. Сорина эта, хоть по штатному расписанию санитарка, но ведет себя будто принцесса какая. Врачи с ней цацкаются, потому что она дочка профессора Сорина из Глазного (между нами, тоже тот еще тип). Доктор Маргулис в нарушение правил берет ее ассистенткой на операции. Говорит, что она даст сто очков вперед любой операционной сестре.

Хотел Дорин сказать противному вахтеру, чтоб заткнулся, но как услышал про доктора Маргулиса, навострил уши.

– А с этим… с Маргулисом у нее что? – спросил он, чувствуя, что краснеет. Хорошо, свет в вестюбиле был тусклый. – Только по работе или…?

– Выяснил, всё выяснил, – плотоядно улыбнулся Петюрников, и у Егора внутри всё сжалось. – Провожает ее, на концерты катает, ручку целует – не на работе, конечно, а после. Со свечкой я над ними не стоял, но отношения просматриваются невооруженным глазом. Тесные такие отношения, – и вахтер сделал похабный жест.

Гнусный был тип этот Петюрников, да и сам Егор не лучше – зачем спрашивал?

Сдвинув брови, Дорин строго сказал:

- За информацию спасибо, пригодится. Но насчет Сориной вы, гражданин, ошиблись. У нас к ней претензий нет, совсем наоборот. Это я только вам говорю, по секрету, как преданному Органам товарищу. А теперь потихоньку, чтоб никто не видел, приведите ее. К кому, не говорите. Я подожду вон там, под лестницей. И последите, чтоб никто нам с ней не мешал.

– Понял. Конспиративность обеспечу, в лучшем виде.

Дорин стоял в темноте под лестницей, среди каких-то ведер и швабр. Волновался.

Над головой процокали легкие шаги. Голос, от которого у Егора перехватило горло, произнес:

– Где он, этот человек? Кто меня спрашивал?

Взволнована. Наверное, нечасто санитарку Сорину срочно вызывают на вахту. Или, может, дурак Петюрников состроил очень уж таинственную рожу. Хорошо хоть не приперся вместе с ней. Наверное, остался на верхней площадке, «обеспечивает конспиративность».

– Это я, – глухо сказал Дорин из своего укрытия, когда увидел тонкий силуэт в белом халате.

Надя развернулась так стремительно, что Егор понял – узнала, по двум коротеньким словам!

Он сделал несколько шагов вперед, на свет, и остановился, потому что Надежда испуганно попятилась.

Еще бы. Вместо румяного молодца, кровь с молоком, перед ней стоял тощий, заросший неопрятной бородой субъект.

– Это я, – повторил Егор, что, наверно, прозвучало глупо.

Она всплеснула руками:

– Что с тобой?!

Пора было произносить слова, приготовленные по дороге. Дорин придумал хороший текст, убедительный. Но сумел проговорить только первую фразу:

– Я не могу без тебя... – И сбился – очень уж Надя была красивая, еще красивее, чем он запомнил.

– До такой степени? – потрясенно вымолвила она, глядя на его физиономию землистого цвета.

– Да, – немедленно подтвердил лейтенант, инстинктивно угадав, что такого эффекта он бы не достиг никакими словами.

И Надя бросилась к нему. Обнять не обняла, но стала гладить по впавшим щекам, по белобрысой щетине – а это было не хуже, чем объятья.

– Как же ты измучился! И меня измучил, – шептала она, всхлипывая.

Он помалкивал, лишь ловил губами ее пальцы.

– Ты ушел от них, да? – улыбнулась она сквозь слезы. – Тебе было очень трудно это сделать, но ты все-таки ушел!

Ужасно хотелось соврать, но это было бы вроде воровства или предательства.

Глубоко вздохнув, Егор сказал:

– Нет, я по-прежнему служу в Органах.

Все-таки он не ожидал, что она так от него шарахнется. Будто обожглась о раскаленную плиту.

– Тогда зачем? – И лицо будто заледенело. – Уходи!

Чем громче он кричал, тем тише отвечала Надя.

– Из-за Маргулиса? У тебя с ним любовь, да?

Само сорвалось, он не хотел. И, главное, жалко так прозвучало, визгливо.

– Саша очень порядочный человек и замечательный специалист, – отрезала Надежда. – Он мой учитель. И в профессии, и в жизни. А люблю я тебя. Только мне с тобой нельзя.

– Да кто это решил? – взорвался Егор. – Учитель жизни Маргулис? Или твой папаша, пережиток капитализма? Ты своим умом живи, собственную голову слушай! Сама говоришь, что любишь! Я без тебя вообще не могу! Чего еще-то? Остальное неважно!

Чем громче он кричал, тем тише отвечала Надя:

– Я слушаю сердце, оно не обманет. Мне нельзя с человеком, который на стороне Грязи и Зла.

– Кто на стороне зла? Я?

Егор опешил. Он думал, что такими словами только в дореволюционных книжках разговаривают. Ну и обидно, конечно, стало. Это шеф-то на стороне зла?

– Да что ты знаешь про зло? – горько сказал Дорин. – Ходишь тут в беленьком халате, четвертая симфония Танеева, а через десять, нет, уже через девять дней начнется война. Страшная. Как попрутся на нас фашисты, со своими эсэсами и гестапами, тогда ты поймешь, где настоящее зло. Я и мои товарищи жизни не жалеем, чтобы защитить тебя, Викентия Кирилловича, Маргулиса твоего и еще сто пятьдесят миллионов советских людей. А ты нос воротишь! Железный Нарком для тебя, поди, хуже Антихриста, а он себя не жалеет, носится из штаба в штаб, чтоб подготовить Родину к обороне, а ты… Мы, значит, грязные, да? Чистый человек – не тот, кто грязи боится, а кто ее вычищает!

Это и был заготовленный текст, только немножко скомканный. И произнес его Дорин резче, чем собирался, но очень уж она его «грязью и злом» оскорбила.

– Война? – потрясенно повторила Надя. – Через девять дней? Господи!

И перекрестилась.

Выходит, другие его аргументы пропустила мимо ушей.

– Это государственная тайна. Ты никому. Даже отцу. Иначе меня расстреляют. И правильно сделают…

Она зажмурилась. Губы шевелились, но звука не было. Молилась, что ли? С нее станется.

Егор ждал.

Наконец, она открыла глаза, они были печальные, но спокойные.

– Я никому не скажу, даже отцу. И я не считаю тебя грязным. Грязного я бы не полюбила. Но ты все равно уходи. Одним Злом другое не одолеть, это я точно знаю. Ничего, есть у нас Заступник и кроме твоего наркома.

Откуда-то сверху женский голос позвал:

– Сорина! Ты где? Начинаем!

– Мне на операцию, – встрепенулась Надя. – Опаздывать нельзя. Прощай, Георгий.

Это слово тоже было книжное. В жизни люди говорят: «пока», «до свидания» или «ну, бывай». От «прощай, Георгий» у Егора в груди похолодело.

– Навсегда? – употребил он еще одно страшное слово.

Теперь содрогнулась и Надя.

– Нет, не навсегда! Когда-нибудь ты ко мне вернешься, я знаю! Только не было бы поздно.

– Что, заведешь себе другого?

– Нет. Просто боюсь, что не узнаю тебя… А другого у меня никогда не будет. Я же сказала: ты мой первый и последний.

Сверху снова крикнули, уже сердито:

– Сорина! Доктор ждет!

– Иду! – отозвалась Надежда и убежала, смахивая с лица слезы.

Глава пятнадцатая

«ДАЛЕКО ПОЙДЕШЬ»

Ровно в двадцать два ноль ноль Егор вернулся на Лубянку скорбный и с красными глазами, будто с похорон.

На столе, под салфеткой со штампом «Спецбуфет», стояла тарелка с бутербродами – наверняка шеф перед уходом распорядился. Хотя Дорин ничего не ел почти двое суток, а из-под салфетки сочился чудесный копченый запах, ни сил, ни желания принимать пищу не было.

Едва дойдя до дивана, Егор рухнул.

Мыслей в голове не было. Чувств тоже.

Все ресурсы организма – и физические, и психологические, и нравственные – были выведены в ноль. Топливные баки опустели до самого донышка.

Невероятно длинный день, начавшийся целую вечность назад в темном и тесном подвале, подошел к концу.

– 22 июня, через девять дней, – сказал Егор вслух, чтобы заставить себя думать про войну.

Только чего про нее было думать? Начнется – будем воевать. Когда человек на свете один, воевать легко.

Он повернулся на правый бок, сложил ладони под щекой (какое это было наслаждение после четырех недель сна врастяжку!) и уснул.

И привиделся лейтенанту Дорину сон. Будто трясет его кто-то за плечо, он просыпается и видит над собой железного Наркома. Вид у великого человека грозный и даже божественный: лицо искажено яростью, глаза мечут молнии, а редкие волосы на темени окружены ослепительным нимбом.

– Где он?! – закричал громовержец. – Где Октябрьский? Дома нет, на даче нет, нигде нет! Отвечай!

Схватил спящего Егора за шиворот, затряс. От тряски Дорин заморгал и увидел, что никакой это не сон. Над диваном склонился сам Нарком, лицо у него неестественно белое, а волосы подсвечены ярким солнцем – за окнами кабинета вовсю сияло утро.

Лейтенант вскочил, как ошпаренный, пытаясь заправить в галифе выбившуюся рубашку.

– Лей... До... – залепетал он, помня о том, что прежде всего нужно представиться. – Дежу...

– Плевать мне, кто ты! – застонал Нарком, и столько в этом звуке было страдания, что Егор испугался еще больше, чем в первый миг. – Октябрьский где?

У Дорина наконец-то включилась голова: Сам прочитал записку, прослушал магнитную запись, теперь хочет срочно видеть шефа.

Стоп. Ну, узнал Нарком, какого именно числа нападут немцы. Ну, не терпится ему узнать у шефа подробности. А чего так кричать-то? Зачем за ворот трясти?

И совершил лейтенант страшное должностное преступление – соврал Зампреду Совнаркома, генеральному комиссару госбезопасности:

– Не знаю. Товарищ старший майор собирался к вам, как только вы вернетесь из поездки. Наверно, скоро появится.

А сам покосился на стенные часы. Двенадцатый час. Ничего себе поспал. С Октябрьским-то понятно – ждет звонка от Егора, радуется жизни, пока есть такая возможность.

Позвонить ему, конечно, надо. Но сначала неплохо бы выяснить, из-за чего разъярился Нарком.

Что с меня, мелкой сошки, взять, подумал Дорин и, вытянувшись в струнку, отрапортовал:

– Я – лейтенант Дорин, сотрудник спецгруппы «Затея». Вчера весь день состоял при товарище Октябрьском, участвовал в операции по задержанию агента Вассера и в допросе. Готов отвечать на любые вопросы, пока не нашелся товарищ старший майор.

Нарком нацепил на нос свалившееся пенсне, прищурился. Глаза у него были большие, красивого темно-карего оттенка.

– Дурак ты, лейтенант Дорин, – уже не гневно, а печально сказал генеральный комиссар. – Начальник твой сам по себе не найдется. Его искать нужно.

– Виноват, не понял! – еще громче рявкнул Егор. Дурак так дурак – спросу меньше. Да и потом, он в самом деле не понял. Как это «не найдется»?

– Сбежал Октябрьский. Сделал свое черное дело и сбежал, – тихо-тихо проговорил Нарком. Подбородок у него дернулся книзу, будто вдруг налился неимоверной тяжестью – потянул за собой всю голову, и она опустилась на грудь. – Погубил, вражина…

– Как сбежал? Зачем? – растерялся Дорин. – Вы ошибаетесь! Он не враг!

Нарком пытливо смотрел исподлобья. Лицо у него было хоть и свежевыбритое, но очень усталое. Еще бы! За сутки побывал в четырех округах. И надо думать, не чаи там распивал.

– Сядь, лейтенант. – Нарком положил Егору руку на плечо, надавил. – Парень ты смелый, способный, знаю. И честный, а это самое главное. Только настоящим чекистом еще не стал. У настоящего чекиста на врага должно быть чутье, как у волка. Э, да что я тебя, мальчишку, попрекаю… Сам-то тоже хорош, генеральный комиссар.

Он безнадежно махнул рукой. Сел на диван, Егора усадил рядом.

– Октябрьский в записке сообщает, что тебя четыре недели в подвале скованным держали. А ты сумел вырваться и выполнить свой долг. Это ты, конечно, молодец…

Вот что шеф вчера приписал-то, сообразил Егор. И мне показывать не стал. Хотел, чтоб меня сам Нарком наградил. Только непохоже, чтобы дело шло к наградам.

– Тебя-то я ни в чем не виню. Выложился на всю катушку. Беда только, что работал ты на врага, вот какая штука…

– Почему?! Да, я передавал и получал радиограммы, но Вассера мы все-таки взяли! И он дал показания!

Дорин хотел вскочить, но Сам удержал, не позволил.

– Я не про радиограммы говорю… Эх, не имею я права тебе всё объяснять. Это государственная тайна, наивысшая категория секретности… Но человек ты надежный, верить тебе можно… – Нарком махнул рукой. – Ладно, слушай. И сразу вычеркни из памяти. Понял?

– Так точно, товарищ генеральный комиссар, – прошептал Егор, леденея от предчувствия чего-то очень значительного, а может быть, и ужасного.

Но то, что он услышал, превзошло самые худшие его ожидания.

Глядя лейтенанту прямо в глаза бесконечно суровым, но в то же время как бы сочувственным взглядом, Нарком объявил:

– Ты стал пособником чудовищной провокации, цель которой – столкнуть Германию и СССР лбами, развязать войну.

– Так ведь решено уже! – Дорин опять рванулся с места и опять сильная рука заставила его оставаться на месте. – Немцы нападают 22-го! Разве вы не прослушали пленку?

– Ничего еще не решено! – Голос генерального комиссара сделался звонок и тверд, как закаленная сталь. – Более того – Вождь, наш великий Вождь дает стопроцентную гарантию, что войны не будет. Стопроцентную, ясно?

– Ясно, – пролепетал Егор, сраженный этим неопровержимым аргументом.

– Тогда слушай дальше. В немецком Верховном командовании и разведке есть силы, которых не устраивает подобный поворот событий. Они решили спровоцировать нас на разворачивание войск. Чтобы Фюрер подумал, будто Советский Союз в нарушение договоренности готовит вероломный удар во фланг немецкой армии едва лишь она повернет на юг. Твой Октябрьский клюнул на абверовский крючок. А может быть, и не просто клюнул… Все минувшие сутки я летал по приграничным округам. Лично, с глазу на глаз, разговаривал с командующими. Жестко. Чтоб никаких военных приготовлений и демонстраций, под страхом расстрела. Наоборот. Командиров – в очередной отпуск, технику – на профилактику. Возвращаюсь в Москву, и вижу на столе так называемый рапорт твоего начальника. Да еще магнитную ленту! И теперь я хочу понять, кто такой Октябрьский – дурак или подлец.

Егор вздрогнул – очень уж дико было слышать эти слова из уст Наркома, да еще в адрес старшего майора.

– Товарищ генеральный комиссар! Но ведь Вассер, он же корветтенкапитан фон Теофельс, на допросе показал, что война начнется 22-ого! Он был под воздействием фенамин…, я забыл, ну препарата, который не дает врать! Вы можете сами допросить Вассера! Он сейчас…

– Час назад корветтенкапитан отправлен спецрейсом в Берлин, – перебил Нарком. – Ему принесены извинения. Ясно?

Нет, Дорину не было ясно!

Вассер отпущен с извинениями? Октябрьский – дурак или подлец?

Лейтенант затряс головой.

Тогда Нарком полуобнял его за плечо.

– Да пойми ты, дурья башка, мне нужно срочно потолковать с Октябрьским. Скорее всего никакой он не враг, а просто заигрался. С профессионалами это бывает. Но я должен с ним поговорить. Это вопрос жизни и смерти. Его, моей, твоей – всех нас. Помоги мне. Ты знаешь, где он. Я вижу, что знаешь.

Егор вздрогнул, но не удивился. Конечно, Нарком видит его насквозь.

– Знаешь, кто приказал мне немедленно отыскать и допросить Октябрьского? – наклонился к самому его уху генеральный комиссар и поднял палец к потолку. – Вождь. Лично. Он – ты пойми – ОН чрезвычайно обеспокоен этой историей. Завтра ТАСС выступит с публичным заявлением, что никакой войны между СССР и Третьим Рейхом не будет. По сути дела это тоже извинение. Сам Вождь на весь мир извиняется за самодеятельность какого-то Октябрьского!

Слушать такое было жутко. Егор вжал голову в плечи, потупился. Но все равно молчал.

– Это хорошо, что ты предан своему начальнику, – добродушно усмехнулся Нарком и потрепал лейтенанта по ежику светлых волос. – Если выяснится, что в действиях Октябрьского не было злого умысла, что он просто оступился, ограничусь взысканием. Работник он ценный, такими не бросаются. Но существует верность, которая гораздо выше личных отношений. Это верность Родине, партии, Вождю. Он волнуется, места себе не находит, а товарищ Октябрьский прохлаждается неизвестно где. Или не прохлаждается? – Карие глаза сузились. – Может, он всё-таки в бегах, а ты мне тут горбатого лепишь?

– Нет, что вы! Он ждет, когда его вызовут. Сказал: не вызовут – значит, не нужен. Он вчера вас весь день…

– Где он? Дорин, золото мое, скажи – где он? – тихо-тихо попросил Нарком.

– На Мещанах, в Безбожном переулке. Я точного адреса не знаю. Только номер телефона: Д-65421. Давайте я наберу. Я все равно должен ему доложить, когда вы вернетесь.

На этот раз Нарком позволил ему встать и поднялся сам. На Дорина он больше не смотрел – сосредоточенно потирал веки.

– Не надо никуда звонить, лейтенант. Без тебя разберутся. А тебе такой приказ. – Он рассеянно улыбнулся. – Получаешь десять дней отпуска для поправки здоровья. Езжай в санаторий, в какой захочешь. Ступай в АХО, скажи, я распорядился. А то вид у тебя дохлый. С начальником твоим я разберусь. Всю правду мне скажет, без «Колы-С». Ломать голову, из какой он категории – глаза или яйца, не придется.

Генеральный комиссар показал на абажур лампы, испуганно выпучил глаза и приложил палец к губам: тс-с-с, подслушивают.

Собственная шутка ему понравилась – он расхохотался, затряс щеками и подбородком. Настроение у Наркома явно улучшилось.

А вот Дорин скис.

Не воспрял духом, даже когда Сам сказал ему на прощанье:

– А парень ты свойский, я тебя запомню. Служи честно, далеко пойдешь.

Эпилог

БУДЬ ЧТО БУДЕТ

Оставшись в кабинете один, Егор долго не мог прийти в себя. Налил из графина воды, но пальцы так дрожали, что половину пролил. Физсостояние было ни к черту. Нервы тоже. Но это ладно, за десять дней можно привести себя в норму. Нормальное питание, сон, зарядка. В Цхалтубо, говорят, хорошо. Или можно в Крым махнуть.

Сегодня что у нас, тринадцатое? Значит, на службу выходить двадцать третьего, в понедельник.

Но ведь 22-го война!

Ах да, войны не будет. Это деза. Октябрьский не дурак и не подлец, он просто ошибся. А кто бы на его месте не ошибся? Шеф всего лишь выполнил свою работу, а выводы – дело высшего начальства. Чего такого ужасного натворил старший майор? Из-за чего переполох? Подумаешь, арестовал и допросил шпиона. Если правительству точно известно, что сведения ложные, проигнорируй их, и дело с концом. К чему извинения, к чему заявление ТАСС? Почему у железного Наркома дрожал подбородок? Неужто от страха?

Бред, невозможно!

А возможно, чтобы генеральный комиссар госбезопасности обнимал за плечо паршивого лейтенантика и битый час говорил ему задушевные слова? Ясно же, что Сам так распинался перед Егором, даже посвятил в важнейшую государственную тайну лишь ради того, чтобы выудить адрес Октябрьского. Едва добился своего, сразу ушел. Да еще вон как обрадовался.

Что же ожидает шефа?

Егор передернулся, вспомнив про «глаза-яйца».

Какой же ты, Дорин, гад, вдруг пронзило его. Стоишь тут, про Цхалтубо думаешь, воду пьешь, а старший майор сидит у своей артистки и не подозревает, какие черные тучи сгустились у него над головой.

Черт с ним, с запретом Наркома. Надо позвонить шефу и предупредить. Пускай не ждет, пока за ним приедут, пускай явится сам. Это будет лучшее доказательство его невиновности!

Несколько мгновений Егор разглядывал абажур, в котором, очевидно, было спрятано подслушивающее устройство.

Наплевать. Все равно телефоны тоже на прослушке.

Подумаешь, преступление – сказать непосредственному начальнику, что его срочно разыскивает руководство.

Но когда палец крутил диск, на лбу выступили капли пота. Что-то подсказывало: преступление не преступление, а только не простит Нарком ослушника.

Чтобы не дать себе задуматься о возможных последствиях, последние цифры Дорин набрал в ускоренном темпе.

Сигнала не было.

Что за черт!

Набрал номер с другого аппарата, с третьего – то же самое.

Берешь трубку – гудит. Но абонент не отзывается, будто умер.

Всё ясно. Номер Д-65421 отключили.

Ну чего ты психуешь, чего? – сказал себе Дорин. Ведь поступил правильно, по-большевистски. Нарком прав: верность Родине и Вождю выше личных привязанностей. Только отчего на душе погано?

Он сел к столу, уронил голову на скрещенные руки и сидел так долго. До тех пор, пока не затрезвонил один из телефонов.

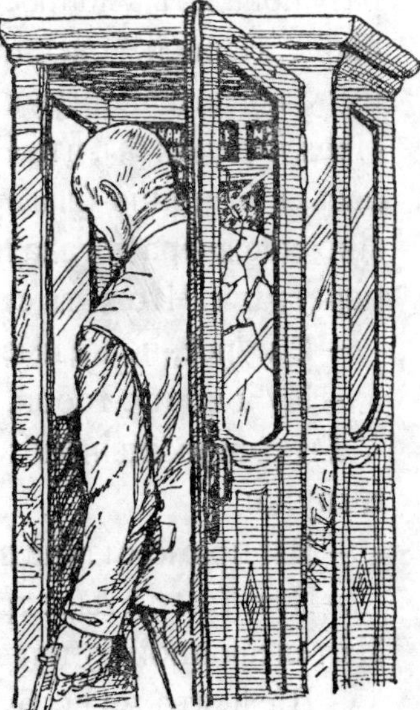

– Лейтенант Дорин, – хрипло сказал он в трубку.

И услышал голос шефа.

– Так и думал, что ты в моем кабинете.

– Шеф, с вами всё в порядке? – заорал Егор, опрокинув стакан с недопитой водой.

– Нет. Со мной всё не в порядке. – Старший майор сухо хмыкнул. – Кому знать, как не тебе. Удивил ты меня, Егорка. Хотя что ж, сам тебя учил: что целесообразно, то и нравственно.

Горько, конечно, было слышать такое от шефа, но Дорин всё равно ужасно обрадовался.

– Раз звоните, значит, вас не арестовали?

– Что я им, мальчик-колокольчик из города Динь-Динь? «Откройте, телеграмма». Идиоты! Положил на месте всех четверых.

– Да вы что?!

У Егора потемнело в глазах. Октябрьский застрелил сотрудников, которые за ним приехали? Неужели он в самом деле враг?

– Ты-то хоть идиотом не будь, – вяло сказал старший майор, оказывается, не утративший способности угадывать мысли. – Я не враг. Я коммунист и патриот нашей Советской Родины. Но по второму разу попадать в допросную мясорубку – слуга покорный... Парней, конечно, жалко – грохнул я их с перепугу, когда начали руки крутить. Но это ты виноват. Предупредил бы, что Наркому моя шкура понадобилась, я бы чинно-благородно застрелился. Надо было мне еще вчера догадаться, когда с Самим соединять перестали. Что хоть стряслось-то, ты не в курсе?

– В курсе, но не имею права по телефону.

– Ну и черт с тобой, теперь всё равно.

Егор спросил шепотом, хоть понижать голос было и глупо:

– Вы прямо оттуда звоните?

– Нет. Там четыре трупа, баба в обмороке... Ушел. Из телефонной будки звоню. С угла.

– Шеф, что же вы будете делать?

– Подожду до двенадцати. Я тебе рассказывал, мне цыганка нагадала, что я ровно в полдень умру. Вышел из подъезда, смотрю на часы – без пяти двенадцать. Прошелся немного – автомат. Думаю, с кем бы попрощаться? Представляешь, полвека прожил, а попрощаться не с кем. Разве что с тобой. Вот и звоню, чтоб скоротать время до полудня.

Резко повернувшись, Дорин взглянул на часы. Без одной минуты.

– А еще хочу дать тебе один совет, хоть и сдал ты меня. Неправильно я тебя учил, Егорка – чтоб ты не сердца слушался, а головы. Подведет тебя голова в самом главном, как меня подвела.

– С Вассером?

– Нет, много лет назад... Некогда рассказывать. Ты не перебивай, полминуты у меня всего... Сердце, конечно, ерунда, мотор для качания крови. Ничего оно тебе не скажет. Ты голос слушай. Есть внутри такой голос. Когда надо, он всегда подскажет, ты только уши не затыкай. Я-то его давно слушать перестал. Потому и подыхаю в обоссанной будке, на углу Безбожного переулка... Всё, почти двенадцать. Готовность десять секунд. Даром что ли я цыганке за гадание двугривенный платил?

Октябрьский издал странный звук – не то всхлипнул, не то хохотнул. Нет, не мог он всхлипнуть! Не такой человек.

– Прощай, Егорка из деревни Дорино. Пример с меня не брать, лады?

Хотел Дорин переспросить, о каком примере говорит старший майор, да не успел.

На том конце провода так грохнуло, что у Егора заложило ухо.

Он переложил трубку из правой руки в левую.

– Алё, алё! Шеф!

Ничего. Только глухое, мерное постукивание. Прошло, наверно, секунд десять, прежде чем Дорин сообразил – это ударяется, раскачиваясь, телефонная трубка.

Настенные часы весело били двенадцать ударов. За окном сиял солнцем, гудел клаксонами огромный город.

Егор подошел к подоконнику, раздвинул шторы пошире.

Что войны не будет, это здорово, думал он. А к следующему году мы так подготовимся – фашисты и сами не полезут.

Над крышами синело небо, оно было еще больше города.

Про какой-такой голос говорил шеф? Как его слушают, этот голос?

Лейтенант стоял и шмыгал носом. Насморк его прошиб, ни с того ни с сего. А платка не было.

Э, да это не насморк – слезы. Поплыла перед глазами у Егора родная столица, закачалась.

Нюня ты, сказал себе Дорин. Не место тебе в Органах. Металл у тебя не той пробы, крепости не хватает. Уходить надо.

И как-то само собой решилось: надо подать рапорт. О переводе.

Главное, есть ведь, чем заняться. Вон оно небо – синее, чистое, без конца и края. Летай не хочу. Позвонить Петьке Божко, тот слов на ветер не бросает, раз обещал – возьмет. Для чекистской работы Егор слабоват, а для авиации в самый раз.

Сразу сделалось легко на сердце, словно уже оторвался от земли и взлетел под самые облака.

Но тут же и скрежетнуло.

Не отпустит Нарком. Потому что нецелесообразно: много лишнего знает лейтенант Дорин. Опять же звонок из Безбожного – распечатают, доложат. Ничего преступного Егор вроде не говорил, но в сочетании с рапортом выглядеть будет скверно. Одним увольнением дело может не ограничиться…

Оставить всё как есть?

Прислушался Дорин к шевелению в груди – не скажет ли чего голос?

Не сказал, но почему-то стало ясно, что оставлять всё как есть не нужно.

Тогда так, придумал Егор.

Заявление сегодня писать не буду. Поеду лучше в Плющево, к Наде. Обрадую. Будет у нас с ней десять дней счастья. Между прочим, не так мало, по нынешним временам.

А 23-го выйду из отпуска, и рапорт на стол.

Если отпустят по-хорошему, вернусь в авиацию. А не выйдет по-хорошему – значит, так на роду написано.

Будь что будет.

Приложение

ОСОБАЯ ПАПКА

(8 единиц хранения)

1. РАДИОГРАММА ОТ 17 МАЯ 1941 Г.

Wasser an Sepp:

Die zeitweiligen Probleme mit dem Funkkontakt sind behoben. Kein Grund zur Sorge. Bin nach Ergebnis der Aktion „Lord“ für Prämie/Orden und zur Beförderung vorgeschlagen. Das erleichtert Vorbereitung von Operation „Asiat“. Warte auf Anweisung.

Вассер Зеппу:

Временные трудности со связью устранены. Беспокоиться не о чем. По результатам акции «Лорд» представлен к награде и повышению. Это облегчит подготовку операции «Азиат». Жду указаний.

2. РАДИОГРАММА ОТ 20 МАЯ 1941 Г.

Sepp an Wasser:

Die Zeit ist jetzt reif für „Fortsetzung folgt". Gib Bescheid, wenn Vorbereitungen dazu ganz abgeschlossen sind. Gebe zu bedenken, dass im Erfolgsfall von „Asiat" noch zehn Tage zum Ausschwärmen der Truppen nötig sind.

Зепп Вассеру:

Пришло время назначить день “Продолжение следует”. Сообщи, когда будешь окончательно готов. Напоминаю, что в случае успеха операции «Азиат» потребуется еще 10 суток для разворачивания войск.

3. РАДИОГРАММА ОТ 24 МАЯ 1941 Г.

Waser an Sepp

Wann soll „FF“ am besten losgehen? Werde alles gemäß Empfehlung einrichten. Kann Operation zu jedem beliebigen Zeitpunkt durchführen, da „Asiat“ absolutes Vertrauen in die Quelle von „Lord“ hat. Sorgfältige Vorbereitung des Angriffssignal ist einzige Vorbedingung.

Вассер Зеппу:

Назови оптимальные сроки для “П.С.”. Постараюсь подстроиться. Абсолютное доверие Азиата к источнику «Лорд» дает мне возможность провести операцию в любое время. Единственное условие – качественная подготовка ударной информации.

4. РАДИОГРАММА ОТ 29 МАЯ 1941 Г.

Sepp an Wasser:

Gemäß GenStab und OKW ist die Nacht von Samstag zum Sonntag, also der 21. auf den 22. Juni der günstigste Zeitpunkt.

Halt dich bereit „FF“ nicht später als bis zum 12. Juni durchzuführen und warte auf das Signal: Fragezeichen, dreimal wiederholt.

Das Angriffssignal für „Asiat“ lautet: Am 10. Juni Geheimtreffen von Churchill und Heß im Gefängnis. Analoge Angabe erhält der sowjetische Geheimdienst in London und Berlin, allerdings erst zwei Tage später.

Зепп Вассеру:

Генштаб и ОКВ пришли к выводу, что оптимальной датой для "П.С." является ночь с субботы на воскресенье 21/22 июня.

Будь готов провести операцию не позднее 12 июня, но жди особого сигнала: три знака вопроса.

Ударная информация для Азиата: 10 июня Черчилль тайно встретился с Гессом в тюрьме. Аналогичные данные получит советская резидентура в Лондоне и Берлине, но на двое суток позднее.

5. РАДИОГРАММА ОТ 1 ИЮНЯ 1941 Г.

Wasser an Sepp:

Signal verstanden. Bestätige Bereitschaft zum 12. Juni. Angriffssignal ist gut gewählt. Melde, dass Aktion „Ungebetener Gast" in höchstem Maße erfolgreich durchgeführt wurde. Gesamte Führung der Luftwaffe ausgeschaltet. Wiederherstellung der Führungsebene innerhalb der drei verbleibenden Wochen unmöglich.

Вассер Зеппу:

Про сигнал понял. Готовность на 12 июня подтверждаю. Ударная информация устраивает. Сообщаю, что акция «Нежданный гость» прошла в высшей степени успешно. Снята вся верхушка ВВС. За оставшиеся три недели восстановить систему управления невозможно.

6. РАДИОГРАММА ОТ 11 ИЮНЯ 1941 Г.

Sepp an Wasser:
FF???

Зепп Вассеру
ПС???

7. Глава одиннадцатая,

ИЗЪЯТАЯ

Выдержка из «Книги посетителей Председателя Совета Народных Комиссаров»

Ночь с 11 на 12 июня 1941 г.

Посетители	*Вход*	*Выход*
………	……	……
7-8. Наркоминдел, посол в Японии	*3.15*	*3.32*
9. Зампред СНК СССР	*3.32*	*4.20*
10. Капитан ГБ Коган	*3.40*	*4.20*

В 4.20 прием прекращен, прочие вызванные т.т. отпущены.

В «Предбаннике», где ожидали вызванные на прием к Вождю (в самом деле красные, распаренные, будто в бане), Нарком задержался всего на несколько секунд.

Бросил спутнику:

– Жди здесь.

У Личного Секретаря спросил:

– Кто там?

– Товарищ народный комиссар иностранных дел и посол в Японии, – придушенно ответил тот – человек, всю жизнь разговаривавший исключительно полушепотом.

Помещение было обширное, но сумрачное. На столе у Личного Секретаря мерцала лампа со стеклянным абажуром, да у диванов для посетителей горели два неярких бра – вот и все освещение.

– У меня «молния», – вошедший понизил голос, хотя люди, находившиеся в приемной и так всем своим видом демонстрировали, что не слушают и не желают слышать, о чем шепчутся Железный Нарком и Личный Секретарь.

– Хорошо, товарищ Зампредсовнаркома. Сейчас доложу.

Минуту спустя из-за бесшумной кожаной двери вышел нарком иностранных дел в сопровождении посла. У первого вид был недовольный, у второго обескураженный.

– Извини, – сказал Нарком коллеге. – Тут такое дело. Скоро сам узнаешь.

И, решительно наклонив лысоватую голову, нырнул внутрь.

Кабинет Вождя в этот ночной час разглядеть было трудно, его стены и углы таяли в полумраке. Освещен был лишь край длинного стола для заседаний, да за окном сияла рубиновая звезда на башне.

– Что за срочность? – спросил Вождь, поднимаясь навстречу – не из вежливости, а встревоженно. – Не дал с людьми поговорить.

– «Молния», – повторил Нарком слово, обозначавшее сообщение исключительной важности и срочности. – Только что получили. От источника «Лорд». Вчера вечером Черчилль секретно посетил Гесса в Тауэре и провел там два часа пятнадцать минут. Сегодня утром с авиабазы Даксфорд отправляется самолет в Берлин. «Лорд» почти уверен, что на встречу с Фюрером полетит Энтони Иден, министр иностранных дел.

– Я знаю, кто такой Иден, – перебил Вождь. – Что значит «почти уверен»? Да или нет?

– «Лорд» не вполне уверен насчет Идена. В остальном – на сто процентов. А этот источник нас никогда еще не подводил, сами знаете.

Они стояли друг напротив друга, оба невысокие, кареглазые, в одинаковых серых френчах. И выражение лиц тоже было одинаковое – напряженно-застывшее.

– Значит, все-таки война… – прошептал Вождь. – Встреча все-таки произошла. Черчилль принимает предложение Фюрера…

– Мои аналитики из спецгруппы «Затея» пришли к тому же выводу. У меня подготовлен доклад, собирался представить вам завтра, хотел только уточнить кое-какие детали. Теперь окончательно ясно: англичане все-таки сговорились с немцами. Думаю, дней через десять, максимум через две недели начнется…

Опустив голову и сцепив руки за спиной, Вождь беззвучно прошелся по ковру. В одну сторону, потом обратно. Нарком следил за этими передвижениями, не мигая.

– Большую ошибку делает рейхсканцлер. Я был о нем более высокого мнения… – медленно заговорил Вождь, остановившись у окна и глядя на звезду. – Ладно, излагай свои соображения.

– Есть у нас одна идейка. Как англичанам игру поломать. Рискованная, конечно. Но что нам терять?

Хозяин кабинета выжидательно смотрел на Наркома. Тот запнулся – вытирал платком вспотевший лоб.

– Перестань, а? – заговорил по-грузински Вождь. – Я ведь тебя как облупленного знаю. Насквозь вижу. Всегда хочешь заслугу себе взять, вину на других свалить. Не тот сейчас момент. Не о себе думай, о деле. Чья «идейка»? В чем состоит?

Последние две фразы были снова произнесены по-русски.

Нарком развел руками, хитро улыбнулся – мол, каюсь, грешен. Улыбка, впрочем, была мимолетной и тут же исчезла.

– Есть у меня в Иностранном отделе человек. Который «Лорда» ведет. Работает в Англии, но несколько недель назад, в связи с обстановкой, я его в Москву выдернул, временно. Парень с головой. Он мне и доложил про Черчилля, только что. Час назад. Про свою идею рассказал коротко, без подробностей. Я к вам торопился про главное доложить.

– С собой догадался его взять? Молодец. Давай, зови.

Нарком рысцой добежал до двери, высунулся, махнул рукой, и в кабинет, молодцевато чеканя шаг, вошел высокий рыжеватый командир с орденом на груди.

– Капитан госбезопасности Коган! – гаркнул он.

– Тише ты! – поморщился Нарком, зная, что Вождь не любит шума.

– Расскажите мне про «Лорда». Всё, что знаете. Характер, привычки, слабости. – Вождь испытующе смотрел на Когана. – Я правильно помню, что он учился вместе с Иденом в Оксфорде?

– Ты папку, папку дай, – зашипел Нарком, показывая пальцем на папку, которую капитан держал подмышкой.

– Так точно, – ответил Коган. – В Оксфорде. В Крайстчерч-колледже.

Громко стуча каблуками, так что и сквозь ковер было слышно, подошел к Наркому, протянул папку, а потом вдруг совершил нечто совершенно невообразимое.

Когда Нарком повернулся к лампе и зашелестел листками, капитан взял его двумя пальцами за шею, пониже затылка и крепко сдавил. Подхватил обмякшее тело подмышки, отволок к ближайшему креслу и усадил.

Голова у Наркома откинулась, пенсне повисло на шнурке.

На несколько мгновений Вождь остолбенел, не веря собственным глазам. Когда же, встрепенувшись, кинулся к секретной кнопке, спрятанной под столешницей, Коган шикнул:

– Отставить!

С Вождем никто так не разговаривал уже много лет, а тех, кто когда-либо позволил себе подобное, уже не было на свете.

Именно поэтому хозяин кабинета послушался.

Обернулся.

Капитан держал в руке – нет, не пистолет, а массивную авторучку, на вид самую обыкновенную, но направлена она была Вождю в грудь.

Тот побледнел, но не вжал голову в плечи, не попятился, а наоборот непроизвольно сделал шажок вперед. В этом движении не было вызова – просто хотелось получше рассмотреть лицо Смерти. Вождь всегда знал, что рано или поздно она к нему подкрадется, и скорее всего, произойдет это неожиданно. Примерно, как сейчас.

Больше всего его поразило, что Смерть оказалась веснушчатой.

Она смотрела на руководителя государства непроницаемыми светлыми глазами, обрывать его жизнь не спешила.

Молчание затягивалось.

У хозяина кабинета шевельнулась надежда: может быть, здесь другое?

И капитан будто подслушал.

– Да, я могу вас убить. Я умею убивать быстро и качественно, – негромко сказал он. – Но я не сделаю этого. Потому что не имею подобного приказа. Пусть это будет свидетельством добрых намерений того, кто меня послал.

Он замолчал, дожидаясь неминуемого вопроса. И Вождь его задал, но не сразу, а после паузы – подготовился, чтобы не дрогнул голос.

– Кто же вас послал?

– Фюрер германской нации, – отчеканил Коган. – Я офицер Абвера. Мое имя не имеет значения. Я не человек, я живое письмо. Предназначенное персонально вам и больше никому.

Он кивнул на бесчувственное тело Наркома.

Вождь взглянул в ту сторону мельком.

– Вы его убили?

– Усыпил. Через четверть часа он очнется. При нашем разговоре он лишний.

Хозяин кабинета понемногу приходил в себя. Он сел к столу, взял недокуренную трубку, разжег и был горд, что пальцы почти совсем не дрожали.

– Слушаю, – произнес он с достоинством. – Это касается предстоящих переговоров с Иденом?

– Никаких переговоров не будет. Черчилль с Гессом не встречался, это дезинформация. И «Лорда» в природе не существует.

Рука с трубкой опустилась.

– Зачем понадобился этот спектакль?

– Дезинформационная операция «Лорд» была проведена с одной-единственной целью: обеспечить мне выход на вас, причем в режиме «Молния». Чтобы повысить акции мифического «Лорда», Фюрер даже пожертвовал своим заместителем.Но дело того стоит. Я могу перейти к тексту послания?

– А менее драматично передать было нельзя?

Вопрос был задан особенным вкрадчивым тоном, от которого знающих людей бросало в холодный пот. Но фальшивый капитан то ли не разбирался в подобных тонкостях, то ли ему было на них наплевать.

– Нельзя. Иначе я не смог бы предъявить вам доказательств добрых намерений Фюрера.

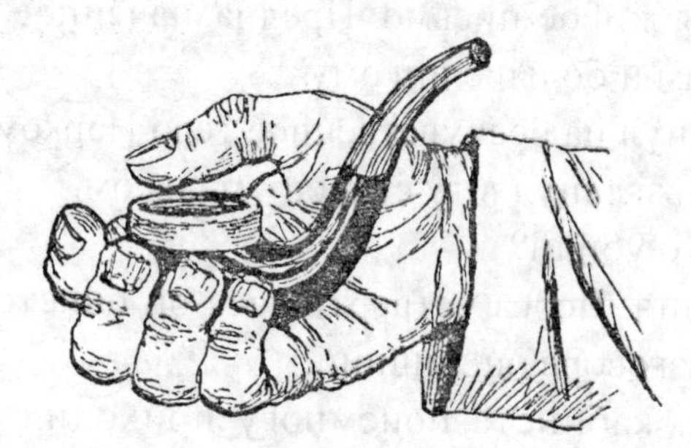

Офицер Абвера красноречиво помахал своей авторучкой.

– А теперь позвольте зачитать вам текст, слово в слово. Я сделаю это по памяти. Она у меня профессиональная.

Он вытянулся по стойке «смирно» и отчетливо, даже торжественно начал:

– «Господин председатель Совета народных комиссаров, в мире всё решает воля нескольких человек, и вы это знаете так же хорошо, как я».

Вождь едва заметно кивнул, как бы соглашаясь.

– «После того как Дуче доказал свою политическую несостоятельность, сегодня существуют только две личности – вы и я».

Снова кивок.

– «Мы относимся друг к другу с уважением. Потому что знаем: нам суждено поделить Землю между собой. Я надеюсь, что мы сможем осуществить этот раздел без конфликта. Однако есть силы, которым хочется во что бы то ни стало столкнуть нас. Только война между великим Рейхом и великим

Советским Союзом могла бы спасти дряхлую Британскую империю от неминуемой гибели. Скажите, зачем нам спасать Черчилля, этого заклятого врага Германии и России? Заявляю вам как Личность Личности: я не намерен нападать на Советский Союз. Моя первоочередная задача – уничтожение Англии. Через две недели мои танковые корпуса и воздушные армии сотрут в порошок Турцию и устремятся на Ближний Восток. Американские плутократы не смогут мне помешать, очень скоро в горло им мертвой хваткой вцепится Япония. Германия и Советский Союз заключили Пакт о ненападении, но мы оба не придаем значения этой бумажке. Предлагаю нечто куда более надежное – личное соглашение двух Вождей: никакой войны до 1 января 1943 года. Гарантией будет мое и ваше честное слово».

Посланец умолк и принял вольную позу – в знак того, что прочитал текст до конца. И уже другим тоном, официальным, но менее торжественным присовокупил:

– Ответ следует дать в течение суток. Через того же курьера – через меня.

Вождь подождал, не будет ли сказано еще что-нибудь. Не дождался. Тогда отложил трубку, так ни разу и не затянувшись. Мягко сказал:

– Честное слово – это хорошо. Но все-таки хотелось бы и каких-нибудь вещественных доказательств. Например...

Его прервал сухой щелчок. В спинке кресла, всего в пяти сантиметрах от головы Вождя, возникла дырка.

– Вот доказательство. – Курьер спрятал авторучку во внутренний карман. – Если бы Германия собиралась напасть на СССР, я всадил бы эту пулю вам в лоб. Фюреру очень хорошо известно: без вас вавилонская башня под названием «Советский Союз» рассыплется в прах. Нет ничего легче, чем атаковать стадо баранов, оставшееся без вожака.

– Красная Армия – не стадо баранов! – резко возразил Вождь – но и только.

Он с любопытством покосился на дырку, подергал вылезший оттуда войлок.

– Мне не понадобится 24 часа. Я готов дать ответ сейчас. Запоминайте.

Вождь поднялся, с минуту ходил по кабинету.

– «Господин рейхсканцлер, марксистская наука придерживается не такого, как вы, взгляда на роль личности в истории. Но мне кажется, что в этом наши теоретики ошибаются. Ваше предложение принято. Итак, до первого января 1943 года никакой войны». Всё, этого достаточно. Повторите.

Человек в форме капитана госбезопасности щелкнул каблуками и наклонил голову – не по советскому уставу, а по немецкому – и повторил текст слово в слово, даже с теми же интонациями.

– Еще одно послание, – сказал он, когда Вождь удовлетворенно кивнул. – Уже не от рейхсканцлера, а от моего непосредственного начальника. Если вы обманете Фюрера, если не сдержите своего слова, к вам явится другой посланец. Ничто его не остановит. Он войдет так же легко, как вошел я. И уничтожит вас.

Густые брови Вождя грозно сдвинулись, но курьер не отвел взгляда.

В это мгновение зашевелился усыпленный Нарком. Закряхтел, начал хлопать глазами.

Слегка кивнув офицеру Абвера, Вождь подошел к креслу. Укоризненно покачал головой:

– Не бережешь себя. Работаешь много, спишь мало. А ведь не себе принадлежишь – партии.

Нарком вскочил на ноги, залившись краской, подхватил пенсне.

– Извините… Никогда такого не было!

– Ничего, ничего. – Вождь потрепал его по щеке. – Мы с капитаном пока поговорили. Обсудили вашу с ним «идейку». Она не годится. Но сотрудников подбираешь хороших, молодец. – В кошачьих глазах мелькнула искорка.

– Идите, капитан, – кивнул Вождь. – Вы отлично выполнили свое задание.

– Служу Советскому Союзу! – весело рявкнул капитан, лихо развернулся и промаршировал к выходу.

Оба проводили его взглядом: Вождь задумчивым, Нарком прищуренным.

– Только попробуй его пальцем тронуть, – сказал хозяин. – Знаю я тебя. Не простишь, что он видел, как ты тут задрых. Волосок с его головы упадет – тебе конец. Понял?

Нарком всплеснул руками:

– Да что вы, в мыслях не имел! Отличный работник, всё английское направление на нем держится. Одна работа с «Лордом» чего стоит! Думаю Когана к ордену Ленина представить. Хотя мы, конечно, тоже не сидели сложа руки. Наш доклад со всей убедительностью доказывает, что война – дело решеное.

– Ты этот доклад себе в жопу засунь, – тихо, свирепо оборвал его Вождь.

– Виноват, – опешил генеральный комиссар. – Не понял…

– Его враги составляли, твой доклад! А ты при них пешка. Или, может, не пешка, а?

Зло прищуренные карие глаза встретились с панически расширившимися карими глазами. Лоб Железного Наркома моментально покрылся испариной.

Через несколько секунд Вождь едва заметно усмехнулся.

– Ладно, не трясись. Лучше послушай, что я тебе скажу. Войны не будет. Не нападет на нас Германия.

Нарком сглотнул, замялся, собрал всё свое мужество и спросил:

– Разрешите узнать, откуда такая информация?

– Отсюда. – Вождь показал себе на лоб. – Не будет в этом году войны. Ясно?

Когда он говорил таким тоном, это означало, что все колебания позади, решение принято, и нет такой силы, которая способная его изменить. Наркому это было хорошо известно, он и не попытался спорить.

– Ясно. Теперь ясно.

Поняв, что возражений и дальнейших вопросов не предвидится, Вождь проворчал, уже без злобы:

– Я давно тебе толкую – дезу про скорую войну

нам англичане подкидывают. И их дружки из окружения фельдмаршала Кейтеля. Не идиот Фюрер на два фронта воевать. Всё спорите со мной, не слушаете. У вас агентурная информация, а у меня нюх. Где бы вы все были без моего нюха?

– Кто спорит? – развел руками Нарком. – Я спорю? Докладываю, и только.

– Сейчас, прямо отсюда, дуй на аэродром. Лети по округам: в Прибалтийский, Западный, Киевский, Одесский. Внуши им страх божий, как ты умеешь. Первое: малейшая провокация с нашей стороны, хоть овчарка сторожевая в сторону границы гавкнет – весь начсостав в порошок. Второе: командиров, кому положено, в отпуска. Третье…

Нарком, кивая, быстро строчил ручкой в блокноте. На лбу у него подсыхали капли пота.

8. РАДИОГРАММА ОТ 12 ИЮНЯ 1941 Г.

Wasser an Sepp:

Operation „Asiat“ erfolgreich durchgeführt. Wie immer hast du recht gehabt – am überzeugendsten war das Argument vom Turm zu Babel. Gott sei mit uns. Also, Fortsetzung Folgt.

Вассер Зеппу:

Операция «Азиат» проведена успешно. Ты, как всегда, оказался прав – сильней всего на него подействовал аргумент про Вавилонскую башню. Итак, Продолжение Следует.

СОДЕРЖАНИЕ:

Пролог. Гениальная свинья 5
Глава первая. Чистый нокаут 21
Глава вторая . Надежда. 34
Глава третья. По системе Станиславского 52
Глава четвертая. Операция «Подледный лов» 69
Глава пятая. Файв о'клок у наркома 96
Глава шестая. Светлый путь 113
Глава седьмая. Почки-листочки 141
Глава восьмая. Девятичасовые новости 166
Глава девятая. «Ме-е, ме-е» 192
Глава десятая. Письма в никуда 232
Глава одиннадцатая. Изъятая 256
Глава двенадцатая. Неинтересная женщина 269
Глава тринадцатая. Полет сокола 308
Глава четырнадцатая. Проблема откровенности 320
Глава пятнадцатая. «Далеко пойдешь» 353
Эпилог. Будь что будет 361
Приложение. Особая папка 369

Литературно-художественное издание

Борис Акунин
ШПИОНСКИЙ РОМАН

роман

Арт-директор А. Соловьев
Дизайнер О. Лесничая

Общероссийский классификатор продукции
ОК-005-93, том 2; 953000 – книги, брошюры
Санитарно-эпидемиологическое заключение
№ 77.99.02.953.Д.000577.02.04 от 03.02.2004 г.
ООО «Издательство АСТ»
667000, Республика Тыва, г. Кызыл, ул. Кочетова, д. 28
Наши электронные адреса:
WWW.AST.RU, E-mail: astpub@aha.ru

Отпечатано с готовых диапозитивов в Государственном
Московском предприятии «Первая Образцовая типография»
Федерального агентства по печати и массовым коммуникациям.
115054, Москва, Валовая, 28